VOYAGE AU CREUX DE LA MAIN

JEAN DE BONY/STEPHANIE LECLAIR

Voyage au creux de la main

INITIATION A LA CHIROLOGIE

ÉDITIONS ROBERT LAFFONT
PARIS

*Peu d'hommes sont capables
d'exprimer une opinion
qui diffère des préjugés
de leur milieu ambiant.*

A. Einstein

*Dans ces murs voués aux merveilles
j'accueille et garde les ouvrages
de la main prodigieuse de l'artiste
égale et rivale de sa pensée
l'une n'est rien sans l'autre.*

Paul Valéry,
propos gravés en lettres d'or sur le fronton du Trocadéro.

Les mains sont le paysage du cœur.
Il arrive qu'elles se fendent
de ravins que creuse une force mal définie.
Ces mains, l'homme ne les rouvre
Qu'une fois recrues de labeur.

[...]

Les mains sont un paysage.
Quand elles se fendent,
la peine court dans leurs plaies,
libre comme un torrent.

[...]

Non, ce ne sont pas les mains seules
qui assènent le poids du marteau,
ni le torse gonflé,
ni les muscles aux formes visibles,
mais la pensée modelant son ouvrage...

Jean-Paul II
Poèmes : *La carrière*

SOMMAIRE

INTRODUCTION

Il était une fois une main,
une main pleine de doigts...
et de personnalité !
Je décidai un jour de lui rendre visite
et de faire connaissance,
de la connaître... jusqu'au bout des doigts.
L'un d'eux, me montrant du doigt
(ce doit être l'index, pensai-je),
avertit les autres
qu'il y avait un visiteur.
C'est le pouce,
arbitre et chef d'orchestre,
qui m'accueillit.
Majestueux et ferme,
il n'en était pas moins mobile :
« Avec ma position en retrait, me dit-il,
je peux juger posément des choses
et notamment arbitrer les différends
entre chacun des doigts,
et les "remettre" à leur place.
L'index, par exemple, qui représente
l'expression consciente du moi,
le désir d'affirmer sa personnalité
sociale ou professionnelle,
a toujours tendance
à régenter, juger, commander
et à vouloir être le premier partout.
Le médius a une trop haute idée de lui-même
pour daigner dévoiler
la richesse intérieure, intime et secrète
de sa personnalité,
et il faut en outre
parfois combattre son fatalisme.
Quant à l'annulaire,
extrêmement sensible, affectif et passionnel,

il a tendance à s'emballer
en tout ce qui concerne le domaine de la subjectivité,
surtout si la nature l'a doté
de quelques millimètres de plus...
que l'index ;
il possède néanmoins d'excellentes dispositions
artistiques et esthétiques.
Reste l'auriculaire
fort réceptif et intuitif,
toujours au courant
des dernières nouvelles,
son agilité mentale et sa curiosité
lui permettent de s'intéresser à tout
mais il peut aussi arriver
qu'il sème la zizanie là où il passe.
Voilà le paysage.
Je vais vous présenter maintenant
les lignes, continua le pouce.
A mes pieds [!] s'étend
ce que l'on appelle la ligne de vie,
c'est en fait la ligne de vitalité
et d'endurance.
D'une courbe harmonieuse
forte et bien tracée,
elle est le reflet
d'une bonne et endurante constitution.
Séparant le mont de Vénus
de la plaine de Mars,
elle protège ainsi la sensibilité
d'une trop brutale confrontation
avec le dur combat de la vie.
Tandis que la ligne de vie
vient s'évanouir près du poignet,
je m'engage dans le "sens de l'histoire"
sur la ligne de destinée
qui remonte vers le médius.
Je sens alors le poids du destin,
le degré de liberté vis-à-vis de lui
et la richesse du "Jeu" que l'on a en main...
Parcourant les années à grands pas,
cette ligne croise aux alentours de trente, quarante ans
la ligne de tête, ligne des facultés mentales.

C'est l'âge du recentrage,
de l'interrogation sur soi
et parfois d'une remise en question
de l'acquis et de la trajectoire :
la suite du destin est issue
d'une analyse sur et de soi-même.
Poursuivant notre chemin,
un nouveau croisement quelques années après :
la ligne de cœur !
Ça craque ou ça tient :
"un aperçu de la qualité
et du niveau du vécu sentimental". »
« Tout cela est fascinant — répliquai-je alors —
et ce voyage au creux de la personnalité extraordinaire.
Mais où sont les lignes de chance,
de mariage, d'argent et de longueur de vie
dont on parle si souvent ? »
Le pouce affiche un air défait et triste,
et dodelinant du chapeau ajoute :
« Les idées fausses ont la vie dure !
Tout cela ne tient pas debout,
et, issu de la "bonne aventure" chiromancienne,
n'a rien à voir avec
la science humaine d'observation
qu'est la chirologie.
Il y a trop de doigts dans votre main
pour dénombrer les ouvrages sérieux
parus sur la question.
La plupart du temps les livres traitant des lignes de la main
sont écrits par des gens...
qui ne savent rien
et étalent l'affligeante ignorance
de ceux qu'ils ont lamentablement plagiés.
Mais vous qui semblez avoir conscience
d'une réalité importante :
la main est à la fois servante et créatrice de l'Homme,
prenez la plume
et faites la mise au point s'imposant.
La Main mérite bien ce petit "coup de pouce" !... »

1

HISTORIQUE
ET
PHILOSOPHIE

DIFFÉRENCES ESSENTIELLES ENTRE CHIROLOGIE ET CHIROMANCIE

Si vous, lecteur, pouvez par un patient et assidu apprentissage (et à l'aide de cet ouvrage) devenir chirologue, l'« art chiromancien » en revanche n'est pas à la portée de tout le monde...

L'exercice de la chirologie nécessite un savoir, s'apprend, celui de la chiromancie exige un don : la voyance (faculté que l'on ne trouve pas même à la Samaritaine, quoique...). Pourtant, malgré ses aspects mystérieux, ce don est aussi banal que l'oreille musicale, le sens de l'orientation ou celui des affaires. Il permet de deviner le passé, le présent et le futur d'un individu. La main sert alors de support, comme les cartes en cartomancie ou un jet d'objets en géomancie. Le contact avec la main apporte au processus chiromancique l'équivalent de l'antenne et du courant électrique au téléviseur ; le passé, le présent et le futur de la vie d'un individu en particulier se déroulent sur l'écran intérieur et personnel du voyant. La voyance, voyage dans l'espace et dans le temps, qualifiée à tort de paranormale, se révèle en réalité du normal non encore expliqué. Mais n'est pas chiromancien qui veut ! ou plutôt chiromancienne. En effet, la voyance, art divinatoire, forme supérieure de l'intuition — la plupart du temps féminine — s'avère davantage pratiquée par des femmes.

Beaucoup de gens prétendent pratiquer la chiromancie sans pour autant détenir le don de voyance. Cet art permet, et même favorise, comme toutes les autres formes de « mancie », le charlatanisme et par voie de conséquence l'escroquerie. Les prédictions se vérifient avec le temps et le « prédictionnaire » en cas de mécontentement du consultant le déclare inattentif aux signes du destin ou forge une histoire abracadabrante, tour de passe-passe de l'esprit. La chiromancie — hélas ! — favorisant l'amertume, ne rend pas responsable.

En matière de chirologie, comme en toutes, cette fois, formes de « logies », de la plus reconnue, la graphologie, en passant par l'astrologie, la morphopsychologie, à la plus méconnue, l'hématopsychologie (nous reviendrons sur la complémentarité de ces sciences dans la quatrième partie), l'incompétence ne fait pas longtemps illusion.

Au départ technique, le distinguo entre la chirologie et la chiromancie approche aussi le domaine philosophique : face à un problème à résoudre, la chirologie donne le « mode d'emploi » de l'efficience de l'action à entreprendre, la chiromancie donne l'issue... or, n'est-il pas philosophiquement plus essentiel de comprendre ce que l'on peut faire plutôt que de savoir ce que l'on va faire ?

Le combat forme l'homme, non le résultat de sa lutte. La connaissance de l'issue de la confrontation déresponsabilise. S'il ne doit pas voir sa réussite, le combattant baisse vite les bras ; si d'aventure il aurait pu cependant vaincre, il s'en voudra deux fois plus ! Avec une issue favorable le voilà pourtant insatisfait : « A vaincre sans péril on triomphe sans gloire... », et la facilité engendre la médiocrité, voire le dégoût de soi. Présence du résultat certes mais, par manque de combativité, absence de l'évaluation des moyens. La chiromancie révèle trop et endigue les facultés.

A force d'observer et d'expérimenter une évidence apparaît : la vie soumet les individus à des épreuves à leur mesure. Des œillères, une courte vue, les « clichés », des impressions persistantes poussent arbitrairement l'être humain à se sous-estimer au rythme de la multiplication de ses insuccès.

HISTORIQUE

L'attrait de l'homme pour sa main et son message (décelable à ceux sachant lire, bien sûr...) remonte, sinon à la nuit des temps, du moins à l'origine de la vie humaine !

Cependant, l'étude de la main ne pouvait se développer qu'à travers des civilisations ayant atteint une certaine sagesse. Elle trouva son berceau, dit-on, en Inde mais tous les peuples évolués de l'Antiquité : Assyriens, Chaldéens, Chinois, Egyptiens, Hébreux, Grecs, la pratiquèrent. De nos jours la science s'engouffre avec une rapidité déconcertante dans tous les domaines ouverts aux progrès techniques prétendus les plus « enrichissants » mais piétine en ce qui concerne non le bien-être mais le bonheur de l'individu. Phénoménal paradoxe de la recherche spatiale et de la misère humaine. Pendant l'Antiquité, en revanche, l'homme se révèle le principal objet (sujet !) d'étude de l'humanité. Plusieurs grands esprits s'intéressent à la main : Jules César, Pline l'Ancien, le mathématicien Sputina mais aussi Anaxagore, Aristote, Platon. Ces derniers ont laissé des notes instructives sur l'importance de la main pour la connaissance de la santé et du tempérament de l'homme. Médecins et philosophes considèrent alors la main comme un organe destiné à jouer un rôle important dans le diagnostic médical. L'habitude scolaire d'opposer science et philosophie ne doit pas faire oublier que dans l'Antiquité la médecine appartient à l'étude d'ensemble de la philosophie naturelle. Hippocrate lui-même,

dont l'œuvre est pourtant tenue comme se rapportant au domaine de la science de la guérison, n'est pas un médecin, au sens contemporain du terme. Son traité *Sur l'air, l'eau et les plaies,* sans doute primitif et teinté de superstition, est le premier ouvrage de philosophie scientifique. Il a particulièrement bien cerné les liens existant entre la main et les poumons, le prouve d'ailleurs la fréquente utilisation de l'expression « ongle hippocratique » pour signifier, si l'ongle a un bombement en longitude et en latitude, une faiblesse pulmonaire puis la venue d'un conseil : ne pas trop fumer !

L'autre « médecin » illustre, grec lui aussi, Galien (IIe siècle après J.-C.), a insisté sur l'importance physiologique de la main, organe de préhension et de toucher certes, mais aussi organe nécessaire à l'homme pour construire son intelligence. La main servante et créatrice de l'homme se révèle un concept de la plus haute importance.

Le statut morphologique de la main n'a pas échappé à Aristote. Il voit en cet organe la possibilité pour l'homme d'apprivoiser le temps. Les analyses du philosophe consacrées à la main amorcent un tournant dans l'histoire des idées. Grâce à l'habileté de sa main l'homme ne subit plus : il construit ! Le statut morphologique de la main se mue alors en un statut ontologique.

La civilisation hellénique, brillante dans le domaine des mathématiques, des arts et de la philosophie, compte peu d'ingénieurs et de techniciens. Pour elle l'homme ne tente pas de se rendre « maître et possesseur de la nature ». En effet, chez les Grecs, une action visant à modifier l'ordre naturel des choses passait pour un acte d'*hybris* : à la fois outrage à l'ordre établi par la nature et fécondité malheureuse d'un tel acte. Attitude encore actuelle pour ce peuple, transposition à l'appui !

Ainsi face aux progrès de la médecine s'élabore un reproche à la dialectique sensée : soigner des sujets porteurs de tares génétiques leur permet de mener une vie normale, d'avoir des enfants, or ce succès entraîne un danger terrible car les gènes défavorables des parents seront transmis au lieu d'être éliminés comme le voulait la nature. Et peu à peu, le patrimoine génétique collectif va se trouver encombré par ces gènes nuisibles. Une action, bénéfique dans l'immédiat, pose une bombe à retardement !

Les philosophes grecs ne s'avèrent pas partisans des philosophies du progrès. Ils conçoivent le *devenir* comme un courant entraînant toutes choses vers le dépérissement et la mort. Les Grecs tiennent l'action technique en suspicion et font du temps l'ennemi implacable de l'humanité. Autour d'eux, dans le bassin méditerranéen, se dessine un nouveau mouvement de pensée qui voit en l'homme l'être vivant à la fois le plus doué et le plus fécond en ressources et potentialités. Car si l'homme ne possède pas certaines aptitudes physiques — par exemple la rapidité de course ou d'attaque des félins ou l'envol de l'aigle —, il possède deux *mains*.

Pour Aristote la raison de cette supériorité ne pose aucun doute. Grâce à ses mains l'homme parvient à dominer tous les autres vivants, à domestiquer la terre elle-même. « En effet — écrit-il — l'être le plus intelligent est celui qui est capable de bien utiliser le plus grand nombre d'outils : or, la main semble être, non pas un outil, mais plusieurs. A l'homme, être capable d'acqué-

rir le plus grand nombre de techniques, la nature a donné l'outil de loin le plus utile : la main. Aussi ceux qui disent que l'homme n'est pas bien constitué et qu'il est le moins bien partagé des animaux (parce que sans chaussures, nu et ne portant pas d'armes pour combattre) sont-ils dans l'erreur. Car les autres animaux ont chacun un seul moyen de défense et ils n'ont pas la possibilité d'en changer pour un autre. Ils sont forcés, pour ainsi dire, de garder leurs chaussures pour dormir ! pour faire n'importe quoi d'autre aussi. En outre ils ne doivent jamais déposer l'armure qu'ils ont autour de leur corps, ni changer l'arme qu'ils ont reçue en partage. L'homme, au contraire, possède de nombreux moyens de défense, et il lui est toujours loisible d'en changer voire d'avoir l'arme qu'il veut quand il veut, car la main devient griffe, serre, corne ou lance ou épée, ou toute autre arme ou outil. Elle peut être tout cela, parce qu'elle est capable de tout saisir et de tout tenir. » Pour Aristote, la main, organe polyvalent, possède une appellation fort bien contrôlée : celle d'« instrument des instruments »...

Mais d'où l'homme tient-il sa main ? Sur cette redoutable et essentielle question, Aristote, d'autres après lui, certains aujourd'hui, se penchent avec ferveur. Le problème soulevé par la structure de la main et ses étonnantes aptitudes se situe dans un contexte génétique amenant, tôt ou tard, une nouvelle interrogation : une telle structure est-elle fille du temps ou faut-il invoquer à son sujet la notion de finalité ? Plus communément : la fonction crée-t-elle l'organe ou l'organe implique-t-il la fonction ?

Aristote adhère à la seconde hypothèse. Pour lui, la main est une donnée bienveillante attribuée d'emblée par la nature — et la nature ne fait rien en vain ! Aristote ajoute : « Anaxagore prétend que c'est parce qu'il a des mains que l'homme est le plus intelligent des animaux. Ce qui est rationnel, plutôt, c'est de dire qu'il a des mains-parce qu'il est le plus intelligent. Car la main est un outil ; or, la nature attribue toujours, comme le ferait un homme sage, chaque organe à qui est capable de s'en servir. »

La version d'Aristote s'oppose à celle d'Anaxagore : selon Aristote, parce que seul l'homme est digne de posséder une main, il en a la jouissance ; théorie finaliste. Selon Anaxagore et Platon, parce que seul l'homme possède une main, il a pu faire évoluer son intelligence ; théorie évolutionniste qui implique une vision du monde plus ou moins héritée de Platon faisant de la main une sorte de don octroyé à l'homme par une puissance le dépassant. Il se voit alors dépositaire d'un trésor accordé par une force ingénieuse et quasi providentielle.

Point de vue semblable de Claude Galien, au IIe siècle après J.-C., et affirmé dans son ouvrage *De l'utilité des parties du corps humain*. La supériorité de l'homme due à la main le sacre roi — ou même empereur ! — des êtres vivants, supériorité voulue par la nature et délibérément instituée par elle. Il s'agit d'un véritable plan inscrit dans l'ordre des choses, plan dont la main et l'homme qui la possède seraient le couronnement.

Les siècles passent, l'attrait pour la main devient de moins en moins philosophique tandis que croît par ailleurs un engouement plus terre à terre pour la chiromancie.

Au Moyen Age la chiromancie connaît sa plus grande vogue. Hélas, à cette époque, les disciplines de l'Antiquité — notamment celles de la connaissance de l'homme, reléguées vers les gitanes et autres diseurs de bonne aventure et de mauvaise éthique par l'intransigeance de l'Eglise — déformées, dégénèrent vite en superstitions dont le fatras et la sottise stupéfient et durent.

L'évolution d'une philosophie ou d'une religion dominante passe toujours par la confrontation du pouvoir et du savoir. L'Eglise pour se maintenir en place et maintenir l'ordre en son sein exprime à travers son discours plus d'intransigeance que n'en possèdent, en fait, ses conceptions. Ainsi Galilée, soutenu moralement et financièrement par un prélat pontifical, se vit abandonné et renié par le même homme devenu pape. Teilhard de Chardin, susceptible d'affoler les esprits par ses théories, fut « exilé » en Chine...

L'attitude des responsables de l'Eglise vis-à-vis de leurs fidèles se résume à ceci : « Priez, nous pensons pour vous » ! La chiromancie, héritage des païens, n'eut même pas l'heur de courir sa chance ; dénoncée aussitôt comme sorcellerie et magie, ses adeptes devinrent des suppôts du diable. Cependant, en dépit de cette persécution, un des premiers livres imprimés (en 1475, trente-cinq ans après l'invention de l'imprimerie par Gutenberg) est un ouvrage de chiromancie, *Die Kunst Ciromantia*.

Le XVIe siècle et le commencement du XVIIe siècle sont, comme le Moyen Age, favorables à ce type de divination. Les intelligences les plus fameuses de l'époque s'y intéressent. Signalons au hasard : Montaigne, Paracelse, Jérôme Savonarole... Les traités de chiromancie se multiplient, souvent anonymes.

Puis une période de silence entoure la chiromancie. Le XVIIIe siècle se montre peu disert en travaux de ce genre. Les arts l'emportent sur les sciences.

Le XIXe siècle marque un essai de rénovation. Le mérite en revient à Casimir d'Arpentigny. Le premier, en 1835, il dégage la chiromancie de son côté magique pour lui donner l'aspect, sinon le caractère, d'une science d'observation à base d'analyse et de déduction proche de la *chronologie*.

Cinquante ans auparavant le philosophe suisse Lavater a su retenir l'attention des milieux scientifiques d'Europe entre les traits du visage et les traits du caractère. Il publie sur ce sujet un important livre : *Le Traité de physiognomonie,* inventant à la fois une théorie scientifique et le terme qui la définit.

Suivant son exemple, d'Arpentigny, pour montrer les correspondances, plus frappantes encore, entre la forme de la main et les données profondes du caractère, invente à son tour un moyen de connaissance psychologique et le baptise « chirognomonie ». Casimir d'Arpentigny, officier dans l'armée française, rencontre, pendant la guerre d'Espagne, une gitane. En lui « lisant les lignes de la main », la bohémienne suscite une curiosité chez cet homme fureteur. Il élabore alors, sur de nouvelles bases, une étude de la main. De retour à la vie civile, Casimir s'installe en province, dans le voisinage d'un puissant châtelain épris des sciences exactes. Ce noble personnage reçoit chez lui force géomètres et force physiciens. Sa femme, la châtelaine, en revanche, aime avec passion et délectation les arts et reçoit, elle, des artistes. D'Arpentigny, ni mécanicien ni artiste, va aux réunions de la femme et du mari, sans distinction, selon son humeur. Il remarque, son esprit d'analyse aidant, la nodosité des doigts des arithméticiens et des manieurs de fer, et le lisse de ceux des artistes. Frappé de ce contraste, d'Arpentigny en vient à conclure qu'il est loisible d'attribuer l'impressionnabilité, la spontanéité, l'intuition, le caprice et le goût des arts aux doigts lisses. En revanche, toujours d'après son observation, il en déduit que la réflexion, l'ordre, l'aptitude aux chiffres et aux sciences — applications de l'intelligence et non de la sensibilité — apparaissent surtout chez les possesseurs de doigts noueux.

Les deux Français dont les travaux ont modifié l'étude de la chiromancie (il ne s'agit pas encore de *chirologie*) naissent à trois ans de distance : Casimir d'Arpentigny en 1798, Desbarolles en 1801. Coïncidence chronologique mais la ressemblance s'arrête là car l'intelligence et la tournure d'esprit des deux chercheurs sont fort différentes. De fait, peu convaincu par les théories de ses prédécesseurs, Adrien-Adolphe Desbarolles essaie d'élaborer un système entièrement neuf. Après quinze années de recherches, d'expériences personnelles, il publie *Mystères de la main* en 1859, ouvrage qui connaît vingt éditions successives du vivant de l'auteur : un record !

Pour son époque, Desbarolles fait preuve d'une science remarquable. Il se démarque du folklore chiromancien par l'importance accordée aux différentes formes de la main, composant ainsi un processus d'étude presque chirologique. Cependant son interprétation des lignes reste confondue avec celle de la chiromancie. A son actif aussi un autre point : la plupart de ses conclusions à partir d'expériences procédant de l'analyse mettent en garde chercheurs et expérimentateurs contre les risques d'interprétation.

A partir de la fin du XIXe siècle s'ouvre une période de clarification définitive entre chiromancie et chirologie.

La chiromancie traverse une époque faste grâce, en particulier, à deux figures légendaires :

— Celle de Cheiro (surnom adopté par le comte Louis Hamon), personnage sans doute le plus excentrique de l'histoire de la chiromancie, à la remarquable et reconnue habileté. Ce comte examine les mains d'une partie de la cour d'Angleterre, de Marc Twain, de Chamberlain et d'Oscar Wilde. Ce dernier déclara : « En réalité, avec Cheiro le mystère fait partie, non du monde intangible, mais du monde tangible. » Cependant Cheiro, voyant et numéromancien, ne peut guère être pris au sérieux car sa théorie pèche par la base : manque de connaissance de la chirologie, sens de l'honnêteté douteux, mégalomanie évidente. Cela ne l'empêche pas, bien au contraire, de réussir et d'acquérir le respect et la considération des plus hautes personnalités de son époque. A la vérité, ses nombreux ouvrages n'apportent rien de nouveau et ont comme unique intérêt de livrer aux générations futures, tel un témoignage, les empreintes des mains d'illustres personnages. En effet, comme beaucoup de ses contemporains, Cheiro s'inspire presque exclusivement de Desbarolles et d'Arpentigny.

— Celle aussi de la fameuse (et « fumeuse » !) « Madame de Thèbes ».

Ils jouissent d'une incroyable vogue, croisent l'un le « Tout-Londres », l'autre le « Tout-Paris ». Alexandre Dumas fils favorise la carrière de « Madame de Thèbes » (de son vrai nom Antoinette Savay). Il va jusqu'à formuler à son égard un quasi-décret : « La chiromancie sera un jour la grammaire de l'organisation humaine. » Affirmation visionnaire si l'on considère qu'il nomme chiromancie l'étude scientifique de la main, le néologisme « chirologie » faisant alors encore défaut au vocabulaire... et de nos jours encore à certains dictionnaires.

Cheiro et « Madame de Thèbes » aident néanmoins à l'essor de la chirologie par l'engouement pour la main — et pour ce qu'elle peut révéler — qu'ils suscitent dans l'esprit de leurs contemporains les plus curieux, même s'ils n'en maîtrisent pas les conséquences positives. Expériences et observations se multiplient à l'initiative d'écoles scientifiques travaillant en étroite liaison avec des médecins, des biologistes, des psychologues, des psychanalystes, et s'appuyant sur tout l'appareil de la technique moderne.

Se démarquent trois courants :

● **En premier lieu** l'école anglo-saxonne, très riche en expériences et observations. Dès 1853, rapporte Cheiro, elles prouvent l'existence de petites substances moléculaires, les corpuscules, distribuées dans la main d'une manière spéciale. Elles en détectent 108 au bout des doigts, projetant des crépitations ou vibrations en siégeant en plus grand nombre dans les lignes rouges (par opposition aux incolores) de la main. Ces expériences (rien ne vaut l'expérience et les expériences !) démontrent un autre fait : une étude assez courte permet de déceler et reconnaître les vibrations propres à chaque individu. Elles augmentent ou diminuent selon l'état de santé, l'activité de la pensée, le degré d'excitation du sujet, s'éteignent au moment où la mort les maîtrise et les chloroforme.

L'étude des corpuscules, reprise par sir Charles Bell, apporte en 1874 une certitude : chacun d'eux contient l'extrémité d'une fibre nerveuse et se trouve en communication immédiate avec le cerveau.

Forte des résultats des recherches et de l'engouement ainsi suscité parmi le public, Katherine Ashton Saint Hill fonde en avril 1889 la Chirological Society et dirige pendant plusieurs années la publication *The Palmist's Review*. Elle résume dans *The Book of the Hand* (1927), *Medical Palmistry, Hands and Faces,* et *Grammar of Palmistry* les découvertes de son groupe de recherches. Ses proches et son entourage gardent d'elle l'image d'une femme dédaignant les vieilles théories toutes faites, vérifiant chaque point avec objectivité, se fiant à ses propres observations, en quête de la vérité. Sous sa direction, les membres de la Chirological Society étendent leurs observations dans les hôpitaux, les asiles, les prisons... La « Chirological Society » disparaît, hélas, au cours de la Seconde Guerre mondiale.

En cette première moitié de siècle, l'Angleterre recèle aussi un autre précieux chirologue : Noël Jaquin. Il s'exprime à travers divers ouvrages : *The Hand of Man* (1934), *The Hand Speaks* (1942), *Signature of Time* (1950) et *The Human Hand, the Living Symbol* (1956), et détermine des rapports sur l'attitude psychologique des gens en relation avec les motifs des empreintes digitales et sur les désordres organiques annoncés par les dégradations du réseau papillaire. Son disciple et successeur Vear Compton, auteur de *Palmistry for Every Man,* écrit de multiples articles sur les similitudes et les différences des mains des jumeaux, des triplés et autres enfants nés d'accouchements multiples. Sir Francis Galton (voir chapitre « Les quatre types de digitaloglyphes ») comprend vite l'importance des motifs papillaires des doigts en matière de génétique et de diagnostic. Il est l'un des pères de l'étude des empreintes digitales et de leur classification, de nombre de remarques sur leurs aspects héréditaires et raciaux. Il rassemble plusieurs milliers d'empreintes et les classe selon la périodicité des boucles, des volutes et des arcs. A sa mort, le collège de l'Université de Londres où il enseigna l'eugénisme reçoit ses collections. La consécration officielle... et posthume vient en 1933 avec l'installation au sein de l'université de Londres du laboratoire Francis Galton.

A R.A. Fisher, directeur jusqu'en 1945, succéda et succède toujours L.S. Penrose. Ce dernier commence à s'intéresser aux empreintes digitales alors qu'il dirige le Département médical de l'Ontario, avant sa nomination à Londres. Le professeur Norma Ford Walker, de Toronto, avait attiré son attention sur les découvertes du professeur Cummins, de l'université de Tulane (Nouvelle-Orléans), relatives aux empreintes palmaires des mongoliens.

Harold Cummins, docteur en philosophie, écrit en 1943 *Finger Prints, Palms and Soles,* en collaboration avec son assistant Charles Midlo. Depuis les glyphologues associent Cummins et Midlo aussi naturellement que l'on cite Laurel et Hardy ou Castor et Pollux !

Un Français, le comte C. de Saint-Germain, condense et fait connaître aux USA les travaux de Desbarolles et d'Arpentigny en publiant, d'abord à Chicago en 1898 puis avec une plus grande diffusion en 1934, un livre : *The Study of Palmistry for Professionnal Purposes.*

Le lecteur trouvera les noms des Américains qui se sont illustrés en ce domaine dans le chapitre sur l'historique de la dermatoglyphie.

Pour achever la liste, non exhaustive, des Anglo-Saxons, il sied de nommer aussi :

— le docteur Charlotte Wolff : elle quitte les confins de la Pologne lorsque s'y instaure le régime nazi, et se crée une nouvelle vie parmi ses connaissances de Paris et de Londres. La guerre l'oblige à s'établir de façon définitive en Angleterre. Son livre *Studies in Hand Reading* est traduit de l'allemand en 1936 ; elle écrit ensuite *The Human Hand, The Hand in Psychological Diagnosis* et *A Psychology of Gesture* (1951).

— Beryl B. Hutchinson, dans le même esprit que Katherine Saint Hill, accumule des observations autour d'elle et lors de ses voyages. Pour elle, la tradition reste cependant source de documentation, en particulier celle de l'Inde (britannique, elle connaît bien ce pays) et, à l'exemple de Cheiro, elle entretient des liens avec des praticiens de cette civilisation. Deux noms représentent l'école hindoue : K.C. Sensou et Mir Bashir. Ils établissent tous deux un pont entre l'Orient et l'Occident. Le premier publie à Bombay *The Science of Hand Reading Simplified* mais traite plus de la chiromancie que de la chirologie. Le plus « anglais » des deux, Mir Bashir, quitte l'Inde pour le Royaume-Uni en 1947. Membre de la SSPP (voir l'explication de ce sigle ci-dessous), il en devient président en 1952 et 1953. Il écrit peu mais donne des cours et des conférences de grande valeur. Il insiste sur l'importance de la délimitation exacte de la paume et étudie le motif formé par l'apex du mont de Jupiter (à la base de l'index), contributions remarquables à la science de la main. Chacune de ses communications à la SSPP donne matière à expérimentation et réflexion, rapporte dans son ouvrage *Your Life in Your Hands,* paru à Londres en 1967, Beryl B. Hutchinson, elle aussi membre actif de la SSPP. La SSPP ? Society for the Study of Physiological Pattern, fondée par Noël Jasquin le 12 avril 1945 pour succéder à la Chirological Society tuée par le conflit mondial de 1939-1945.

Les buts de la SSPP se définissent ainsi, selon B. Hutchinson :

« a) Aider à l'avancement des études et des recherches sur les formes extérieures des organismes vivants, afin de prouver leurs relations avec la psychologie comme avec la pathologie.

« b) Démontrer et affirmer l'importance de telles recherches. Les activités de la société comprennent une conférence par mois, les réunions d'un groupe de travail analysant les hypothèses nouvelles, vérifiant les données traditionnelles..., des classes pour les débutants, la tenue d'une bibliothèque d'ouvrages idoines, le classement d'archives avec notamment des empreintes utilisables dans des domaines comme l'orientation professionnelle et la médecine. Tous les travaux de la société sont consignés par écrit. »

• **En second lieu,** un courant germanique et tchèque (le docteur Charlotte Wolff eût pu lui appartenir sans l'avènement du nazisme), plus réduit. Sans doute y a-t-il une mystérieuse relation de cause à effet car le chef de file de cette école périt au cours de la Deuxième Guerre mondiale dans un camp de concentration. Il ne put, pour le malheur de la science, achever la trilogie à laquelle il travaillait. Seul parut *The Hand of Children* en 1944 à Londres. Dans sa seconde édition, l'ouvrage comprend une postface d'Hester R. Levi incluant les notes rassemblées par Spier pour le livre qu'il préparait, *Hands of the Mentally Diseased* (1955). Les conférences de Spier à l'Université de Zurich convainquirent Jung de s'intéresser à la chirologie. La diaspora de l'école germanique occasionnée par la guerre et la disparition de Julius Spier amena de par le monde de nombreux disciples à se réclamer de lui. L'un d'eux, Mᵐᵉ Freudenberg, à la mort de son professeur, vint en France. Elle habite Paris depuis lors et fait depuis 1946 de nombreuses conférences dont la première à l'instigation de M. Chrétien-Marquet pour un groupe de recherches et d'études nommé Science-Action-Libération.

Citons le docteur suisse Debrunner et le docteur tchèque J.E. Parkyne, présents aussi au chapitre sur l'historique de la dermatoglyphe.

On ne saurait parler d'école chinoise et ce pour deux raisons :

1) Il n'existe pas en Chine de groupe de recherches concernant ce domaine (du moins telle apparaît la réalité chinoise à cet égard !...).

2) Il ne s'agit point en ce pays de chirologie mais plutôt d'une chiromancie pratiquée dans les foires et sur les marchés par les *Krann Cheou sienn-cheng,* semblables aux voyantes occidentales installées dans leurs roulottes.

« Cependant en Chine, écrit George Soulié de Morant — diplomate quinze ans là-bas — dans son ouvrage *Les Sciences Occultes en Chine : la Main* (1932), nul ne se fait de la chiromancie, de la physiognomonie, de l'astrologie ou des évocations et des sorts, l'idée à la fois méprisante et épouvantée, normale en Europe, pour ce que nous appelons sciences occultes.

« En Asie, ces études sont de la science tout court [!] et de la science fondée, comme le veut Claude Bernard, sur l'observation et l'expérimentation.

« Pour l'Extrême-Orient ces recherhes forment deux groupes :

« 1) *Siang Jenn*, "l'examen de l'homme", qui est l'observation attentive des relations entre les détails physiques d'une personne et ses sentiments profonds ou ses pensées habituelles : la chiromancie et la physiognomonie.

« 2) *T'ienn oénn*, "les signes célestes", sont l'étude des rapports pouvant exister entre les différentes destinées humaines et les signes astraux ou terrestres concomitants : l'astrologie et les sorts.

« Les évocations font partie de ces deux groupes puisqu'ils étudient ce qui reste de l'homme dans le monde astral et qui, pour beaucoup, est l'énergie ancestrale qui gouverne en partie les races. »

Au regretté Soulié de Morant appartient la responsabilité de ses (ces) propos, nous n'y adhérons pas lorsqu'il associe l'astrologie et les sorts.

De toute façon nous ne nous attarderons pas davantage sur ce sujet tant la chiromancie chinoise s'éloigne en théorie et sur le plan de la philosophie de la chirologie ; elles sont même plus étrangères l'une à l'autre que l'astrologie chinoise et l'astrologie occidentale déjà dissemblables !

● **En troisième lieu**, l'école française joue un rôle très important dans le développement de certains aspects de la chirologie.

Les « Madame de Thèbes » et consœurs s'emparent avec prestesse de l'élan donné par Desbarolles et le comte d'Arpentigny à la recherche chirologique. Elles s'engouffrent dans la brèche ouverte et retardent ainsi d'un demi-siècle la sensibilisation du public à l'étude scientifique de la main, jusqu'à l'avènement des travaux d'Henri Mangin. Les louables tentatives de ses prédécesseurs ne parvinrent pas à enrayer l'engouement pour les sciences occultes orchestré avec habileté et sens du commerce par les diseuses de bonne aventure.

Premier d'entre eux, digne successeur de Desbarolles : le docteur Noël Vaschide dont Charlotte Wolff se réclame. Il s'efforce d'établir un rapport entre les lignes de la main, baptisées par lui « images motrices », et les traits de la personnalité. Directeur du laboratoire de psychologie de l'asile de Villejuif, il fait examiner par une chiromancienne des mains d'infirmes et de déments internés dans son service. L'exactitude des remarques énoncées en sa présence le trouble au point qu'il entreprend une longue étude de la science de la main dont le résultat paraît après son décès sous le titre d'*Essai sur la psychologie de la main* (1909).

Devant la justesse des informations données par la chiromancienne, douée celle-là d'un véritable don de voyance (la suite de l'histoire le confirme), le docteur Vaschide décide d'approfondir ce domaine, en homme de science. Ironie du sort, il se trouve l'objet… et la victime d'une prédiction tragique. Après avoir relevé les observations de la chiromancienne, il lui demande d'examiner sa main et de lui conter ce qu'elle y voit : « Vous mourrez à trente-trois ans », lui affirme-t-elle. Le docteur Vaschide décède en effet à cet âge !

Comme Cheiro à Londres, Maryse Choisy acquiert une certaine célébrité ; elle aime Paris et Paris le lui rend bien. Elle écrit dans ses mémoires : « Pour tous les trésors de Rothschild et de Rockefeller réunis, je n'eusse voulu être jeune à Paris à une époque autre que 1925. Personne ne soupçonne la joie de vivre qui régnait alors. Le monde était dans Paris et Paris était sur le monde. » Elle rapporte des Indes, toujours comme Cheiro, son attrait pour la connaissance de la main qualifiée par elle d'« aimable art de salon ». Art qu'elle érige, à l'inverse de Cheiro cette fois, en technique scientifique. Elle expérimente ses propres théories et se « fait la main » avec celles des personnalités de son époque. Elle a alors vingt-trois ans. Elle ne veut pas enseigner (elle est docteur en philosophie) mais ne peut encore vivre de ses vers ou de sa prose et décide de devenir journaliste. Or, pour entrer dans un journal, il faut (déjà) faire son apprentissage dans la rubrique des chiens écrasés... et en 1926, pour être digne des chiens écrasés, il faut être un homme ! Aussi propose-t-elle à Fernand Divoire, rédacteur en chef de *L'intransigeant* — quotidien français au plus fort tirage de l'époque —, une rubrique qu'elle seule peut tenir, et qui paraît alors trois fois par semaine dans *L'intransigeant* [1] : portrait psychologique d'un contemporain illustre d'après l'analyse de ses mains. Le président de la République, le roi Albert, les présidents du Conseil, les académiciens, Pirandello, Conan Doyle, Courteline... le Tout-Paris y passe... et Maryse Choisy devient elle-même célèbre mais, contrairement à Cheiro, n'en reste pas là et conforte sa célébrité par des reportages vécus envers et contre tous les tabous. Son livre *Un mois chez les filles,* incursion journalistique dans la vie d'une maison de tolérance, se vend à quatre cent cinquante mille exemplaires. Elle multiplie les expériences : dompteuse dans un cirque ambulant, aviatrice... et agit (un critique la nomme ainsi) comme « la femme la plus aventureuse du siècle » ! Journaliste parlementaire elle fait la radioscopie de la IIIe République finissante : « ... le 6 février 1934, j'étais à l'intérieur de la chambre des députés. J'avais des amis dans les deux camps : Daudet, Bérard, Monzie, Blum, Cachin, Vaillant-Couturier... »

En 1946, Maryse Choisy crée *Psyché,* la première revue de l'après-guerre traitant de la psychanalyse et des sciences humaines, et la dirige pendant vingt ans.

En 1965, après le congrès de Delhi, elle fonde l'Alliance mondiale des religions.

Ses colloques réunissent théologiens de diverses appartenances et chercheurs des sciences de pointe pour approfondir les grands problèmes (la survie, les apocalypses, les rites, l'amour, la prière...).

Maryse Choisy s'éteint en 1978 avec derrière elle une vie bien remplie durant laquelle elle publie une cinquantaine d'ouvrages dont un livre sur la chirologie paru en 1927, portant le titre *La chirologie.*

Contemporain de Maryse Choisy, Henri Mangin représente le fer de lance de l'Ecole française de chirologie. Il consacre son existence entière à cette discipline mais meurt en 1953, âgé de 57 ans, sans atteindre tous ses objectifs. Il crédibilise ses recherches par une intelligente collaboration avec des médecins dont certains rédigent des préfaces pour ses livres. Il s'intéresse aux mains à partir de 1929, publie ses premiers articles dans la revue *Hippocrate* en 1939. Un grand nombre d'entre eux sont réunis sous formes de livres parmi lesquels figurent : *Valeur clinique des ongles* (1932), *Introduction à l'étude de la chiroscopie médicale* (1932), *Ce qu'il faut connaître de l'homme d'après sa main* (1933), *La main miroir du destin* (1939), *Précis de chirologie médicale* (1939).

La guerre n'arrête ni sa passion ni ses activités et il publie : *Telle main, tel homme* (1941) ; *Etudes clinique et psychologique des ongles* (1944).

---

1. La SFC recherche pour le musée de la Main ces numéros de *L'Intransigeant.*

Après-guerre, il continue de plus belle (!) avec : *La main, portrait de l'homme* (1947), *Les lignes de votre main* (1950), *Abrégé de chiroscopie médicale* (1951).

Malheureusement, Mangin, très individualiste, disparaît sans assurer sa relève. Ses dossiers et ses travaux en cours sont éparpillés et Clément Blin, voulant constituer, quelques années après, un musée Mangin, ne réussit pas à rassembler assez d'éléments pour en justifier l'existence.

De l'après-guerre à nos jours, de nombreux ouvrages paraissent (point toujours l'œuvre de spécialistes), certains intéressants, d'autres amusants ou néfastes, à l'éclosion parfois aussi peu marquante que celle, inattendue et éphémère, des champignons !...

Citons cependant pour mémoire : *Les mains parlent* de Joseph Ranald (1956), *Les lignes de la main* de Jean Joubert (1956), *Le langage de la main* de Françoise de la Noë (1958), *Le caractère dévoilé par l'inspection de la main* de M. Gourdon de Genouillac (1960), *La main et l'esprit* de Jean Brun (1963), *Les lignes de la main en s'amusant* de René Butler (1973), *Les lignes de la main et le choix d'un métier* de René Butler (1977), *Les lignes de votre main parlent* de Raymond Weissbrodt (1978).

L'HISTOIRE INCROYABLE MAIS VRAIE DE JOSEPH RANALD

Durant la guerre de 1914-1918, Joseph Ranald et l'un de ses amis, officiers dans l'armée autrichienne, rencontrèrent un professeur d'université sachant « lire les lignes de la main ». A l'ami, il apprit qu'il mourrait bientôt : deux jours après, il fut tué au front ! A Joseph Ranald, le vieil homme dit : « Quant à vous, vous vivrez longtemps mais vous l'échapperez belle pas mal de fois

et vous aurez beaucoup d'aventures. Vous rencontrerez plusieurs grands hommes et vous voyagerez dans le monde entier. »

De fait, Ranald survécut à la guerre des tranchées mais tomba en 1918 dans une embuscade de bandits de grand chemin qui le torturèrent et lui octroyèrent un instant de répit avant de décider de son sort. Il contempla alors ses paumes où chaque ligne, chaque marque ressemblait à un ruisseau teinté de pourpre par son propre sang. Repensant à la prévision de longue vie du professeur, un rire de folie s'empara de lui et attira l'attention du chef des brigands. Joseph Ranald s'expliqua : « Il est inscrit ici que je dois vivre très vieux et rencontrer souvent la chance avant de mourir. »

Intrigué, l'homme tendit sa main, incitant Ranald à l'étudier. Les mots vinrent vite, sans nul besoin de réflexion, évoquant la grandeur, le pouvoir, la richesse et la domination. Joseph Ranald scrutait les paumes tendues vers lui et ressentait avec acuité la nécessité de ne pas s'arrêter, de parler sans cesse pour ainsi sauver sa vie et sa liberté.

Cet épisode marquant (!) de son existence l'incita à chercher au-delà de la chiromancie une réalité scientifique au message de la main. Il affirme avoir réuni et étudié plus de cent mille empreintes : que sont-elles devenues (lecteur si vous le savez n'hésitez pas à nous écrire !) ? Son métier de reporter lui permit d'observer et même d'immortaliser les mains de personnages éminents de son époque et de tous les pays.

Dans son ouvrage *Les mains parlent,* il livre — hélas ! redessinées par ses soins donc sujettes à caution — les empreintes d'une des deux mains de Sarah Bernhardt, d'Adolf Hitler, de Pablo Picasso, de George Bernard Shaw, du Mahatma R. Gandhi, d'Enrico Caruso et du général de Gaulle.

Aujourd'hui, en 1985, les personnes participant en France à la défense et à la progression de la chirologie se comptent sur les doigts d'une seule main (!) : Yvonne Rivière, Clément Blin, Philippe Quilleveré, Richard Defrene et le tandem auteur de cet ouvrage !

Les deux premiers ont consacré à cette croisade plusieurs années de leur vie sans pour autant en faire leur métier, ils connurent et côtoyèrent Henri Mangin et assurent ainsi le lien avec la jeune génération dont nous parlons plus loin.

Yvonne Rivière, mère de famille, s'attache d'abord à observer l'évolution des mains de ses enfants. Puis, en contact avec des chercheurs anglais tel le professeur Penrose, elle axe ses propres recherches vers la chiroscopie médicale, enfin passe le flambeau à Richard Defrene pour se consacrer à un domaine tout aussi intéressant mais épineux : la réinsertion des jeunes délinquants.

Clément Blin, ingénieur de formation, utilise en chirologie une rigueur fort constructive confirmée, sur le fond et la forme, en son remarquable ouvrage *Votre main, principe de chirométrie* (1980). Cependant, Clément Blin, scientifique, s'adresse aux scientifiques ; son livre ne saurait servir de base d'initiation aux néophytes mais se conçoit comme le vecteur d'une sensibilisation d'éminents cerveaux, toutes disciplines confondues, de l'Hexagone... et d'ailleurs !

Dans la « jeune génération », le seul à ne pas faire de la chirologie une profession est Richard Defrene. Ayant achevé ses études de pharmacie, il se plonge dans la chiroscopie médicale, suite à ses stages en hôpitaux au cours desquels il a observé des anomalies dermatoglyphiques dans les mains des malades, et étudie la correspondance entre ses observations et les diagnostics homéopathiques.

Psychologue de formation, universitaire, Philippe Quilleveré pratique, en Bre-

tagne, la chirologie depuis dix ans et, comme Richard Defrene, s'intéresse au domaine médical.

Pour grossir l'équipe de recherches, il faut sensibiliser le public et former, instruire et rassembler les personnes réellement attirées par ce type de travail. Aussi avons-nous créé début 1984 la Société française de chirologie, association loi 1901, pour combler ce manque. L'histoire des sciences humaines d'observation a vu naître successivement la Société française de graphologie (1871), la Société française d'astrologie (1946), la Société française de morpho-psychologie (1980) et, fin 1984, la Fédération francophone d'astrologie. La chirologie restait la parente pauvre de ces disciplines, la Société française de chirologie remédie à cet oubli et cette injustice et vise deux buts, interdépendants l'un de l'autre :

— promouvoir l'étude scientifique de la main dans ses implications psychologiques et médicales, luttant ainsi contre l'obscurantisme, le charlatanisme et les abus de la chiromancie ;

— créer à Paris un musée de la Main, avec pour thème : *La main, servante et créatrice de l'homme,* sorte de chirothèque comportant moulages et empreintes des mains de diverses personnalités marquantes ayant pris une place déterminante dans l'évolution de la Science, de la Pensée, de l'Art et de l'Histoire.

Ce projet de musée reprend celui de la Chirothèque française en lui adjoignant un aspect psychologique. Michel de Bry, érudit amateur d'art et généreux donateur aux musées, constitua la Chirothèque française à partir de sa propre collection de moulages anciens de mains parmi lesquels se trouvent celles d'un grand nombre de célébrités : Voltaire, Napoléon, Renan, Victor Hugo, Balzac, George Sand, Chopin, Ingres, Rodin, Anatole France, Lincoln, Rachel, Sarah Bernhardt... A cette prestigieuse liste s'ajoute celle des moulages réalisés par Michel de Bry (avec l'aide du technicien Paul Bertault) immortalisant un geste familier des mains de certains de ses contemporains illustres : André Gide (quelques mois avant sa mort), Colette, Arthur Rubinstein, Marian Anderson, Catherine Dunham, Louis Armstrong, Rita Hayworth et son mari l'Aga Khan, Michèle Morgan, Micheline Presle, Conchita Cintron, Jean-Louis Barrault, Orson Welles, Roberto Benzi, Wilhelm Furtwaengler, Fernandel... Hélas, par un malheureux concours de circonstances, la majeure partie de ces moulages furent dérobés et sans doute dispersés de par le vaste monde sans signes distinctifs pour en signaler la provenance, placés en quelques intérieurs comme simples objets d'art ou, pire, bibelots ou presse-papiers [1] ! Dépité et découragé par tant de malchance, Michel de Bry laissa de côté son projet ; la Société française de chirologie désire le reprendre, réaliser et constituer une collection de moulages de mains de célébrités actuelles. Elle s'y évertue déjà. Michel de Bry a, avec amabilité, mis à sa disposition les trois moulages en bronze restés en sa possession, ceux de Rita Hayworth, de l'Aga Khan et de Micheline Presle.

Cette initiative française de musée de la Main se voit judicieusement complétée par le projet suisse de la Fondation Claude Verdan. Créée le 13 mai 1981, cette fondation a été reconnue comme une institution culturelle d'intérêt public. Son fondateur, le professeur Claude Verdan, à la fin d'une carrière universitaire dédiée surtout à la chirurgie de la main, a voulu réaliser une institution tournée vers l'enseignement, la recherche et l'étude globale de la main de l'homme, sous la forme d'un musée.

« Ce terme de musée, précise le fondateur, ne doit pas être compris comme une structure statique mais bien comme une institution active, permettant d'exposer et de mettre en évidence les multiples capacités d'achèvement de la main. Ce devrait être un centre permanent largement ouvert au public, et notamment aux étudiants, abritant certes diverses collections artistiques, artisanales, bibliographiques, photographiques et audiovisuelles consacrées à la main, mais encore et surtout un institut de recherches. Cette institution active devrait donc être animée par la collaboration de chercheurs d'horizons variés, au premier rang desquels devrait se placer la chirurgie de la main.

« L'enseignement universitaire et post-gradué de la chirurgie de la main a une importance majeure. Mais cette spécialité nécessite la collaboration d'autres instituts et d'autres chercheurs : physiologie et physiopathologie, anatomie fonctionnelle et anatomie pathologique, biomécanique... Ce centre devrait donc être le résultat d'une étroite collaboration de tous ces domaines. Il en coordonnerait les travaux consacrés à la main. Il les thésauriserait tout en les mettant à disposition d'autres enseignants et de chercheurs avec lesquels pourraient s'établir des relations et des échanges permanents dans une succession de domaines spécialisés.

« Centre de coordination, ce musée devrait donc être annexé à une institution existante dont il pourrait utiliser les structures administratives : centre hospitalier, faculté de médecine... »

En parallèle à la vocation médicale du projet suisse de la fondation Claude Verdan s'inscrit, avec une logique de complémentarité, le projet français de la Société française de chirologie. A mi-chemin du musée Grévin et du musée de l'Homme, le musée de la Main a pour vocation d'être le musée

---

1. Avis et supplique de restitution aux inconscients propriétaires et aux voleurs repentis !

Grévin de la main de l'homme ! En effet, il s'avère culturellement intéressant de livrer aux générations futures les empreintes et les moulages des artisans de l'évolution artistique, économique et politique de la planète, et il est philosophiquement encore plus primordial de sensibiliser le public à la chirologie en lui faisant découvrir et comprendre que la diversité des mains rejoint la leçon donnée par la biologie : « Notre richesse collective est faite de notre diversité. L'"autre", individu ou société, nous est précieux dans la mesure où il nous est dissemblable » (Albert Jacquart).

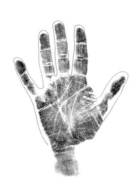

DÉFINIR L'HOMME POUR CONNAÎTRE LE RÔLE ET LES LIMITES DE LA CHIROLOGIE

Lorsque l'homme observe le cosmos, c'est-à-dire le microcosme qu'il est et le macrocosme qui l'entoure, il s'aperçoit d'une possible distinction entre :

— le *monde tangible* : il peut être touché ou mesuré, même si certaines parties semblent encore du domaine de l'invisible ; la physique contemporaine recule tous les jours les limites de l'infiniment petit comme de l'infiniment grand ;

— le *monde intangible* : il ne peut ni être touché ni être mesuré, nous n'en connaissons ni les limites ni le contenu exact. Il est mêlé au *monde tangible* comme l'air que nous respirons baigne tout ce qui nous entoure partout à la fois.

Le *monde tangible* et le *monde intangible* sont en constante et continuelle interaction.

Par exemple : l'amour ou les rêves ont sur l'être humain des effets mesurables dans sa partie tangible puisque décelables à l'électroencéphalogramme, mais la cause et les prévisions d'évolution échappent aux instruments de mesure parce qu'appartenant au *monde intangible*. Au *monde tangible* nous donnons le nom de Nature, au *monde intangible* beaucoup de noms, depuis « hasard » jusqu'à « Dieu » en passant par « néant » (c'est-à-dire, en ce dernier cas, le matérialisme « pur et dur » !).

La Nature est complètement assujettie à ses propres lois. Elle paraît de façon mécanique traquer une « idée fixe » : la perfection. Elle détruit sans cesse (ce qui ne sert pas s'atrophie !) pour reconstruire chaque fois mieux : c'est la loi d'évolution. La Nature ne s'arrête jamais.

Si nous tentons de chercher la « cause » de la Nature, nous nous heurtons à un obstacle : la « cause » de la Nature n'est pas dans la Nature, nous y trouvons seulement un enchaînement de conséquences, d'effets. Il n'y a pas de réponse à cette quête comme il n'y en a pas à la fort célèbre question : qui a fait la poule ou qui a fait l'œuf ? Cependant un fait s'avère certain : la Nature est tenue en esclavage par deux codes très stricts : l'ordre et la durée. L'espace et le temps sont des conceptualisations de l'homme exprimant sa perception de l'ordre et de la durée imposée par la Nature à son « humaine nature » sans arrêt, à chaque instant et sans exception ; c'est le lot commun. Ordre et durée imposent un début et une fin, aussi l'immortalité n'est-elle pas du ressort du *monde tangible*... et c'est heureux !

Nous ne pouvons trouver la « cause » de la Nature dans le *monde tangible* car elle est, elle, du ressort du *monde intangible.* Afin de ne prendre parti en faveur d'aucune religion ou philosophie et de n'en offenser ainsi aucune, nous baptiserons cette cause mystérieuse *hazar* (avec un z comme Zeus et sans d comme Dieu !...). Il ne s'agit pas là du hasard tel que nous l'imaginons et que nous le rencontrons dans le tangible mais de l'origine même de ce que nous appelons hasard.

L'homme a deux maîtres : la Nature, maître implacable ; le *hazar,* maître sublime. Les interactions ou « conflits » entre le côté matériel et le côté immatériel de l'homme favorisent son évolution et lui sont indispensables.

Cette duplicité, au sens propre du terme, donne naissance en l'être humain à deux autres duplicités :

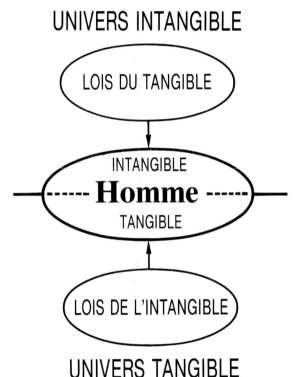

UNIVERS INTANGIBLE

LOIS DU TANGIBLE

INTANGIBLE
Homme
TANGIBLE

LOIS DE L'INTANGIBLE

UNIVERS TANGIBLE

UNIVERS INTANGIBLE

Être — ÉVOLUTIF / NON ÉVOLUTIF

Humain — ÉVOLUTIF / NON ÉVOLUTIF

UNIVERS TANGIBLE

Tout comme le cosmos, l'homme est une dualité : un *univers tangible,* un *univers intangible.* La compréhension de cette dualité s'avère nécessaire pour bien apprécier les limites de la chirologie, cette « science humaine d'observation ».

Ainsi l'homme est un microcosmos. Son corps, tangible, obéit aux lois de la Nature ; son « moi », intangible, obéit à celles du *monde intangible.*

Parmi toutes les créatures terrestres, seul l'homme réunit en lui l'*intangible,* qui le distingue et le caractérise, et le *tangible,* qui le rattache au règne animal. A l'*intangible* correspond l'âme. Elle ne connaît dans l'Absolu, c'est-à-dire quand elle n'est pas soumise aux contingences d'une vie humaine et seulement alors, ni l'espace ni le temps. A l'Absolu du *monde intangible* s'oppose le « relatif » du *monde tangible.*

Intemporelle et immatérielle, l'âme n'est soumise ni à la naissance ni à la mort, son évolution — non mesurable par des instruments mécaniques, médicaux, physiques... — nécessite l'incarnation dans le *monde tangible* (le temps d'une vie... ou de plusieurs, suivant les différentes théories religieuses et philosophiques). Qualifiée, à juste titre, de « principe de vie » par le dictionnaire, l'âme apporte et introduit intentionnellement par son existence dans le fœtus dès la fécondation cette conscience d'être, cette « dimension supérieure de vie » indispensable à la conception, non pas d'un être humain (la Nature s'en charge) mais d'un *être* humain. Une approche linguistique de nos habitudes de langage montre que même si un individu aime son chien ou son chat au point de déceler dans son regard attendrissant une « lueur d'intelligence », il ne songera pas pour autant à les nommer dans la conversation : *être* canin ou *être* félin !

L'Ame préexiste à la conception car elle provient de l'*intangible*. Son identité propre n'a, en conséquence, rien à voir avec celle des géniteurs du corps dans lequel elle s'insère. Non génétique, l'Ame n'est, par conséquent, pas non plus héréditaire. Aucune science humaine fondée sur l'observation de caractéristiques morphologiques ne peut la cerner. La *chirologie* n'échappe pas à cette classification. Les données qu'elle étudie sont génétiquement programmées : la forme de la main, sa couleur, sa chaleur, son hygrométrie, le relief digital et palmaire, etc. Si « A père avare, fils prodigue » qualifie fort bien la non-filiation de l'âme, nous lui opposerons, sans crainte du paradoxe, « Tel père, tel fils », car ce proverbe-là image la filiation biologique de la partie tangible de la personnalité humaine.

La théorie de l'opposition *tangible-intangible* (exposée par Tchalaï dans son approche du tarot), si elle correspond bien à une réalité, s'avère cependant limitée car incomplète. En effet la dualité *corps-âme, génétique-non génétique (tangible-intangible)* pourrait évoquer à tort dans l'esprit de certains lecteurs l'habituelle opposition *inné-acquis* ! Opposition explosive qui vit (et voit encore) s'affronter en son

nom, des générations durant, deux camps irréductibles : les *déterministes* et les *comportementalistes*.

D'habitude le sens commun attribue de façon primaire le *génétique* à l'*inné* et le *non génétique* à l'*acquis*, aussi les discussions entre *déterministes* et *comportementalistes* tiennent-elles du dialogue de sourds.

Or (d'après nous), l'*inné-acquis* et le *génétique-non génétique* représentent deux approches distinctes de l'homme, deux dimensions ne se situant pas sur le même plan mais pouvant se combiner pour délimiter quatre parties *(voir figure 1 page 35)*.

Plaçant d'une part le *génétique* au sud et le *non génétique* au nord, d'autre part l'*inné* à l'ouest et l'*acquis* à l'est, par combinaison s'obtiennent dans l'univers tangible :
— au sud-ouest : le *génétique-inné*
— au sud-est : le *génétique-acquis*
dans l'univers intangible :
— *au nord-ouest : le non génétique-inné*
— au nord-est : le *non génétique-acquis*

Dans la partie génétique-inné nous plaçons le tempérament. Base de la personnalité, immuable et non raisonnable (il ne saurait en effet être raisonné), il se révèle

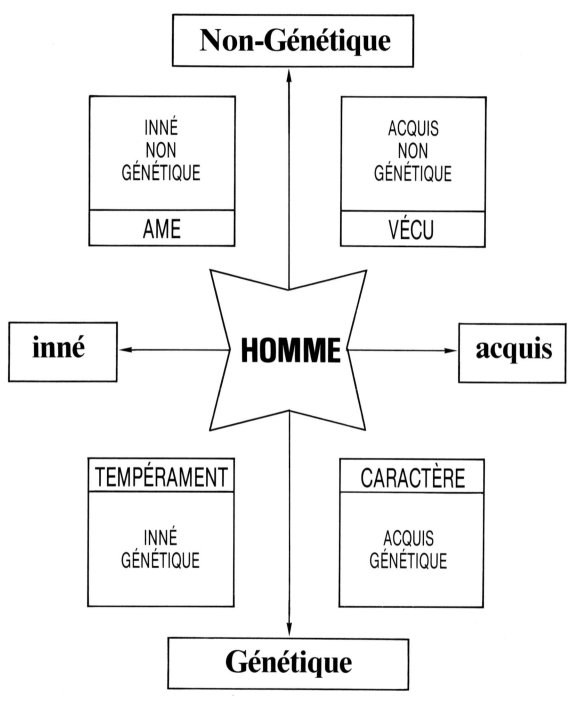

Figure 1

cependant maîtrisable. Un être humain digne de cette appellation... contrôlée doit pouvoir canaliser ses instincts ; si, au contraire, il se laisse mener par eux, il devient alors trop humain donc animal. De fait, l'animal agit et réagit le plus souvent de façon instinctive s'il n'acquiert, par son vécu ou par la domesticité, un certain nombre de réflexes conditionnés. Comme l'homme, il détient une capacité de réflexes conditionnés placés dans notre schéma dans la partie *génétique-acquis*.

L'individu se forge (ou la vie le fait pour lui) un *caractère* par réflexes acquis, conditionnés. Nanti à la naissance d'un *tempérament* il forme, au cours de son existence, son *caractère*. Ainsi une personne apprenant à conduire emprunte-t-elle des réflexes de conduite types puis, par la suite, les adapte-t-elle à son véhicule.

Le *caractère* est au *tempérament* ce que le conducteur est au véhicule : le premier s'éduque, pas le second.

Le code de la route demande au conducteur de rester maître de son véhicule ; le passage de l'être humain sur terre se conçoit, en principe, comme l'apprentissage de la domination des instincts de son humaine nature, c'est-à-dire de son *tempérament*.

Un sage n'est point un surhomme dépourvu de bas instincts, il apprend à les contrôler mais surtout les transcende jour après jour. Son mérite réside dans un combat perpétuel avec lui-même, avec son *tempérament* par l'intermédiaire de son *caractère*.

Une approche hagiographologique de la personnalité des saints (nous ne possédons malheureusement pas les empreintes de leurs mains pour comparaison et aborderons la complémentarité chirologie-graphologie dans la quatrième partie) montre au travers de leur écriture des natures n'incitant pas toujours à la sainteté !

Le moine graphologue Girolamo Moretti [1] constate avec consternation la faiblesse de caractère et le désir de vengeance trahis par l'écriture de saint Joseph de Copertino, patron des aviateurs. Et que penser du sadisme psychique de saint Philippe de Néri, de l'esprit de vengeance de saint Ignace de Loyola, du scepticisme de saint Jean de la Croix et de l'extrême sensualité de sainte Thérèse d'Avila ?...

Une fois le tandem *génétique-inné* et *génétique-acquis* situé dans la part humaine de l'individu, il sied d'aborder l'*être*.

Dans l'*être*, part *non génétique* de l'individu, se distinguent aussi l'*inné* et l'*acquis*. Nous plaçons l'*âme* dans la partie *non génétique-inné*. Non héréditaire elle est, bien évidemment, non génétique mais, en revanche, innée car elle existe déjà à la fécondation et même lui préexiste. L'*âme* s'avère représentative de l'*être* en ce qu'elle détient d'absolu, de permanent et d'indépendant de son vécu. Ce vécu se place alors dans la partie *non génétique-acquis,* montre l'*être* changé, formé par l'expérience de la vie.

Il s'établit une relation évidente entre les parties *non génétique-acquis* et *génétique-acquis* : le vécu intervient et interfère sur l'évolution du caractère. L'étude de ce dernier permet alors non de déceler le vécu mais du moins d'en approuver les effets... comme les traces de pas dans la neige attestent le passage d'une personne.

La *chirologie*, considérant des données immuables ou évolutives, de toute façon génétiques, se voit uniquement concernée par l'*humain*, non par l'*être*. Il s'agit de *caractérologie*, non de *psychologie*. Aussi est-il impossible d'opérer une incursion dans

---

1. G. MORETTI, *Le vrai visage des saints révélé par leur écriture,* éditions Casterman, 1960.

la dualité *conscient-inconscient* car cette duplicité appartient au monde de l'*âme* et s'enrichit du vécu de l'individu au long de son existence. La *chirologie* n'est pas une discipline de psychothérapie, cependant elle se révèle d'un concours précieux si le mal-être de l'individu trouve sa source dans une méconnaissance ou, pire, une dépréciation de ses compétences. La compréhension puis l'acceptation des limites mais aussi des richesses de son *tempérament* et de son *caractère* permettent alors à l'*être* de mieux vivre en harmonie avec son *humaine nature* !

La seconde partie de cet ouvrage permet au lecteur de connaître et surtout de comprendre son propre mode d'emploi. Nous y abordons d'abord les données immuables de la main : couleur, chaleur, moiteur, empreintes digitales..., elles signent le *tempérament,* immuable lui aussi,

de la fécondation à la mort. Enfin vient le chapitre sur les lignes, monde vivant et évolutif, révélatrices du *caractère.*

Après avoir bien saisi le contenu de cette deuxième partie, chacun peut déterminer son appartenance à un groupe tempéramental et, s'individualiser dans celui-là par son caractère.

Le lecteur satisfera ainsi une double nécessité psychologique (théorie fondamentale formulée par le psychologue Ernest Becker) : l'homme désire affirmer simultanément ses besoins d'appartenance et de singularisation... tout comme les Français éprouvent la fierté d'être français (peuple de la liberté (!), de la créativité, de l'art de vivre...) et se comportent comme cinquante millions d'individualités. Jacques Séguéla qualifie et condense cette attitude en une formule de publicitaire : *être singulier dans un monde pluriel...*

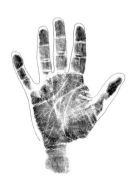

CARACTÉRISTIQUES GÉNÉRALES

MAIN DROITE, MAIN GAUCHE

La latéralité

La majorité des gens tendent spontanément la main gauche afin de « se faire lire les lignes de la main » pour une raison simple : des générations de « diseuses de bonne aventure » affirmèrent que des deux mains, la senestre requiert attention et étude car elle est celle de la fatalité, du destin. Les plus curieux et les moins fatalistes parmi tous ces amateurs et diffuseurs de « révélations » imaginèrent influencer un destin pourtant si « tracé »... et se penchèrent sur la main droite en lui attribuant la possibilité de rectifier le message inscrit dans la main gauche. « On est bien peu de chose mais quand même », semblent-ils répliquer pour justifier leur initiative, défiant ainsi ce destin dont ils désiraient connaître le « poids ».

Puissent les fervents de chiromancie et d'émotions conserver longtemps leurs illusions ! Voici pourtant — déjà ! — une objection à soumettre aux plus intelligents (aux moins sots...) d'entre eux : compte tenu de la caractéristique évolutive des lignes, elles devraient évoluer uniquement dans la main droite et rester immuables dans la gauche parce que, par définition, la fatalité est irrémédiable (voire « irrémé-Diable, la Bible laisse entendre que Dieu est droitier et le Diable gaucher). Or, les lignes évoluent dans les deux mains et dans chacune d'elles pour des causes et avec une

rapidité différentes. Aucune des deux mains ne reste immuable, figée, elles mènent leur vie propre, possèdent leur spécificité, et « s'entendent » en raison du degré d'harmonie et de complémentarité existant entre elles. La spécificité découle de leur respective dépendance aux hémisphères cérébraux opposés, droit pour la main gauche, gauche pour la main droite, par l'existence de la décussation (croisement) du faisceau pyramidal, au niveau du bulbe rachidien *(voir figure 2 page 42)*.

Les progrès de la science en matière de connaissance des potentialités psychologiques et comportementales spécifiques à chacun des deux hémisphères cérébraux engendrent depuis 1980 aux Etats-Unis un engouement pour la sélection, l'orientation et l'embauche des candidats à travers l'analyse de leur cerveau.

Quatre zones de matière grise se voient passées au crible dans le cadre des recrutements outre-Atlantique : deux pour chacun des deux hémisphères, le cortex et le limbique droit, le cortex et le limbique gauche.

Au cortex gauche s'attribue, en gros, le pouvoir de différencier les faits, d'analyser les éventualités, de discuter rationnellement (esprit mathématique, technique, raisonnement, logique...).

Au cortex droit celui de voir grand,

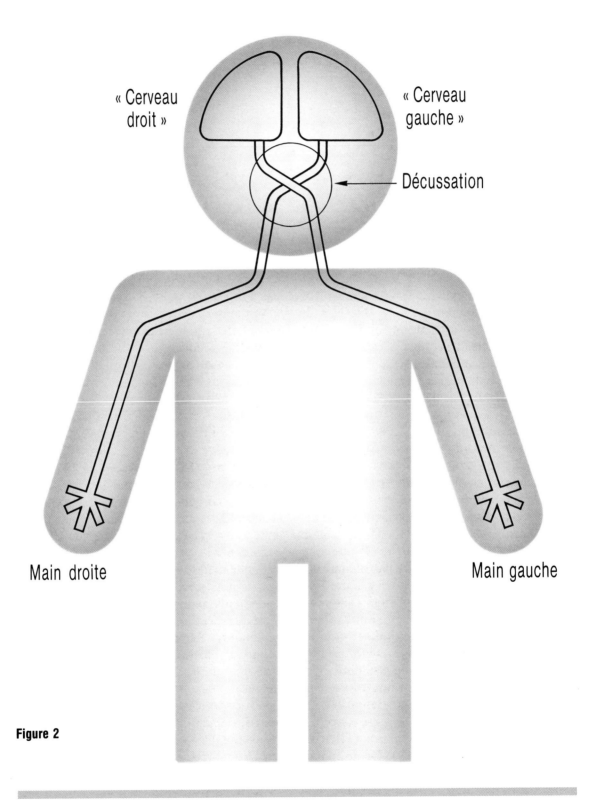

« Cerveau droit »

« Cerveau gauche »

Décussation

Main droite

Main gauche

Figure 2

d'accepter l'ambiguïté, de résoudre les problèmes par l'intuition, d'appréhender globalement les choses et les faits (esprits créatif et synthétique, dons artistiques).

Au limbique gauche correspond un comportement au naturel conservateur, planificateur, organisateur.

Au limbique droit appartiennent des dispositions pour le contact humain, une propension à l'émotivité.

Cette analyse des préférences cérébrales ou cervicales semble enfin séduire les Français.

Passer en revue ces diverses aptitudes psychologiques amène une observation : les facultés du « cerveau droit » (raccourci et abus de langage, mais l'usage fait loi et autorise la substitution de terme à hémisphère cérébral) s'avèrent plutôt féminines, celles du cerveau gauche plutôt masculines. S'ensuit l'attribution de la réceptivité (féminine) à la main gauche et de l'activité (masculine) à la main droite. La main gauche, sorte de radar, perçoit le monde, recueille les données nécessaires à la conception de l'action. La main droite analyse le bien-fondé et le réalisme de la planification élaborée par la main gauche et agit, transforme le monde perçu par la main gauche. Pour prendre une comparaison avec les tempéraments : la main gauche est à la droite ce que le tempérament *nerveux*, subjectif et théoricien, est au *bilieux*, objectif et réalisateur.

La main gauche en relation avec le cerveau droit, féminin, s'avère la main de la réceptivité ; la droite en relation avec le cerveau gauche, masculin, celle de l'activité.

Cette dualité se rapproche de celle du *yin-yang*. Les forces antagonistes fondamentales *yin* et *yang* produisent le monde et tout ce qu'il contient. Voici des exemples de leurs qualités spécifiques :

yin	*yang*
féminin	masculin
anima	animus
lune	soleil
nuit	jour
douceur	violence
silence	bruit
réceptivité	créativité
passivité	activité

Or, si l'attribution du *yin* à la main gauche et du *yang* à la main droite satisfait la psychologie de la civilisation occidentale, elle ne correspond pas à un schéma universel : ainsi les civilisations extrême-orientales renversent-elles point par point ces analogies symboliques en proclamant la gauche *yang* et la droite *yin* ! Se comprend alors l'honneur accordé par les Chinois à la gauche. Il ne faut cependant pas exiger d'eux, toujours conciliants, une opposition entre droite et gauche. Suivant la sagesse du Tao ils les considèrent plutôt comme complémentaires.

Les Chinois, droitiers pour la plupart comme les Occidentaux, déclarent la gauche *yang*, honorable, réservée aux formes supérieures de l'action ; la main droite devient la main nourricière (le signe « droite » se compose de deux signes signifiant main et bouche), de nature inférieure, terrestre, matérialiste, *yin*.

Sur le principe de la droite *yin*, femelle, de la gauche *yang*, mâle, les médecins chinois s'affirment capables de diagnostiquer, durant la grossesse, le sexe de l'embryon suivant l'endroit, plus ou moins à gauche ou à droite, où il se place ! Encore sied-il alors de tenir aussi compte de l'année de conception *yin* ou *yang* elle-même (voir les études numérologiques existant sur ce sujet). Ils usent d'un principe semblable pour vacciner une fille ou un garçon. Pour la variole, l'insufflation prend place dans la narine droite pour la fille, dans la gauche pour le garçon. Pour saluer, les hommes cachent la main droite sous la main gauche, les femmes procèdent à l'inverse. En période de deuil, *yin,* les hommes cachent leur main gauche sous la droite et les femmes le contraire !

De même, dans la tradition japonaise, la gauche est le côté de la sagesse, de la foi, en rapport avec le soleil, élément mâle. Elle détient une préséance sur la droite. La déesse du soleil Amaterasu prend naissance dans l'œil gauche du dieu Iranagi, la lune dans son œil droit. La droite correspond avec la lune, l'eau, l'élément femelle.

Il existe une apparence de contradiction flagrante sur la hiérarchisation de la gauche et de la droite entre la civilisation extrême-orientale et la civilisation occidentale (et le reste de la planète...). Cela vient sans doute de l'importance accordée en Occident au tangible par rapport à l'intangible, au concret et à la réalisation par rapport à l'abstrait et à la conception. En Chine se voyait honoré le Sage, celui qui sait (peut-être encore aujourd'hui ?). La Révolution culturelle, entre autres méfaits, s'est attachée et acharnée à détruire l'image — et même les temples — de Confucius. Pourtant, le bon sens du réalisme pragmatique politique fait s'opérer en ce domaine, actuellement, une rapide et radicale marche arrière). La civilisation occidentale, elle, admire (ou envie !) celui qui fait, le réalisateur. Or, pour bien faire, il faut bien concevoir. Ainsi se justifie — pour rejoindre les Extrême-Orientaux — l'importance majeure accordée à la main gauche, « architecte », en comparaison de la main droite, « maçon ». D'ailleurs, le plus souvent, la main conceptive s'avère la plus striée, la plus riche en informations. La moins manuelle des deux, plus dotée de lignes, dénonce ainsi l'idée courante établissant une relation de cause à effet entre les flexions de la main et les lignes. L'appellation médicale « plis de flexion » engendre et favorise ce malentendu en concevant ces plis comme résultat de la flexion de la main. Parmi les idées fausses, il convient de dénoncer aussi celle affirmant que les mains des manuels sont plus striées que celles des intellectuels. Les premières appartiennent pour la plupart aux tempéraments *sanguin* et *lymphatique,* les seconds aux tempéraments *bilieux* et *nerveux.*

L'inspection de la main droite permet d'apprécier si les potentialités de concrétisation de cette main active se haussent à la hauteur des plans conçus par la main gauche. Celle-là doit bien évaluer la possibilité de réalisation de ses projets, elle mène la danse !

« C'est la main gauche qui tue », déclarait Conchita Cintron, célèbre toréador femme, à Michel de Bry (érudit amateur d'art et collectionneur, directeur de l'Académie du disque) lors de la prise de moulages de ses mains pour la future chirothèque française (projet d'ailleurs repris par la Société française de chirologie). En effet, la main droite du toréador (droitier !) assène le coup final mais la gauche leurre la bête. La droite exécute aux deux sens du terme : elle exécute les ordres : exécuter l'animal !

Très bien, certes, mais que faire des 10 % environ de gauchers subissant les contraintes d'un monde conçu par et pour les droitiers ? Leurs cerveaux s'inversent-ils alors ? Et, si oui, sont-ils gauchers en raison de l'inversion de leurs hémisphères cérébraux ou faut-il en chercher ailleurs la cause ?

La réalité ne se révèle pas aussi simple : si certains gauchers possèdent en effet des cerveaux inversés, 25 % d'entre eux environ, la majorité, ont des hémisphères cérébraux disposés comme ceux des droitiers et ainsi s'explique sans doute la suprématie de certains joueurs de tennis de haut niveau. Sauf Björn Borg et Ivan Lendl, la plupart des têtes de série sont gauchers : Jimmy

Connors, John McEnroe, Roscoe Tanner, Guillermo Vilas... Au palmarès de 1981, 16 % de gauchers parmi les vingt-deux premiers, 25 % dans les vingt premiers et trois joueurs gauchers parmi les quatre premiers ! Sans pour autant chercher à déprécier la valeur de ces champions, il semble légitime d'essayer de comprendre s'il existe une relation de cause à effet permettant de justifier dans une certaine mesure cette poussée des gauchers dans les sommets du tennis.

En prenant comme postulat que ceux nommés ci-dessus n'appartiennent pas aux 25 % des gauchers ayant des hémisphères cérébraux inversés par rapport à ceux des droitiers, leur cerveau droit contrôle de façon directe leur main active, possédant seul la capacité de perception de l'espace et des formes, d'où le gain de temps (infime, mais rien ne se néglige à ce niveau de compétition) du gaucher, chez qui tout se passe dans le cerveau droit tandis que l'hémisphère gauche du droitier « attend » les informations de l'hémisphère droit pour faire agir la main droite.

Il existe une pléiade de gauchers illustres en des domaines et des époques variés : Andersen, Beethoven, Bismarck, Lewis Carroll, Jules César, Charlie Chaplin, Dufy, Judy Garland, Goethe, Jimi Hendrix, Holbein, Paul MacCartney, Michel-Ange, Nietzsche, Paganini, Robert Schumann...

Léonard de Vinci, quant à lui, représente un cas typique d'ambidextrie. Il se servait de sa main gauche pour dessiner et de sa droite pour peindre. Tenant compte de l'aisance avec laquelle les ambidextres et certains gauchers savent écrire ou dessiner en « miroir », c'est-à-dire en symétrie verticale inverse, se conçoit avec plus de facilité celle avec laquelle Léonard de Vinci laissa — pionnier d'un type de « verlan » ! — plusieurs pages sur ses découvertes écrites à l'envers afin d'en conserver l'exclusivité.

L'appartenance à une minorité (les gauchers en l'occurrence) subissant la dictature d'une majorité (les droitiers) décuple souvent la combativité des individus face à la vie.

Une minorité proche de celle des gauchers inspira un livre au titre évocateur : *Les orphelins mènent-ils le monde ?* (étude de MM. Rentchnick, Haynal et de Senarclens parue chez Stock).

Léonard de Vinci fait partie du club très fermé (!), plutôt mal connu (et pour cause !...) des enfants illégitimes célèbres, précédé, entre autres, par les Borgia (César, Lucrèce et Jean) et rejoint, au fil du temps, par Napoléon III, Fidel Castro et Amin Dada !

Le club des orphelins célèbres s'illustre de façon remarquable dans la politique anglaise puisque, de Wellington à Chamberlain, le Royaume-Uni a dénombré vingt-quatre Premiers ministres dont quinze orphelins ! Une proportion de 62,5 % avec une estimation de 2 % d'orphelins dans la population anglaise...

Le club compte beaucoup d'artistes ; parmi eux : Michel-Ange, Rubens, Puccini, Lulli, Purcell, Bach, Beethoven, Schumann, Wagner, Gounod, Lalo, Villa-Lobos..., liste ouverte... Des rangs serrés d'écrivains et de philosophes sont venus et viennent grossir aussi ceux de ce club des orphelins. La sensibilité artistique règne et souffle une quasi divine inspiration !

Une question s'impose : les gauchers représentent-ils depuis toujours une minorité ou la suprématie des droitiers provient-elle d'une évolution ?

La seconde hypothèse séduit, convainc davantage, surtout si on tient compte d'un fait zoologique de conséquence : l'ambidextrie des singes ! Il paraît sensé d'imaginer l'homme primitif détenant cette même particularité.

D'ailleurs le « petit d'homme », de sa

naissance à l'âge de quatre ans, semble répéter les premières étapes de cette évolution et traverse — comme l'a expliqué le docteur Desmond Morris, auteur anglais du *Singe nu,* ouvrage vendu à plus de huit millions d'exemplaires et traduit en vingt-trois langues — une série de phases complexes : à trois mois, les bébés utilisent en général les deux mains avec une égale vigueur ; à quatre mois, ils préfèrent la main gauche. A six mois, nouveau changement : leur main droite prévaut. A huit mois, les voici de nouveau bilatéraux. A neuf mois, autre revirement, la majorité optant cette fois pour la main gauche. Entre dix et onze mois, la main droite reprend le dessus. A un an, quelques enfants (probablement les futurs gauchers) se servent de nouveau de leur main gauche, puis, entre treize et quatorze mois, la dextre redevient prépondérante et triomphe... jusqu'au vingtième mois qui ramène la bilatéralité. L'âge de deux ans assiste au retour de la main droite puis, de deux ans et demi à trois ans et demi, activité bilatérale. Vers l'âge de quatre ans, la stabilité apparaît et s'installe à huit ans enfin, l'enfant se fixe dans sa position définitive, une main l'emportant sur l'autre *(voir figure 3).*

Ainsi une grande partie du comportement humain contient une asymétrie et la latéralité entre en jeu à chaque fois qu'un geste mobilise plus un côté que l'autre. A chaque geste de la main, clignement de l'œil, poing brandi, sourcil remonté, applaudissement, croisement de bras ou de jambe..., un côté se voit favorisé aux dépens de l'autre. Choix au demeurant involontaire car il s'agit presque toujours de gestes effectués de façon instantanée et inconsciente. D'où la tentation — a priori légitime — de tester la dextralité ou la senestralité d'un sujet par l'observation et le compte des mouvements évocateurs d'une prédominance droitière ou gauchère. Tentation

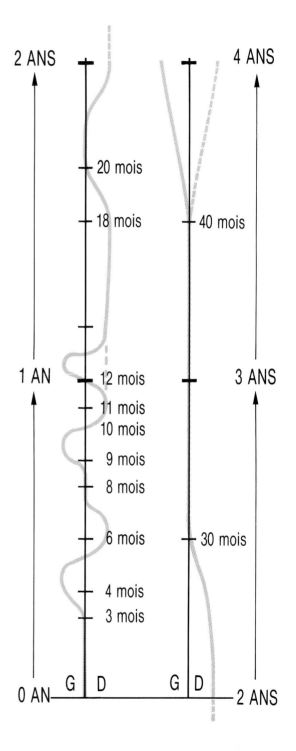

Figure 3

légitime seulement a priori car certains de ces gestes apportent des données psychologiques beaucoup plus élaborées que la simple détermination de la domination dextre ou senestre. Une simplification abusive cantonne les individus en gauchers et droitiers par le critère presque unique d'écrire de la main gauche ou de la main droite. Il sied pourtant de ne pas oublier un troisième groupe dissident contre son gré : les gauchers contrariés. Cette dissidence engendrée depuis le début de l'organisation des peuples en sociétés [1] par les droitiers à la majorité croissante (90 % aujourd'hui), résultat des tentatives répétées de cette majorité de supprimer, sans succès définitif (et pour cause : deux cents millions de gauchers dans le monde actuellement…), l'infortunée minorité. Et pour cause deux fois car ambidextrie et gaucherie résultent du bagage génétique, héréditaire par définition. Elles se rencontrent dans les familles, en accord avec la loi de Mendel ; or, contrarier l'expression phénotypique de la gaucherie ne modifie en aucune façon le bagage génotype originel, inaltérable et inaccessible aux attaques du temps transmis par l'individu à sa descendance. Ainsi, par exemple, un homme et une femme aux cheveux bruns n'engendreront pas un enfant blond après avoir teint leurs cheveux en blond !

Le phénotype s'assimile, pour le génotype, à l'interprétation instrumentale et musicale pour la partition. Contrarier un gaucher signifie interférer dans sa façon d'interpréter la partition ; elle reste, néanmoins, semblable à elle-même ! Si un violoniste concertiste (gaucher ou droitier, peu importe car il apprend à jouer du violon en

tenant son instrument de la main gauche [1], l'archet de la main droite) essaie de jouer en tenant son instrument de la main droite et l'archet de la main gauche, l'auditeur reconnaîtra avec peine — s'il y parvient ! — l'œuvre originale inscrite sur la partition.

De nombreuses cultures dans le passé — quelques-unes encore aujourd'hui, hélas ! — encouragèrent instituteurs et parents à contraindre les enfants gauchers à se servir de la « bonne main ». Les responsables éclairés de l'éducation nationale réalisent enfin le lien existant entre cette pratique dictatoriale et la dyslexie. Ce trouble de l'acquisition normale de la lecture frappe 10 % — même pourcentage que celui des gauchers — des écoliers à l'âge de six ans, celui où ils apprennent à lire habituellement sans grande difficulté. Pourtant intelligents pour la plupart mais forcés de redoubler leur classe (voire la tripler), ces malheureux bambins finissent par lasser la plus persévérante patience de leurs maîtres. Alors, mauvais en lecture, et par voie de conséquence en orthographe, ils se découragent et deviennent de « mauvais » élèves, meurtris et aigris par leurs échecs. Au-delà de leur scolarité leur avenir apparaît compromis, leur caractère et leur comportement se modifient, certains écoliers devenant révoltés, les autres déprimés ou indifférents suivant la force de leur tempérament.

Aujourd'hui, quasiment tous les éducateurs prennent conscience de ce problème et permettent, pour l'éviter, aux enfants de suivre leur tendance naturelle. Tendance naturelle négligée pourtant par les pays de l'Est où « on » impose aux écoliers d'écrire avec la main droite. Heureux sont-ils de ne

---

1. Dans la Grèce antique la gaucherie (au sens propre du terme) se considérait anormale. Platon lui-même ne doutait pas un instant que tous les individus naissent normalement droitiers !

1. Pourquoi ? Une réponse plausible (voir explication complétée plus loin) : ainsi le son « touche » en priorité l'oreille gauche en relation directe avec l'hémisphère cérébral droit, siège des facultés artistiques et de la perception des messages sonores.

pas se voir poussés à écrire de la main gauche !... Comment d'ailleurs s'étonner de cela avec présentes à l'esprit les théories marxistes concevant l'homme comme produit des conditions socio-économiques. La plupart des communistes « voient rouge » au rappel élémentaire de la nature humaine reposant sur un substrat biologique et la vision d'un être humain point entièrement à créer.

Les extrêmes se rejoignent, aussi les Américains, malgré leurs vues politiques différentes (ô combien !) des modes de pensées marxistes, semblent-ils posséder, vis-à-vis de la psychologie, une attitude parente, s'intéressant en définitive surtout aux éléments de la personnalité acquis et non innés. Cela s'avère en accord avec leur mentalité *mélodique,* qualificatif du groupe sanguin O largement majoritaire aux USA, résultat aussi des conditions de formation passée et présente de leur nation, conférant une importance centrale au phénomène d'acculturation et octroyant une mentalité d'Américain à des hommes divers par leur provenance. De plus, le sentiment américain de la démocratie incline à nier les différences de naissance, tous les hommes étant censés détenir les mêmes potentialités d'optimisation et de réalisation. Et si réussir, à l'inverse d'une partie de la vieille Europe où la réussite revêt un aspect indécent parfois, apparaît positif, sans doute est-ce dû à un slogan du style « Qui veut, peut ». La différence des mentalités américaine et française s'illustrerait par une image : un Américain observant un milliardaire dans une somptueuse voiture rêve de parvenir à ce degré de richesse, un Français devant le même spectacle rêve d'obliger le milliardaire à descendre de sa voiture et, en attendant mieux (ou pire...), la raye !

L'intérêt pour l'acquis explique l'orientation de la psychologie américaine vers l'étude du conditionnement, des influences culturelles, du milieu de travail, des situations interpersonnelles. Aussi les psychologues français formés à l'école américaine (dans ce domaine, comme dans beaucoup d'autres, les Etats-Unis se placent dix ans en avance) s'avèrent-ils peu préparés à saisir l'intérêt et les implications d'une corrélation entre la personnalité et le bagage génétique. Finalement, à les écouter, on finirait par croire Freud américain !

Une étude a été menée, rapporte le docteur Desmond Morris, mettant en présence quarante-cinq gestes différents effectués par un groupe de personnes. Aucune de ces personnes n'accomplit les quarante-cinq gestes avec une tendance unique d'un seul côté. La personne la plus droitière émit quarante gestes ou attitudes confirmant la dextralité ; la plus gauchère trente-deux gestes ou attitudes confirmant la senestralité. Pourquoi ? Pour la raison simple annoncée plus haut : il faut chercher la cause de certains gestes ailleurs que dans la trop évidente duplicité gauche-droite.

En effet, par exemple, l'entrecroisement des doigts *(voir figure 4)* défie d'emblée la logique attribuant la prédominance à la main droite chez les droitiers et à la main gauche chez les gauchers.

Notre étude amène à constater un fait : les hommes et les femmes entrecroisent les doigts en majorité de façon opposée : les premiers avec prédominance de la main droite, les secondes à l'inverse. Nous avons voulu comprendre le point commun caractérisant la minorité d'hommes et la majorité de femmes entrecroisant les doigts de façon identique. Même interrogation bien sûr concernant la minorité de femmes et la majorité d'hommes du cas inverse et complémentaire du précédent.

L'intuition — ironie de processus de recherche — nous a placé sur le droit chemin. En effet cette intuition — apanage

PRÉDOMINANCE POUCE DROIT:
PRÉDOMINANCE HÉMISPHÈRE CÉRÉBRAL GAUCHE

PRÉDOMINANCE POUCE GAUCHE:
PRÉDOMINANCE HÉMISPHÈRE CÉRÉBRAL DROIT

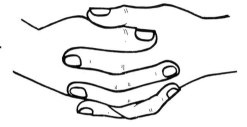

Figure 4

des femmes, dit-on — s'exprime surtout et presque seulement chez celles entrecroisant les doigts avec prédominance gauche mais aussi chez les hommes entrecroisant de même. A l'inverse, l'attitude des autres femmes, celles entrecroisant comme la majorité des hommes, peut être qualifiée de « masculine », plutôt du genre à se fier à leur intuition à condition de pouvoir la comprendre et l'expliquer, de quantifier leurs impressions, des réalistes !

Pour le premier groupe, la prédominance de la main gauche annonce celle du cerveau droit, cerveau dit « féminin ». Pour le deuxième, prédominance du cerveau gauche.

Mais l'importance du rôle joué par l'intuition dans le comportement ne s'avère pas l'unique point à considérer une fois le cerveau prédominant déterminé. Il sied de passer ensuite en revue les caractéristiques globales et donc caricaturales, puisque volontairement dépourvues de nuances, pour bien différencier dans l'absolu les aptitudes de chacun de ces deux hémisphères cérébraux. Caricaturales car, à l'instar de cette bipolarité *anima-animus* possédée par cha-

que homme et chaque femme en proportion inégale et complémentaire, la suprématie de l'hémisphère droit sur l'hémisphère gauche, ou vice versa, n'implique en aucune façon l'inactivité de l'autre hémisphère.

Le physiologiste soviétique Pavlov (connu du grand public surtout par le réflexe portant son nom) annonce déjà cette bipolarité. Pour lui, les êtres humains se répartissent globalement en deux types : les artistes et les penseurs.

Les neurophysiologues découvrirent depuis une base anatomique à cette affirmation, et le prix Nobel de physiologie et médecine couronna en 1981 les recherches du docteur Roger W. Sperry (né en 1913 aux USA). Il accomplit, dès 1950, avec son équipe, de nombreux et importants travaux sur ce sujet à l'université de Chicago d'abord, au Californian Institute of Technology ensuite. Les travaux primés par ce prix Nobel portent sur la spécialisation des quatre parties du cerveau intellectuelles (cortex) et affectives (limbique) (voir début de ce chapitre).

Laissant de côté cette quadruplicité, fort intéressante certes, mais elle emmènerait trop loin, il sied de circonscrire la matière de ce chapitre à la dualité hémisphères droit et gauche.

L'hémisphère gauche, cerveau *penseur,* contrôle la pensée logique et l'abstraction, et le droit, cerveau *artiste,* gouverne la pensée concrète et la formation des images ; aussi la personnalité et les modes de perception d'une personne dépendent-ils du côté le plus développé en elle, que cette prédominance soit due à l'hérédité ou exacerbée par l'éducation. Il ne faut pas nier l'importance de l'environnement dans le développement des facultés cérébrales et la société issue de la civilisation occidentale (qualifiée de « civilisation de l'hémisphère gauche » en ce livre pour la première fois afin d'établir la stabilité de certaines données à ce jour vérifiées) favorise avec son cartésianisme (source d'ailleurs de cet appellatif) le développement de cet hémisphère et, à l'évidence, de ceux chez qui il est naturellement prédominant. Il arrive, nonobstant, à cette société de demeurer pantoise devant les plus adroits des cerveaux dont le génie ou l'adresse suscite son admiration, tels les joueurs de tennis.

L'asymétrie fonctionnelle distingue l'homme des animaux sur un plan biologique donc tangible (c'est-à-dire l'âme mise à part).

D'autres angles de recherche — poids ou superficie par exemple — fournissent des critères de différenciation plus quantifiables. Le cerveau humain jouit d'une taille et d'un poids considérables mais celui de certains animaux s'avère plus grand et plus lourd. En fait le cerveau humain, grand en termes relatifs, pèse lourd en raison de son volume par rapport à celui du corps. D'ailleurs, même sous cet angle, l'homme ne possède pas une supériorité sur tous les animaux : à poids égal les cétacés disposent d'un cerveau beaucoup plus lourd !

Les scientifiques crurent longtemps que le cortex cérébral avait une superficie plus vaste chez l'homme que chez les animaux, qu'il se distinguait par ses circonvolutions, contenait des cellules nerveuses plus nombreuses et distribuées de façon plus dense. Il apparaît désormais que, compte tenu même de tels critères, les êtres humains sont inférieurs à des créatures comme les dauphins dont l'« intelligence » draine de plus en plus l'intérêt des chercheurs. Certains avancent même une hypothèse : cet animal aurait été terrestre avant de « choisir » un mode de vie aquatique. Hypothèse séduisante pour justifier l'étrange et attendrissante connivence caractérisant le rapport homme-dauphin.

Tous les animaux possèdent un cerveau aux moitiés gauche et droite construites de manière identique, affiliées au même « travail », d'où l'ambidextrie aisément observable des singes.

Pour résumer les observations scientifiques quant aux aptitudes dominantes inhérentes à la prédominance d'un cerveau sur l'autre, il suffit de donner la description générale d'une personne hypothétique dont seul l'un des hémisphères fonctionnerait, en attirant toutefois l'attention du lecteur sur l'existence théorique (mieux vaut le répéter deux fois plutôt que ne pas le mettre assez en évidence) des deux personnages à un hémisphère dont la description va suivre cet « avertissement ». Autre réserve nécessaire : ces descriptions à venir concernent en priorité, et sans risque d'erreurs, la quasi-totalité des droitiers mais s'appliquent aussi aux trois quarts des gauchers aux hémisphères disposés comme ceux des droitiers, sachant cependant que l'acquis peut modifier certaines dispositions innées. Les autres gauchers ayant eu l'occasion de constater leur inversion par rapport à la normalité doivent inverser les commentaires concernant l'écrasante majorité (97,5 %).

La personne « hémisphère gauche »

Le centre du langage se situant dans cet hémisphère, évaluer, tenant compte de ce fait, la perception du langage et l'aptitude à communiquer en découlant présente un intérêt réel.

Le sujet « hémisphère gauche » se voit nanti d'un seuil plus bas de sensibilité au langage parlé : il perçoit des volumes de bruits et de paroles plus légers que lorsque ses deux hémisphères cérébraux fonctionnent normalement. Il répète avec une rapidité plus alerte les mots, les percevant avec davantage de précision. Ces personnes parlent plus et entendent mieux.

De tels faits justifieraient en partie l'affirmation suivant laquelle la parole s'améliore si l'hémisphère droit ne fonctionne pas... Cependant, l'écoute attentive de ces personnes amène une constatation : certes, elles deviennent plus verbales, mais leurs intonations perdent de leur variété, leur donnant un ton monotone, sans relief, terne. L'expressivité de leur voix se réduit et leur voix même se perçoit nasillarde, apprêtée, sorte d'aboiement !

Cette défectuosité se nomme dysprosodie, les composantes « intonation, vocalisation » du langage portent l'appellation de prosodiques (du grec *prosoïdia* : mélodie).

A la dysprosodie de la communication du sujet « hémisphère gauche » s'ajoute celle, non moins grave, de sa perception : il ne peut comprendre le sens des intonations, incapable d'identifier le ton de la voix (interrogative, coléreuse...) et de distinguer entre une voix masculine et une voix féminine. Or, la manière de dire signifie

parfois autre chose que le mot... Les éléments prosodiques dotent le langage parlé de références, d'expressivité, de coloration affective. Privée de ces éléments une parole se mue en son imprécis, abstrait, voire incompréhensible.

Par conséquent, même si la conversation d'une personne « hémisphère gauche » comporte une richesse de vocabulaire, de connaissance de la grammaire, même si elle s'exprime avec un emploi précis de termes, sa voix demeure atone, ses propos recèlent moins d'alacrité. Gageons que la plupart des bons comédiens se joignent aux colonnes des sujets « hémisphère droit » ; quant aux mauvais !...

Une remarque : des études montrent que le centre du langage dans les civilisations extrême-orientales (en particulier chez les Japonais) ne se situe pas dans le cerveau comme dans celui des civilisations occidentales. Ces études établissent un rapport entre la caractéristique chantante des langues extrême-orientales et la part plus active de leur hémisphère droit dans le processus du langage. En cambodgien, par exemple, l'intonation de la prononciation reste non négligeable et, en outre, intervient la hauteur musicale du ton. Une même syllabe de la fin d'un mot prononcée sur la note do, ré, sol, sol dièse ou si bémol octroie à ce mot autant de significations différentes, disparates, que la langue cambodgienne a prévu de tons musicaux pour le prononcer.

Ces constatations suggèrent une hypothèse à vérifier : il existerait, à notre avis, un lien entre les progrès scientifiques d'une civilisation, son expansion, d'une part, et l'organisation de son langage écrit en général et de sa ponctuation en particulier, d'autre part. Imaginant alors sans peine la prédominance évidente dans cette civilisation de l'hémisphère gauche, hémisphère penseur et théoricien, la conclusion suivante s'impose : la qualité des intonations du langage de cette civilisation ne se révélant pas son point fort, les individus « hémisphère gauche », pour pallier cet inconvénient engendrant parfois des problèmes de communication, privilégieront l'organisation du langage écrit, de la ponctuation surtout, qualifieront à l'aide de signes abstraits l'intonation dont ils ne détiennent pas la maîtrise. Ainsi codifié, le langage et les valeurs de la civilisation à travers lui nécessitent moins d'ambassadeurs qu'un langage à l'expression au développement supérieur à celui du langage écrit. Voilà en même temps justifiées l'expansion et la suprématie des civilisations technologiques au détriment de celles à l'oral primant sur l'écrit, où des difficultés naissent à l'exportation et à la conquête durable d'autres espaces...

Si, pour l'individu « hémisphère gauche », la perception orale des mots ne pose pas de graves problèmes, lui permettant ainsi d'acquérir un vocabulaire varié, la perception des images sonores, en revanche, lui en apporte car beaucoup de bruits, même familiers, le déconcertent. Les identifier lui demande un temps infini. Cet état de fait s'intitule « agnosie auditive ».

Les images musicales produisent un effet semblable sur lui, il ne peut reconnaître des airs pourtant connus, incapable de les fredonner même s'il en écoute la musique. Il chante faux et préfère marquer le rythme sans s'occuper de la mélodie.

Il n'épargne pas non plus le domaine visuel ! Vadim Lvovitch Deglin, neurophy-

siologue soviétique, rapporte à ce sujet, dans une des ses publications, une expérience :

On présente au sujet « hémisphère gauche » quatre cartes : sur deux cartes s'inscrit un cinq, sur la première en chiffre arabe, sur la seconde en chiffre romain ; semblable répartition du dix écrit en chiffre arabe sur la troisième, en chiffre romain sur la quatrième. On lui demande ensuite de répartir les cartes en deux groupes cohérents. Cela permet deux combinaisons : soit, considérant le signe comme un nombre, une abstraction, on sépare les cinq des dix, 5 et V d'un côté, 10 et X de l'autre ; soit, se fondant sur l'apparence formelle du symbole, on regroupe les chiffres arabes ensemble et les chiffres romains aussi : 5 et 10 d'un côté, V et X de l'autre.

Or, dans cette situation un individu en pleine possession de ses moyens (réfléchissant avec appel aux facultés de ses deux hémisphères) propose deux classifications, « l'hémisphère gauche » choisit, quant à lui, sans hésiter, le critère du symbole abstrait ; il place les cinq dans un groupe et les dix dans l'autre, sans considérer l'apparence extérieure des signes. Dans la normalité par instinct, à l'aide de nul temps de réflexion, ceux soumis à ce test simple et le réussissant croisent les doigts avec prédominance de la main droite.

L'activité mentale des sujets « hémisphère gauche » se stratifie en complémentarité avec celle des « hémisphère droit », leur perception des images présente une nette défectuosité, celle des mots étant meilleure. Une telle stratification apparaît aussi dans le domaine de la mémoire. Les « hémisphère gauche » se souviennent des connaissances théoriques acquises à l'école et le savoir obtenu par l'intermédiaire des mots s'altère peu. En revanche, la mémorisation de figures non évocables par un seul mot (tels carré, rectangle, etc.) dépasse leurs compétences.

Emotionnellement, les sujets de ce type dénotent une propension à l'optimisme, voire à la gaieté. Le cerveau gauche forme la base d'un tonus émotionnel positif.

La personne
« hémisphère droit »

Au contraire du sujet « hémisphère gauche », le sujet « hémisphère droit » montre une faculté d'élaboration très diminuée. Son vocabulaire réduit ne comprend pas les mots désignant des concepts abstraits. Il se souvient mal du nom des objets, les désigne par leur fonction : « C'est la chose qui sert à... »

Il tend à communiquer par des mimiques ou des gestes. En revanche, il perçoit bien les éléments prosodiques du discours, même s'il fixe avec difficulté son attention sur ce qu'il entend, l'« hémisphère droit » reconnaît s'il s'agit d'une voix d'homme ou de femme.

Ceux d'entre eux qui écoutent une chanson ou une musique se sentent poussés à en fredonner l'air.

Soumis à l'expérience des quatre cartes, un sujet « hémisphère droit » trie les nombres par rapport à leur aspect visuel, non à leur valeur numérique : il place d'un côté les chiffres romains, de l'autre les chiffres arabes.

Sa mémoire ne retient pas le savoir théorique mais il n'éprouve aucune difficulté à « stocker » des impressions et des images.

La prédominance d'« hémisphère droit » favorise la vulnérabilité du tonus émotionnel. Ainsi, si « hémisphère gauche » ne l'aide pas, « hémisphère droit » se laisse aller à la morosité et risque de rendre l'individu pessimiste. Le cerveau gauche, abstracteur, sait mieux relativiser les faits et prendre du recul par rapport aux événements.

Ainsi, pour résumer en une phrase les aptitudes d'« hémisphère gauche » et d'« hémisphère droit », s'attribuent au premier le langage et la pensée abstraite, au second les images de la réalité concrète.

Cependant, à souligner une fois de plus, l'individu « hémisphère droit » ou « hémisphère gauche » uniquement, représente une création artificielle des chercheurs rendant inactif, sur le plan médical, l'un ou l'autre des hémisphères cérébraux de personnes, abstraction dans la réalité...

Individu « hémisphère gauche » et individu « hémisphère droit » réalisent une seule et même personne, mais, richesse et diversité de l'humanité, certains personnages appartiennent à la famille des « gauche et droit », d'autres à celle des « droit et gauche ». L'un des hémisphères répond en premier, sous le contrôle toutefois du second. Ainsi, à l'état normal, chaque hémisphère inhibe plus ou moins l'activité de l'autre, démontrant leur interdépendance. Existent entre eux des relations complexes et paradoxales.

D'une part, ils coopèrent dans le travail du cerveau, chacun, par ses capacités, servant de complément à l'autre. D'autre part, ils sont en compétition comme si chacun entendait empêcher l'autre de travailler. Cette activité, inhibitrice mutuelle ou complémentaire, des hémisphères cérébraux garantit pour l'individu la possibilité de réagir de façon appropriée aux circonstances changeantes de la vie quotidienne en exacerbant les capacités d'un des deux cerveaux ou en combinant les aptitudes des deux.

Quand un mathématicien doit manier des concepts (espace à plusieurs dimensions, nombres imaginaires...), sa pensée, en raison de sa nature « hémisphère gauche », évolue avec aisance et naturel dans ces sphères mathématiques hautement abstraites ; si ce même mathématicien doit affronter une situation d'urgence, par exemple en conduisant sa voiture, il lui faut (à lui éminemment théoricien) une faculté d'apprécier avec rapidité et un sens du concret l'espace réel, cette fois, en trois dimensions, au risque, dans le cas d'une non-adaptation, de voir se dérouler un drame en un acte, évitable si l'hémisphère droit bâillonne le gauche, portant alors au maximum sa perception du décor en évitant par la même occasion de s'y retrouver !

L'utilisation du cerveau abstracteur relève de l'inné acquis au travers de son éducation familiale et scolaire par l'individu ; l'obtention du langage dépend de celle d'un cerveau gauche par l'enfant. Celui-là, à sa naissance, possède en quelque sorte deux hémisphères droits, il ne parle pas car il n'a pas encore d'hémisphère verbal. Pendant les deux premières années de sa vie (les études entreprises par les Canadiens W. Penfiels et L. Roberts le démontrent), les deux hémisphères se différencient l'un de l'autre ; un rapprochement s'opère ensuite avec la coïncidence concernant, lors de l'évolution de l'enfant, la va-et-vient de la prédominance successive des deux mains. Avec la croissance, un partage des sphères d'influence se fait entre les deux hémisphères cérébraux si le sujet dispose d'une bonne santé. Peu à peu, une ligne de démarcation s'établit entre l'appareil de l'imagerie mentale et celui de la pensée abstraite. Alors interviennent le vécu en général et l'éducation en particulier dont le chercheur américain Joseph E. Bogen démontra l'importance. L'évolution du cerveau humain prouve (une fois encore !) que la fonction crée l'organe. Ces constatations fournissent de précieux renseignements, surtout associés à la connaissance de la loi biologique selon laquelle le développement physique de l'organisme individuel (ontogenèse) récapitule le développement évolutif de sa lignée dans le monde animal (phylogenèse). L'ordre suivant lequel les fonctions apparaissent dans l'ontogenèse permet de savoir l'âge de ces fonctions dans l'histoire de la vie de l'individu (voir référence à propos des tempéraments hippocratiques au chapitre suivant et au chapitre sur les digitalodermatoglyphes).

Grâce à ces remarques sur la naissance du cerveau gauche un fait se détache : dans l'évolution de l'être humain la parole « hémisphère droit » possède une ancienneté supérieure à celle de la parole « hémisphère gauche ». Les animaux les plus évolués vivant en troupeau se transmettent les uns aux autres des signaux (de danger par exemple) à l'aide de sons et de changements de modulation. La longue histoire de ce système de communication explique la primauté du cerveau droit à la naissance.

A noter aussi la persistance dans le langage de l'adulte de l'intonation spécifique présente dans ses gazouillements de bébé. Le nourrisson, d'ailleurs, commence à comprendre la hiérarchie des intonations bien avant de saisir le sens des mots !

Ce développement concernant celui des

cerveaux dans la prime enfance amène une éventuelle question : si le cerveau de l'enfant ne se forme pas avant deux ans, ne faut-il pas alors attendre sa latéralité pour se pencher sur l'étude de ses mains et en interpréter le message ? Le caractère n'est ni achevé ni immuable (voir quatrième partie sur le rôle de la chirologie), l'enfant est accouché biologiquement mais l'Etre reste à accoucher psychologiquement (voir cinquième partie sur l'avenir de la chirologie).

Les lignes du caractère se tracent dès le troisième mois de la gestation, tout comme le relief digital et palmaire, révélateur, lui, du tempérament. Ce tempérament en revanche, ni évolutif ni modifiable, décelé dès la naissance permet alors de connaître les limites et le niveau des compétences exprimées au cours de la vie par l'expérience intrinsèque au petit être venant de naître.

Le test concernant l'entrecroisement des doigts ne peut avoir lieu avant que l'enfant atteigne un certain âge. En effet ce geste, le plus souvent attitude de composition, contenance (que faire de ses mains lorsqu'elles ne font rien ?), caractérise rarement une attitude enfantine mais plutôt celle d'un adulte sans le naturel de l'enfant, en étroite relation avec une image de lui-même recherchée d'abord avec intention puis devenue réflexe pavlovien. Les plus préoccupés par leur image de marque au point de renvoyer à autrui une image de masque (!) devraient garder présente à l'esprit cette phrase admirable de bon sens issue de la sagesse populaire :

« Ne vous souciez pas de ce que les gens pensent de vous, ils ne pensent pas à vous et se demandent seulement ce que vous pensez d'eux ! »

Ce rôle de composition n'enlève en rien l'aspect naturel et non intentionnel de la prédominance d'une main sur l'autre. La meilleure preuve : si l'on demande à un individu de croiser ses doigts de manière inverse à celle habituelle pour lui, il découvre avec étonnement combien bizarre et peu agréable il ressent alors ce geste.

La ressemblance morphologique, à l'apparence symétrique, des mains droite et gauche permet au docteur Pillet, prothésiste

Croisement des bras

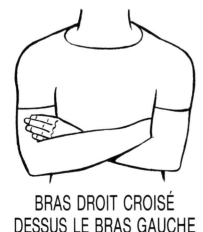

**BRAS DROIT CROISÉ
DESSUS LE BRAS GAUCHE**

Figure 5

**BRAS GAUCHE CROISÉ
DESSUS LE BRAS DROIT**

réputé, spécialiste de la main, de fournir à une personne à la place de sa main manquante amputée l'exacte réplique inverse de celle existante, réalisée en un produit caoutchouteux couleur chair à l'aspect de réalité étonnant malgré l'inertie de ce nouveau membre (le secret de ce matériau reste en la possession du docteur).

L'entrecroisement des doigts devrait s'effectuer aussi aisément d'un côté que de l'autre, comme cela devrait l'être pour le croisement des bras, tel ne s'avère pourtant pas le cas. Or, si l'on peut justifier l'entrecroisement des doigts par la prédominance d'un hémisphère cérébral, le croisement des bras défie, à première vue, cette logique-là. En effet, une majorité écrasante de personnes, hommes ou femmes droitiers et gauchers, croisent les bras en positionnant le bras gauche au-dessus du droit *(voir figure 5 page 55)*. L'étude statistique entreprise à long terme permettra, dans un prochain livre, de présenter une explication.

LES QUATRE TEMPÉRAMENTS

Mode d'approche (ou compréhension) des tempéraments

PREMIÈRE DUALITÉ

vitalité/activité

Vous côtoyez chaque jour un certain nombre de personnes, mais avez-vous songé à bien observer ces mains qui, devant vous, s'ouvrent et se referment, s'offrent et se refusent, gesticulent ou se croisent sagement ?

Votre vie sociale et professionnelle vous met en perpétuelle relation avec des gens dont, tôt ou tard, vous serrez la main : sachez bénéficier des informations fournies par ce « contact manuel » instauré, à l'origine, par la civilisation occidentale pour concrétiser un fait : la dextre — main réalisatrice ou destructrice — ne s'arme pas pour l'agression mais, au contraire, s'ouvre en un geste d'accueil et de confiance. Ce geste banal — parce que banalisé à la fois par l'évolution des mœurs et la répétition — suscite malgré tout, et malgré vous, une réaction inconsciente traduisible en termes de sympathie ou d'antipathie. De façon

semblable un visage « vous revient » ou « ne vous revient pas », impression rapide, dépourvue d'explication immédiate, impossible à quantifier. M. Jourdain faisait de la prose sans le savoir, vous faites de la morphopsychologie sans le savoir !

Un visage séduit ou pas, un processus similaire s'instaure à travers la main même si la sensation est, paradoxalement, plus imprécise et plus tranchée. Plus imprécise par la fugacité du geste ; il ne possède en effet pas la durabilité potentielle de l'observation des traits d'un visage, la conscience de l'impression s'efface vite à cause des préoccupations apportées par l'instant suivant. Plus tranchée parce que si vous cherchez à comprendre votre impression, outre l'appréciation de la tonicité de la poignée de main, deux critères nets et précis (eux !) permettent de la justifier si ce n'est de la quantifier : la *chaleur* et la *moiteur*. Et, sans négliger pour autant l'émotivité modifiant l'hygrométrie de la peau lors d'une rencontre importante vous obligeant — par exemple — à détourner votre mouchoir (en dentelles !) de son usage habituel pour essuyer la sueur ne cessant de perler à votre front, vous tenez là les prémices de la science chirologique permettant d'appréhender la dominante tempéramentale de votre interlocuteur... et d'adapter votre dialectique à sa faculté de compréhension (ou d'incompréhension...).

Ce double critère *chaleur-moiteur* permet d'apprécier la force du tandem *vitalité-activité* dont dépend le comportement dynamique de l'individu.

La *vitalité* est une possibilité de vie intense en constante disponibilité, disponibilité de forces organiques (du corps, non de l'esprit), ce en dehors de toute excitation intérieure ou extérieure car il s'agit d'une force inerte.

La *vitalité,* énergie de base, capital individuel, donne la vigueur, la résistance à la fatigue et la récupération rapide après une dépense d'énergie, mais cette source vitale diffère de l'*activité* car elle ne présente aucune intentionnalité.

En revanche, l'*activité* se définit, elle, comme la capacité de mettre en œuvre une énergie motrice intentionnelle. Il s'agit là d'une activité réalisatrice mais, de toute façon, instinctive. Cette prédisposition naturelle à l'action suscite le plus souvent un besoin d'œuvrer, un désir d'agir, de s'occuper, de travailler, de réaliser ou de... détruire !

Voici revenir la comparaison de la voiture : la cause rendant l'auto mobile n'est pas seulement la volonté du conducteur d'avancer à l'aide de son véhicule, il faut prendre surtout en compte la disponibilité d'un carburant utilisable dans un moteur ; la volonté dispose alors de son moyen d'expression. Si, dans la réalité automobile,

les constructeurs ont pensé, fort heureusement, à doter les véhicules d'un réservoir d'essence et d'un moteur (insister sur ces points ne signifie pas négliger d'autres composants nécessaires telles les roues, la carrosserie...), il en va différemment dans la réalité tempéramentale, la distribution se révèle peu égalitaire : certains possèdent l'essence *(vitalité),* d'autres le moteur *(activité),* d'autres encore ni l'un ni l'autre (ni *vitalité* ni *activité),* un quatrième groupe d'individus semble avoir la chance en apparence (l'explication de l'usage de ce terme restrictif viendra en son temps) de jouir *et* du carburant *et* du moteur *(vitalité* et *activité).* Cette distribution s'insère dans un *ordre* prévu, ne naît pas du hasard. Admirez plutôt l'efficacité de la Nature : elle réalise ainsi l'équilibre et la disparité indispensables à l'harmonie des rapports entre les êtres humains.

En effet les mieux nantis, ceux disposant du tandem *essence-moteur,* générant leur riche et forte autonomie, ne pourront, par un illusoire élan de générosité, partager avec ceux ne possédant ni l'une *(essence)* ni l'autre *(moteur)* ; en revanche, par un comportement non intentionnel mais naturel, inhérent, intrinsèque, ils les prendront en charge, mus par un paternalisme instinctif et pur ! D'ailleurs ils se comprennent car ils parlent un langage semblable, celui de l'objectivité. La caractérologie hippocratique classe les premiers dans le groupe des **bilieux,** les seconds dans le groupe des **lymphatiques.**

Ces termes ne doivent pas s'entendre dans le sens où la dérive de l'emploi les a fait glisser insidieusement : un **bilieux** n'est pas forcément un anxieux, un **lymphatique** obligatoirement un mollasson ! De même pour les deux autres catégories tempéramentales : le **sanguin** n'est pas un colérique sanguinaire (!), le **nerveux** un paquet de nerfs !

Des deux éléments du tandem *essence-moteur*, le **sanguin** dispose du premier, le **nerveux** du second. A l'instar des deux autres tempéraments le **sanguin** et le **nerveux** se montrent tout à fait complémentaires, eux aussi sur la même longueur d'onde, cette fois celle de la subjectivité (voir plus loin).

Ainsi le **sanguin,** par son trop-plein d'énergie, dynamise son entourage dont fait partie le **nerveux** qui y puise alors l'énergie de sa capacité d'action.

En résumé *(voir figure 6 page 60)* :
- *vitalité (essence)*
Main chaude, caractéristique des tempéraments **bilieux** et **sanguin**.
- *non-vitalité (sans essence)*
Main froide, caractéristique des tempéraments **nerveux** et **lymphatiques**.
- *activité (moteur)*
Main sèche caractéristique des tempéraments **bilieux** et **nerveux**.
- *non-activité (sans moteur)*
Main humide caractéristique des tempéraments **sanguin** et **lymphatique**.

DEUXIÈME DUALITÉ

physique/cérébrale

Outre la chaleur et la moiteur, la main se distingue par d'autres spécificités telles : la forme ; l'épaisseur, la tonicité et la couleur de la peau ; le nombre de lignes ; le type de digitaloglyphe dominant...

Deux erreurs communes consistent à croire en une hiérarchie de richesse de personnalité du possesseur de la main fonction du nombre de lignes et à un rapport de cause à effet entre une activité manuelle et le nombre de lignes. Stupidité ! Dans le premier cas, le nombre de lignes s'avère un critère de classification, la marque de fabrique du tempérament. Dans le second, la réalité se révèle l'inverse de ce préjugé : les mains des manuels sont en effet moins striées de lignes que celles des intellectuels !

Ainsi, considérant les individus en deux catégories distinctes : « ceux chez qui la pensée prime sur l'action » et « ceux chez qui l'action prime sur la pensée », la répartition des tempéraments s'opère de la façon suivante :

- **Prédominance cérébrale :** paume striée d'un réseau de lignes nombreuses (soit fines soit profondément tracées) signalant les tempéraments **nerveux** et **bilieux.**
- **Prédominance physique :** paume striée de très peu de lignes (deux, trois ou quatre maximum) signalant les tempéraments **sanguin** et **lymphatique** *(voir figure 7 page 61).*

Répartition
Activité - Vitalité
selon les tempéraments

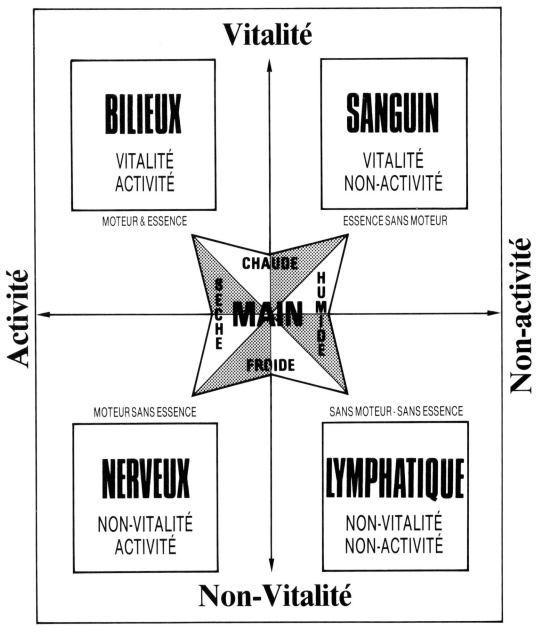

Figure 6

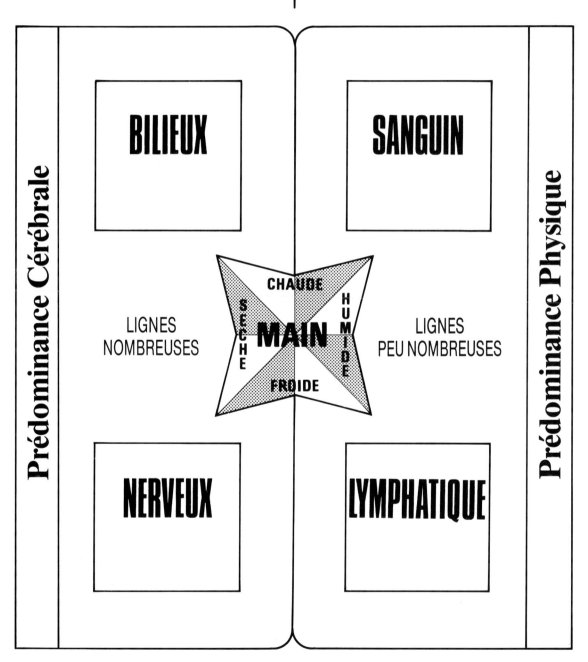

« La pensée prime sur l'action »

« L'action prime sur la pensée »

Prédominance Cérébrale

Prédominance Physique

BILIEUX

SANGUIN

LIGNES NOMBREUSES

CHAUDE

SÈCHE MAIN HUMIDE

FROIDE

LIGNES PEU NOMBREUSES

NERVEUX

LYMPHATIQUE

Figure 7

Synthèse des différentes données chirologiques caractérisant chacun des quatre tempéraments

Il faut préciser l'aspect théorique de cette classification. Dans la pratique, deux, trois ou quatre tempéraments participent à la personnalité d'un individu, mais grâce à la détermination du plus grand nombre de caractéristiques communes à l'un des quatre tempéraments une dominante ressort et forme en quelque sorte la base de l'édifice psychologique.

Le bilieux

Main
— chaude et sèche
— dure et musclée
— contours anguleux
Peau
— épaisse, rêche et ferme
— de couleur brune
Ongles
— rectangulaires, plus longs que larges
Lignes
— nombreuses et profondes
— de coloration jaunâtre ou brune

Le nerveux

Main
— froide et sèche
— frêle et longue
— étroite, fine et sans reliefs
Peau
— fine et lisse
— à peine colorée ou ivoire

Ongles
— rectangulaires, longs et très étroits
Lignes
— fines et incolores

Le sanguin

Main
— chaude et humide
— forte et ronde
— potelée et charnue
Peau
— épaisse et élastique
— de couleur rouge ou rosée
Ongles
— courts, larges et roses
Lignes
— peu nombreuses et nettement incisées
— larges, de coloration rose ou rouge

Le lymphatique

Main
— froide et humide
— épaisse et atonique
— potelée et molle
Peau
— épaisse ou très fine et lisse
— blanche
Ongles
— courts, larges et pâles
Lignes
— très peu nombreuses et pâles
— larges et superficielles

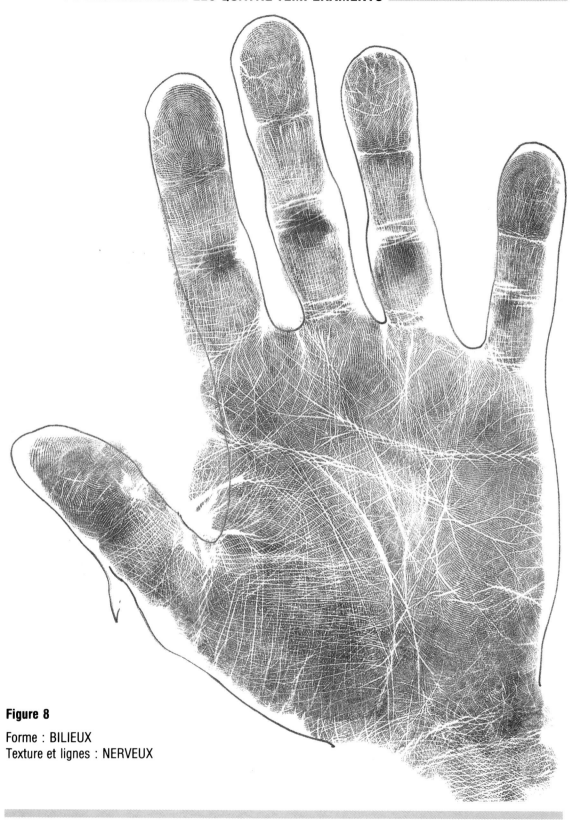

Figure 8

Forme : BILIEUX
Texture et lignes : NERVEUX

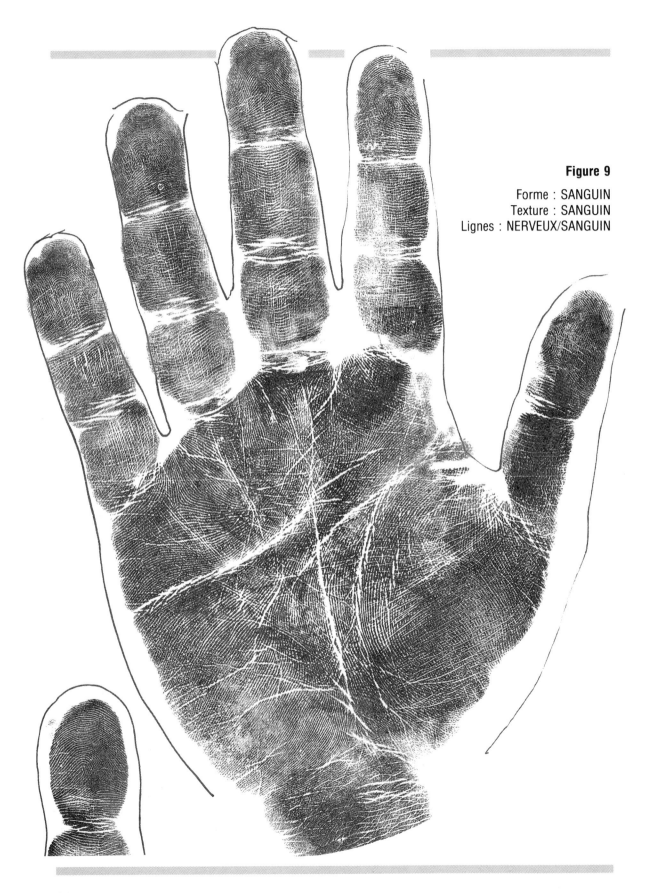

Figure 9

Forme : SANGUIN
Texture : SANGUIN
Lignes : NERVEUX/SANGUIN

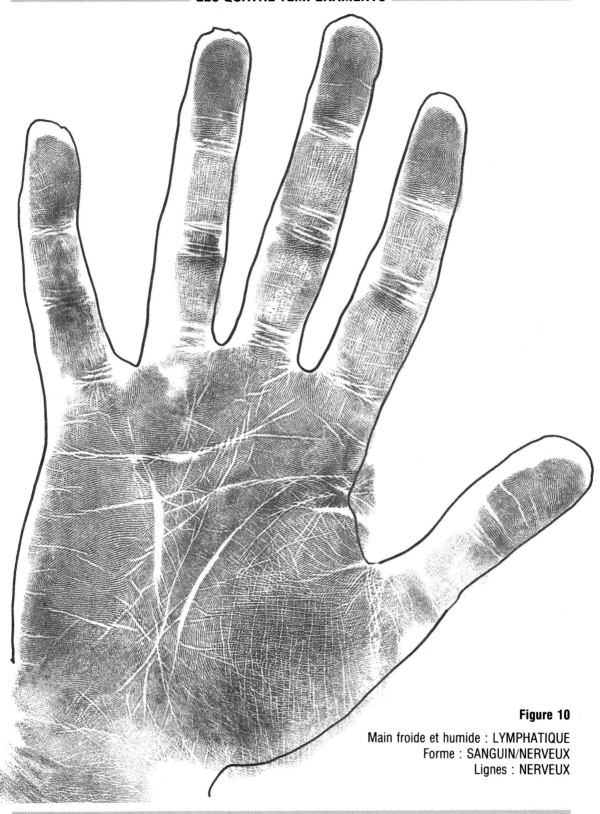

Figure 10

Main froide et humide : LYMPHATIQUE
Forme : SANGUIN/NERVEUX
Lignes : NERVEUX

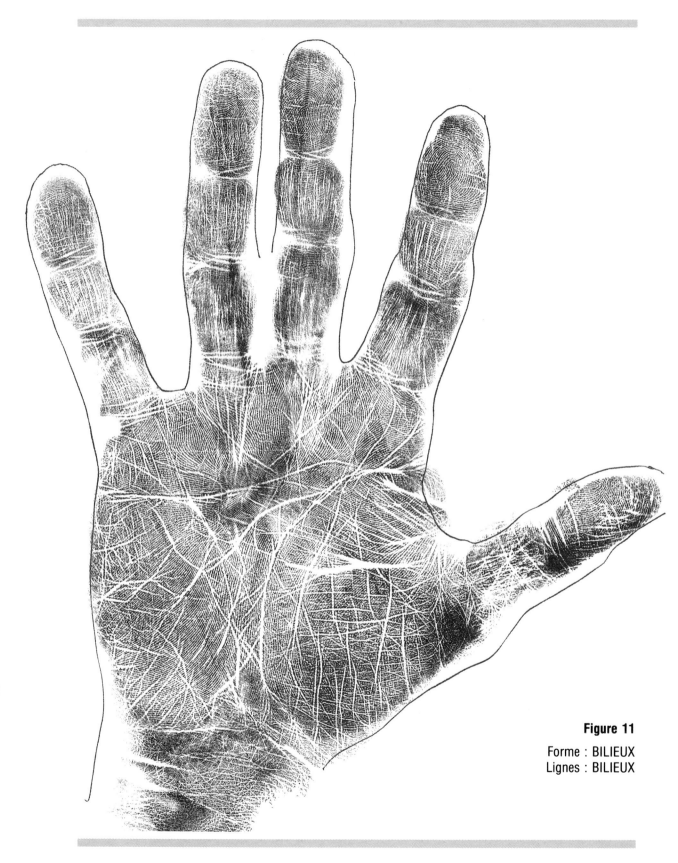

Figure 11

Forme : BILIEUX
Lignes : BILIEUX

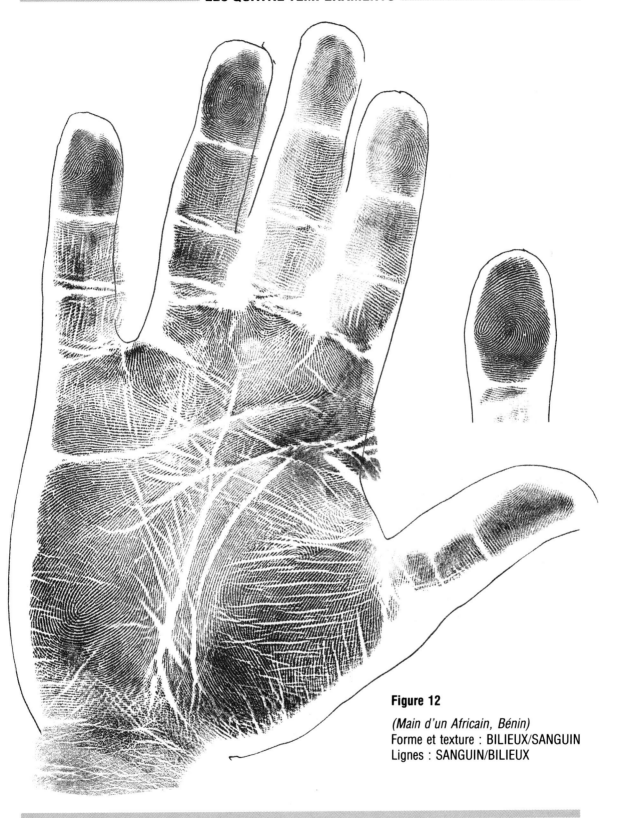

Figure 12

(Main d'un Africain, Bénin)
Forme et texture : BILIEUX/SANGUIN
Lignes : SANGUIN/BILIEUX

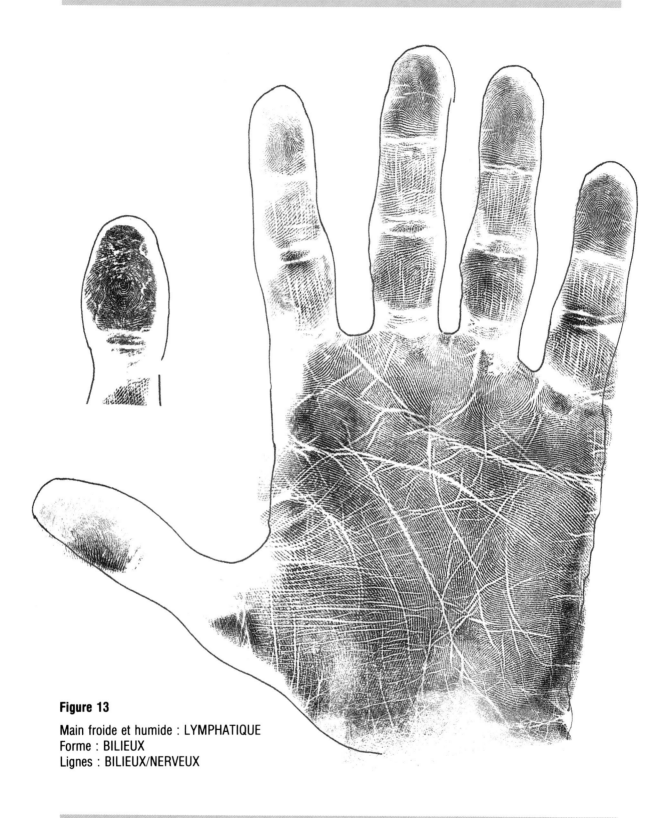

Figure 13

Main froide et humide : LYMPHATIQUE
Forme : BILIEUX
Lignes : BILIEUX/NERVEUX

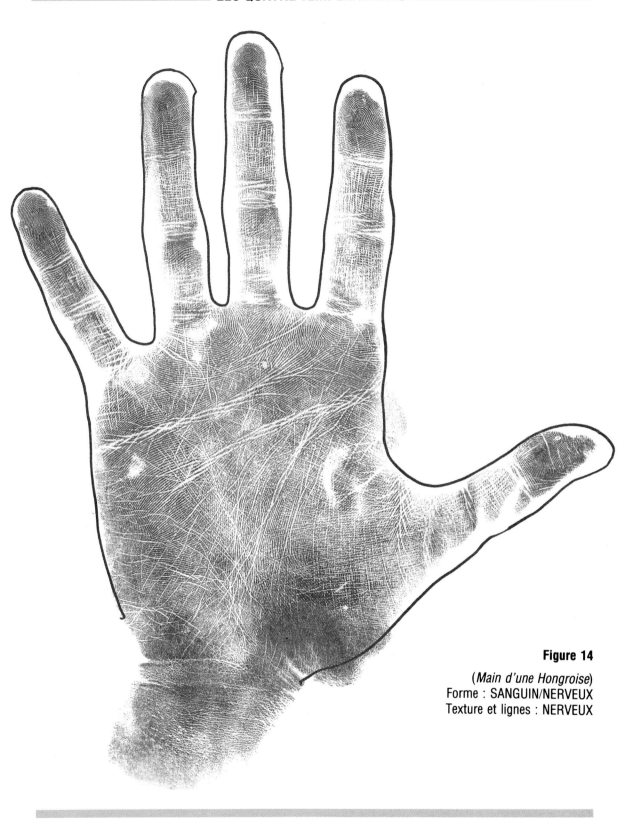

Figure 14

(*Main d'une Hongroise*)
Forme : SANGUIN/NERVEUX
Texture et lignes : NERVEUX

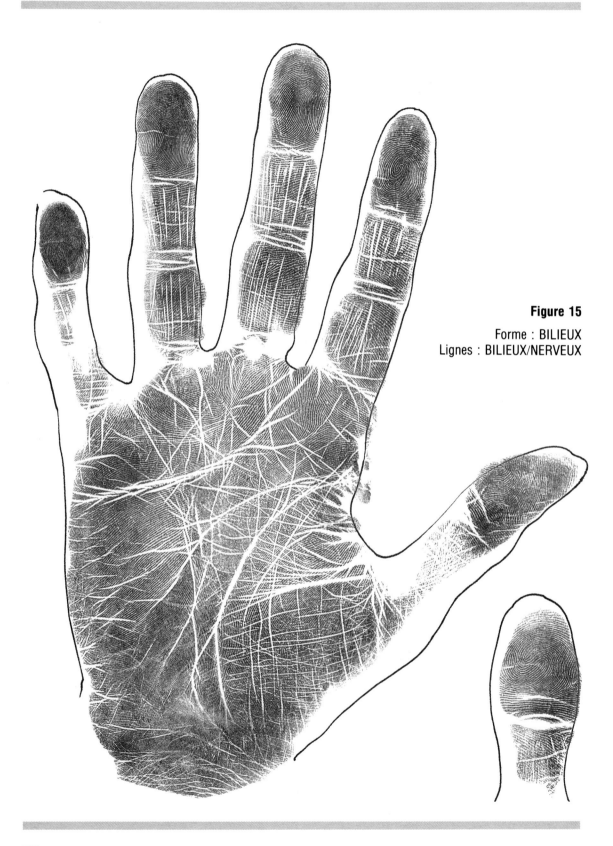

Figure 15

Forme : BILIEUX
Lignes : BILIEUX/NERVEUX

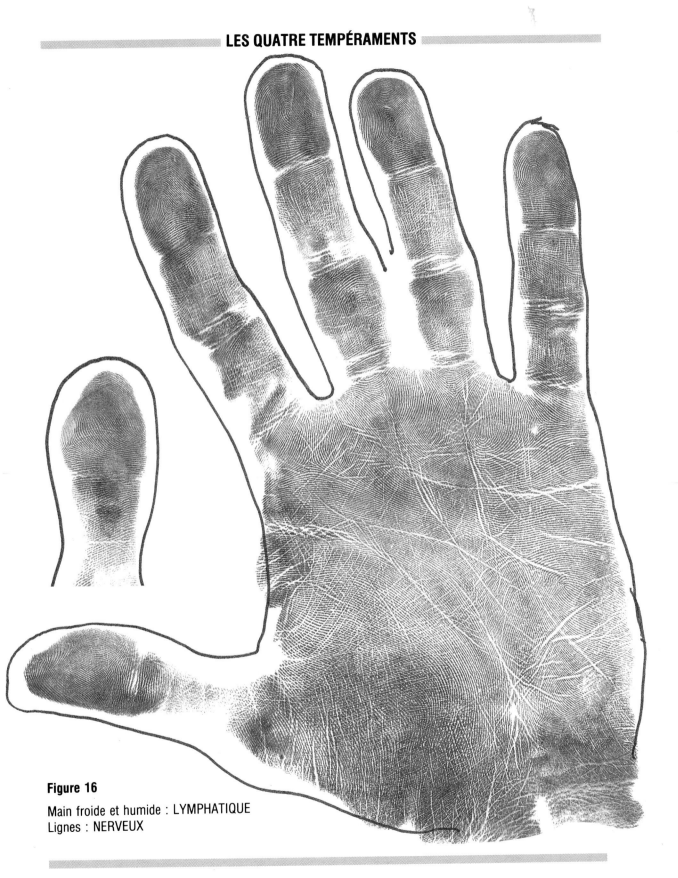

Figure 16

Main froide et humide : LYMPHATIQUE
Lignes : NERVEUX

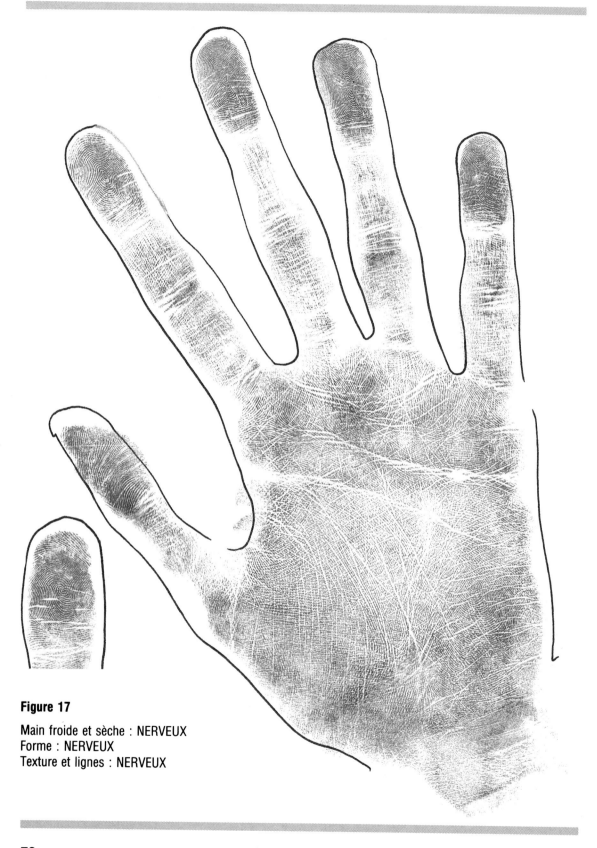

Figure 17

Main froide et sèche : NERVEUX
Forme : NERVEUX
Texture et lignes : NERVEUX

Aptitudes physiques et rendement

LES FÉBRILES

Le sanguin

Fébrile... car possédant un trop-plein d'énergie à dépenser. Réactivité immédiate, rapidité et initiative dans la réalisation des tâches... s'il y découvre une occasion de se dépenser physiquement et d'improviser à un rythme rapide. Cependant si les résultats se font attendre, il se laisse détourner de sa trajectoire, oubliant le but à atteindre, par le premier stimulus venu, reportant alors son enthousiasme et son dynamisme sur un nouvel objectif. Résultat : il montre plus de constance dans le mouvement et l'action que de ténacité pour atteindre ses objectifs, il se satisfait de la quantité, non de la qualité *(voir figure 18 page 75)*.

Le nerveux

Fébrile... par manque d'énergie, car pour lui l'énergie vient en agissant. A l'instar du mouvement célérifère essentiel à la mise en équilibre de la bicyclette, l'action se révèle salutaire à l'équilibre et l'efficacité du **nerveux.** De son faible tonus vital découle une capacité d'action plus mentale que motrice, le **nerveux** est capable d'un bon rendement intellectuel et peut maintenir son cerveau en pleine activité pendant des heures sans fatigue si son attention demeure en éveil grâce à de multiples et successifs pôles d'attraction.

Manuel, il parvient à l'être jusqu'à la méticulosité mais point lors d'un travail à la chaîne car la monotonie l'exaspère et le rend maladroit *(voir figure 18 page 75)*.

LES CALMES ET LES MAÎTRISÉS

Le bilieux, c'est le « maîtrisé ».

Dynamique car porteur d'un fort potentiel d'action, il dirige sa force et la canalise sans aide ou dépendance extérieures. Il possède des gestes, des mouvements sobres, fermes, mesurés et ordonnés. Inébranlable dans ses résolutions, précis, tenace, persévérant dans ses actions, le **bilieux** s'affirme en outre, dans l'activité comme dans la vie, organisé, il distribue et réalise son travail avec une régularité d'horloge suisse et ainsi qu'il en a décidé *(voir figure 18 page ci-contre).*

Résultat : il détient une capacité d'adaptation et d'improvisation quasi nulle ! En revanche il s'efforcera d'adapter l'horloge des autres (suisses ou pas !) à la sienne !

Le lymphatique

Sans « essence » et sans « moteur », c'est, par la force (inerte !) des choses, le « calme ». Il possède des gestes, des mouvements lents, égaux (parfois même relâchés et paresseux) mais bien adaptés à certaines activités manuelles. Il aime se servir de ses mains — plutôt que de sa tête — et acquiert une grande habileté manuelle par automatisme. Il ne peut et ne sait pas courir mais restera longtemps debout sans ressentir la moindre fatigue. La confiance que lui confère l'automatisme lui permet d'accomplir certains travaux sans y prêter une trop grande attention *(voir figure 18 page ci-contre).*

Résultat : sans capacité d'initiative et d'improvisation, le **lymphatique** s'adapte bien aux nouvelles données d'un contexte... si on lui en laisse le temps !

◼ Aptitudes intellectuelles

MODE DE PERCEPTION

perception subjective

Le sanguin

Il perçoit et retient de la réalité ce qui l'attire, l'interpelle ou le subjugue et lui sert de prétexte à évoluer et agir. Trop fébrile et impatient pour être un observateur universel et se prêter à un examen minutieux pour approfondir un contexte environnant, il jouit, en revanche et par contrecoup, d'une juste et rapide vision d'ensemble. Il interprète et transforme les choses de son point de vue. Par instinct, il recherche non la froide vérité mais ce que chaque situation possède de particulier et de symbolique par rapport à sa sensibilité *(voir figure 19 page 77).*

En résumé, le **sanguin** perçoit le mouvement, la direction, le sens évolutif, l'expressivité et la singularité des choses.

Le nerveux

La curiosité va de pair avec l'analyse et l'alimente, aussi le **nerveux** se plaît-il à chercher et rechercher pour vérifier si les choses ne comportent pas un aspect mystérieux ou étrange. Ardent adepte du « pourquoi-comment », non content d'observer les objets avec passivité, il ne s'en tient pas à l'apparence et éprouve le besoin d'enquêter pour découvrir les concours de circonstances

Rendement

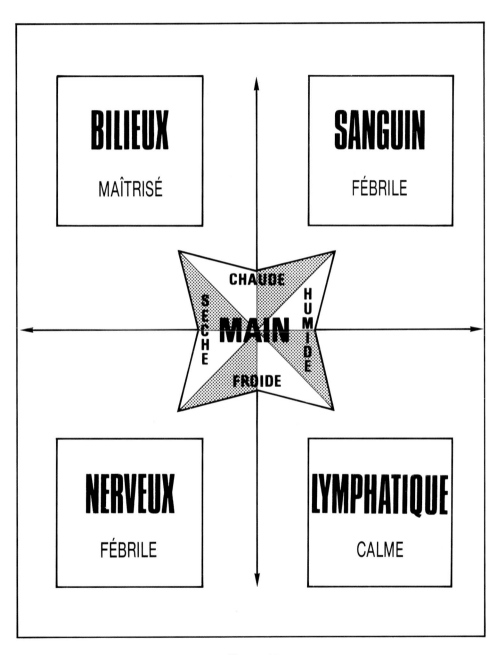

Figure 18

ou les causes déterminantes. Il en fait ensuite part avec joie à ceux n'ayant pas pris la peine de pousser aussi loin leurs investigations !

Ce goût de l'analyse, de l'examen des moindres détails frise parfois le byzantinisme.

En résumé : le **nerveux** perçoit le subtil, l'occulte, l'« à peine ébauché », mais possède une certaine, voire nette tendance à avancer des jugements hâtifs, fondés sur des notions isolées sans réelle synthèse *(voir figure 19 page ci-contre)*.

MODE DE PERCEPTION

perception objective

Le bilieux

Se voit doué d'une perception objective, tournée vers le concret, dénuée de sensibilité, active, orchestrée pour l'efficacité de l'action qu'elle précède obligatoirement.

Lorsque le **bilieux** observe la réalité, son jugement discriminatoire va vite, il laisse de côté ce qui lui paraît superflu ou, impatient et incapable de méticulosité, en confie l'analyse à d'autres, en l'occurrence aux **nerveux** (analyse qualitative et libre) ou aux **lymphatiques** (analyse quantitative et dirigée). Il intervient après l'analyse, recueillant ce qui lui semble intéressant et exploitable et fait la synthèse des idées pour les clarifier au maximum *(voir figure 19 page ci-contre)*.

En résumé : le **bilieux** perçoit la réalité de façon pragmatique et précise, s'attache à l'essentiel, au pratique, et à l'immuabilité des choses.

Le lymphatique

Récepteur plutôt qu'émetteur, le **lymphatique** possède en compensation de sa passivité une forte capacité de perception et, la plupart du temps, un réel don d'observation, mais il a la faiblesse de se fier sans discrimination et sans recul à ce qu'il perçoit d'emblée. Lorsqu'il est intelligent il classe les faits et gestes et les choses avec sagacité, poussant parfois l'initiative jusqu'à étudier les liens de coïncidence et de causalité régissant l'objet de son observation. Pour lui, la science existe dans la quantification et son intelligence se met au diapason de son environnement. En conséquence il faut élever l'enfant lymphatique dans un milieu riche et varié car il ne cherche pas ailleurs des aliments à sa curiosité et prend comme unité de mesure ce qu'il perçoit sans effort *(voir figure 19 page ci-contre)*.

En résumé : le **lymphatique** perçoit le quantifiable (forme, couleur, chaleur...) directement perceptible, sans effort physique ou intellectuel.

Aptitudes intellectuelles
La perception

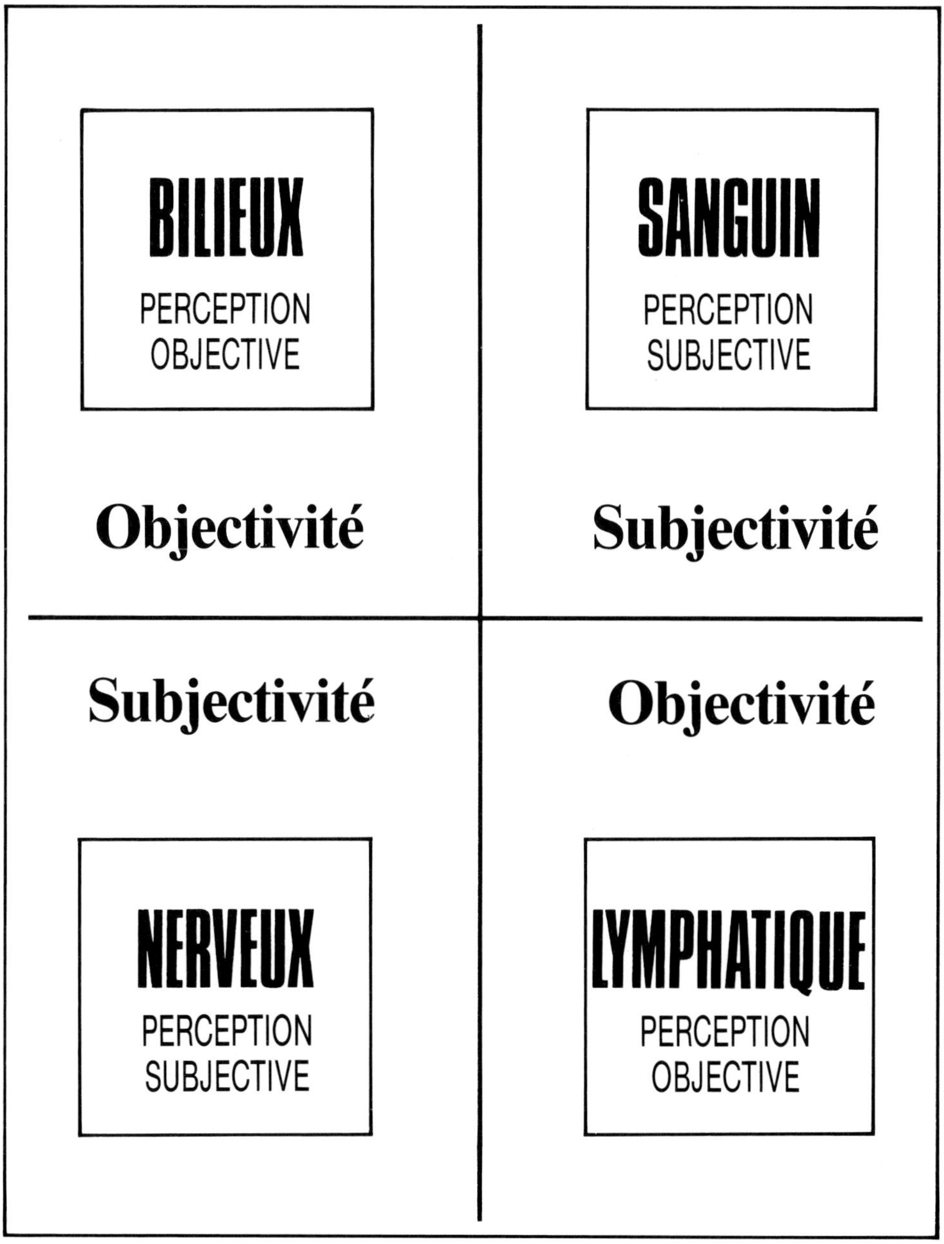

BILIEUX PERCEPTION OBJECTIVE	**SANGUIN** PERCEPTION SUBJECTIVE
Objectivité	**Subjectivité**
Subjectivité	**Objectivité**
NERVEUX PERCEPTION SUBJECTIVE	**LYMPHATIQUE** PERCEPTION OBJECTIVE

Figure 19

La mémoire

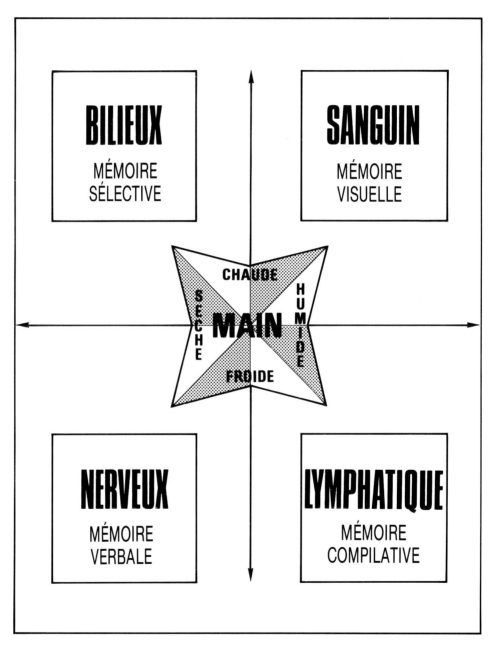

Figure 20

LA MÉMOIRE

Le bilieux

Possède une mémoire sélective, comme sa perception. Elle lui sert à retenir le strict nécessaire à ses affaires, car elle n'est guère performante mais peu lui importe ! En effet, son amour de la méthode le pousse à noter tout ce qu'il a à faire et à consulter constamment ses notes pour ne rien oublier. Homme à l'activité bien orchestrée, donneur de renseignements précis et concis, ponctuel, il n'oublie jamais un rendez-vous, une obligation, une promesse faite... *(voir figure 20 page ci-contre)*

Le nerveux

Pourvu d'une mémoire essentiellement verbale, il se souvient des choses enregistrées de façon récente. D'ailleurs, ses souvenirs entrent au fur et à mesure dans le brouillard de l'oubli dont il ne parvient à extirper aucune date. Il retient mieux les idées et les connaissances si elles lui sont dispensées lors de conférences, de cours oraux ou par la conversation avec des experts. Il apprécie la lecture mais éprouve du mal à se concentrer. *(voir figure 20 page ci-contre)*

Le sanguin

A l'inverse du **nerveux**, il jouit d'une mémoire plus visuelle qu'auditive. Il retient peu d'éléments des conversations auxquelles il participe abondamment par expansivité ; pourtant les discours l'émeuvent mais ne s'inscrivent pas dans sa mémoire. Les images et les impressions visuelles, en revanche, s'y marquent, cependant il en parlera et les décrira de manière variable d'un moment à l'autre, d'un auditeur à l'autre ! *(voir figure 20 page ci-contre)*

Le lymphatique

Sa mémoire restitue mécaniquement tous les renseignements recueillis, sans rien modifier ni ajouter. Elle donne ainsi, dans chaque cas, une copie exacte de la réalité, objets ou faits, tels qu'ils sont perçus par les sens.

La mémoire lymphatique embrasse presque l'ensemble des sens mais peut aussi étonner par des performances aussi peu ordinaires qu'inutiles : mémoriser une page de l'annuaire ou la liste des villes de cent à deux cent mille habitants ! *(voir figure 20 page ci-contre)*

L'IMAGINATION

l'imagination des tempéraments subjectifs

Le sanguin

Tempérament de l'imagination libre et productive. La vivacité et l'agilité imaginatives du sujet le poussent parfois à l'exagération, l'exaltation et même à l'utopie. Ainsi ajoute-t-il des traits inédits à la réalité perçue par lui, il la colore, l'orne. Il peut donner à un souvenir, réel ou inventé, une version artistique à travers des comparaisons pleines de drôlerie, au charme expressif.

S'il est artiste, sa créativité naturelle et instinctive se voit conduite par l'émotionnel, valeur première du **sanguin.** Il sent avec spontanéité la beauté et vit l'art avec imagination et sensualité. Il capte et interprète la grâce suggestive des silhouettes, l'attrait voluptueux des formes exubérantes... aussi l'artiste **sanguin** traduit-il davantage sa sensibilité par des images (photographies ou peintures), ou des volumes (sculptures) plutôt que par des sons ou des abstractions moins évocateurs à son goût.

Le **sanguin** voit l'art en couleurs, débordant de vitalité, et se laisse charmer par les mouvements ostentatoires et grandioses. *(voir figure 21 page ci-contre)*

Le nerveux

A l'inverse du **sanguin,** l'imagination du **nerveux** possède un aspect non pas actif mais réactif, motivé par une contrainte. Son agilité mentale génère une imagination éclair dont le principal intérêt consiste à savoir trouver, pour résoudre un problème, le moyen le plus ingénieux et le plus séduisant, le procédé le plus habile et le plus subtil, la solution la plus opportune.

S'il est artiste, l'art du **nerveux** tend vers l'abstrait, le symbolique ou, au contraire, vers un réalisme étonnant par la finesse du détail (Gustave Doré).

L'artiste **nerveux** semble viser un unique but : étonner, attirer l'attention. Sa démarche artistique déconcerte, surprenante par l'originalité des contrastes, la minutie des détails, la miniaturisation, la création de styles plus ou moins extravagants (symbolisme, surréalisme, futurisme, dadaïsme, cubisme...).

La raison d'être de ce type d'art ne semble pas résider en l'enivrement des sens mais en leur torture : il ne les émeut pas, il les crispe. Il ne les subjugue pas mais les inquiète et les saisit.

Incapable d'émotion esthétique, l'artiste **nerveux** paraît se complaire dans un art parfois trop cérébral soit en déformant capricieusement (Picasso, Dali, Miró...), soit en appliquant une distribution arbitraire des couleurs, cherchant à satisfaire de mille façons (et contrefaçons !) son besoin d'étonner.

Son esprit critique se développe très bien... en ce qui concerne les œuvres des autres ! A défaut d'être un artiste créateur, le **nerveux** peut se montrer un excellent artiste critiqueur !... *(voir figure 21 page 81)*

L'IMAGINATION

l'imagination des tempéraments objectifs

Le bilieux

L'imagination n'est pas le point fort de ce tempérament, et si elle se trouve en lui elle n'a rien de romantique. Appliqué et méthodique, il aborde les problèmes avec une vision d'ensemble agréable, les limitant à leur juste mesure, énumérant leurs multiples aspects en les considérant chacun séparément. L'imagination ainsi contrôlée et canalisée engendre une activité mentale de haut rendement permettant d'attaquer

Imagination

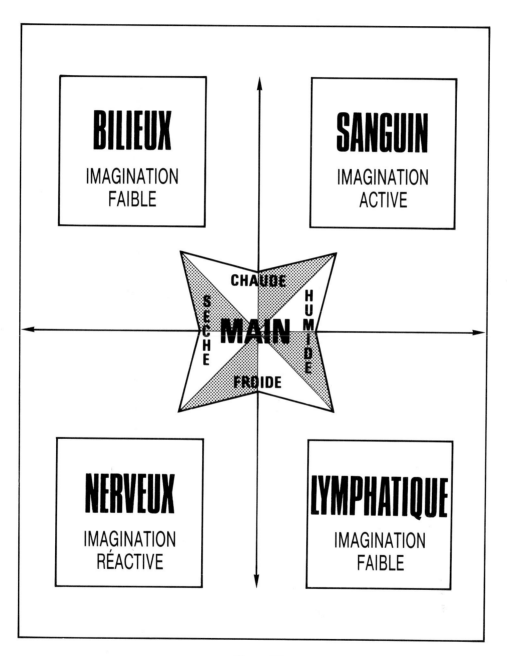

Figure 21

Comportement social

LA FORMULE
QUI RÉSUME VOTRE TEMPÉRAMENT

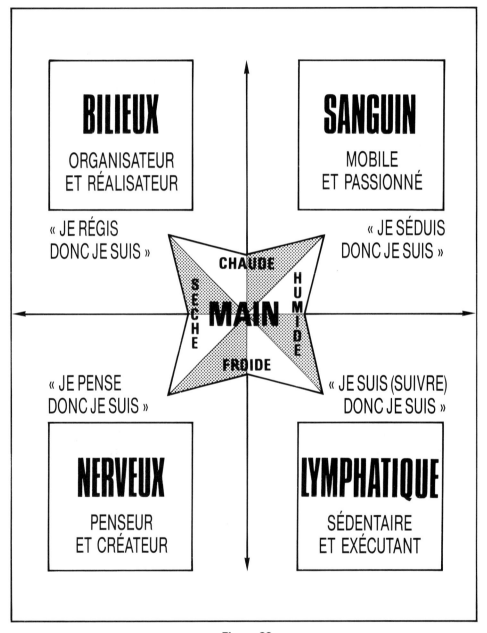

Figure 22

avec efficacité les différents problèmes grâce à une discipline d'esprit inconnue des **nerveux** et des **sanguins**.

S'il est artiste — c'est le tempérament le moins porté à la carrière artistique, jugée par lui trop aléatoire —, le **bilieux** adoptera deux attitudes :

— soit il impose à l'art une finalité, celle de porter un message de valeur universelle. Le médium artistique choisi sert de vecteur au rôle de leader que le **bilieux** entend jouer. Pour mieux se démarquer il recherche activement une technique novatrice pour asseoir sa renommée et il exploite alors le filon au point de devenir incapable de se renouveler ! Bernard Buffet semble être tombé dans ce travers...

— soit il opte pour une technique classique sans heurt et sans reproche. La plupart des gens savent alors apprécier l'œuvre mise en orbite par l'artiste-gestionnaire. *(voir figure 21 page 81)*

Le lymphatique

On ne peut guère parler d'imagination en ce qui concerne le **lymphatique**. Pour ce tempérament il s'agit davantage d'un imaginaire intérieur où se réfugie son mental, il restitue les faits et les choses exacts recueillis par ses facultés perceptives.

S'il détient une âme d'artiste, le **lymphatique** se révèle plutôt artisan, il peut être un excellent miniaturiste et possède la patience nécessaire aux travaux de reproduction. Il peut même enseigner l'art — la sédentarité requise par cette profession s'accorde bien avec cette activité — et se montrer bon pédagogue, mais il franchira avec difficulté la frontière du traditionnel pour délaisser les règles artistiques classiques ou les procédés techniques usuels.

Il manque au **lymphatique** la clé, le déclic, le feu essentiels à la création artistique. *(voir figure 21 page 81)*

Comportement social

COMPORTEMENT CENTRIFUGE

Le sanguin

Collectiviste, ses aspirations vont, du fait de son expansivité, vers l'aspect social de la vie. Sa forte émotivité, talon d'Achille de sa personnalité, génère la plupart de ses actes, sa relation à autrui.

Il juge les faits, les choses et les gens non pas sur leur valeur propre mais selon la sympathie ou l'antipathie qu'ils lui inspirent. Appréciations fondées sur le sentiment, l'admiration, l'enthousiasme...

Mobile et passionné, par son comportement centrifuge il éprouve le besoin de se mouvoir dans un espace vaste et sans limites... mais empli de la constante présence des autres ou au moins de l'Autre !

Son contact facile, son commerce

agréable, son affabilité (sa galanterie si c'est un homme) font du **sanguin** une personne attirante, séduisante, voire séductrice. Il se lie ainsi beaucoup d'amitié, cependant il donne l'impression de privilégier non la qualité mais la quantité... Seules demeurent de véritables amitiés celles à l'origine d'une communion de sensibilité (avec une évolution souvent orageuse mais parfois durable !) ou celles provenant d'une complémentarité avec un être parfaitement opposé.

Son sens de l'adaptation lui permet de se sentir à l'aise dans toutes les couches sociales. Il se met au diapason, en harmonie avec l'opinion générale, ou décide, au contraire, d'agir en rangeant tout le monde à son avis pour assurer son panégyrisme. S'il ne parvient pas à se sentir en homogénéité avec le contexte, il préfère partir pour ne pas briser l'harmonie collective.

Il recherche pourtant le « challenge », son amour-propre le stimule lors des compétitions professionnelles, sportives, sociales car il éprouve le besoin de se mesurer. Bon vivant, jouisseur, il mord la vie à pleines dents sans crainte de la dépense, physique ou financière (pour certains même le plaisir monte en proportion avec la dépense !) *(voir figure 22 page 82)*

Le nerveux

Le moteur de son comportement social est l'étonnement, l'étonnement à double sens : du contexte vis-à-vis de lui et réciproquement. Cette attitude s'explique par l'extrême curiosité animant le **nerveux** ; obligé de miser plus sur son intelligence que sur son dynamisme, il s'avère avide d'acquérir un savoir issu de ses multiples observations, analyses et déductions, une culture intelligente, documentée et diserte.

Cette soif de connaissance engendre un besoin, jamais inassouvi d'ailleurs, de rencontrer des gens nouveaux, explique le volume de son carnet d'adresses et un comportement centrifuge le poussant à agrandir toujours et partout son cercle de relations.

Cette impérieuse nécessité de voir des têtes différentes peut donner au **nerveux** l'apparence d'un ingrat rayant de sa mémoire ceux qui ne l'étonnent plus. Or, il n'en est rien, au contraire, mais la fidélité du **nerveux** revêt un aspect très intellectuel, il préfère garder ses amis en mémoire à les voir, et il doit, en outre, ménager son désir impératif de rester secret. Aussi pour ne pas trop se livrer espace-t-il ses retrouvailles pour conter à ses amis de l'inédit sur ses diverses activités car il se plaît à surprendre son auditoire par de l'inattendu, des idées imaginatives ou des inventions. Il se sent alors exister, il laisse une trace de son passage éphémère dans les sphères de prédilection honorées de temps à autre de sa présence. Libre penseur, excellent critique, le **nerveux** représente un ami précieux, susceptible de fournir les conseils avisés d'un observateur extérieur.

Il ressent le besoin d'admirer, de mettre sur un piédestal ceux qu'il apprécie particulièrement. Il sélectionne sur un plan intellectuel, non émotionnel. Point jouisseur au sens physique du terme, il recherche le plaisir mental. Pour lui un bon repas dépend non de la qualité des mets mais de celle des convives dont le discours pourra nourrir son esprit ! *(voir figure 22 page 82)*

COMPORTEMENT CENTRIPÈTE

Le bilieux

Expansionniste d'apparence, le **bilieux** conserve cependant toujours un comportement centripète car il ramène tout à lui, adapte choses et êtres à sa mesure et non l'inverse. Aussi sa sociabilité est-elle inévitablement restreinte et se conçoit-elle uniquement comme moyen d'atteindre un but. Peu de place dans la vie du **bilieux** pour les loisirs et les plaisirs jugés par lui futiles et synonymes de perte de temps, même pour discuter, échanger des dires : à quoi bon, il a raison !...

La satisfaction de ses aspirations plutôt morale et mentale passe par la passion du commandement, le besoin de régir et de gouverner son destin plus celui des gens et des pensées ! De prime abord l'empressement du **bilieux** à aider les autres pourrait être mis sur le compte de la générosité, mais en réalité il manœuvre de façon à tenir bien en main le gouvernail des embarcations de façon à donner à leurs propriétaires l'impression d'être ses obligés ! Certains **bilieux** même — surtout dans les milieux de la politique ! — vont jusqu'à organiser un fichier répertoriant les services rendus à leurs « amis » afin de se ménager, le cas échéant, la possibilité de se servir d'eux comme de pions sur l'échiquier de leur lutte expansionniste.

Souvent conservateur, attaché aux valeurs utilisées pour gravir les échelons de la hiérarchie, le **bilieux** aime, en général, le protocole, les rites sociaux. Il apprécie chez les autres (il se les impose aussi à lui-même) une façon d'agir et des manières élégantes, voire, si nécessaire, solennelles et prestigieuses.

Il se plaît dans l'ordre et la netteté, évite les contacts avec les personnes, nonobstant leur valeur intrinsèque, négligées, mal élevées ou d'un niveau moral estimé bas par lui. *(voir figure 22 page 82)*

Le lymphatique

Conservateur : « on sait ce que l'on perd, on ne sait pas ce que l'on gagne », le **lymphatique** possède comme point de convergence de son comportement centripète le bien-être. Le bien-être physique, bien sûr, mais aussi le bien-être moral conféré par la sécurité et la sûreté du lendemain. Sa préoccupation majeure tend donc à le garantir contre les risques, les contretemps, l'adversité. Aussi engrange-t-il (les armoires à provisions des **lymphatiques** débordent de victuailles en cas de malheur !) et confie-t-il ses économies à des organismes solvables (banques, compagnies d'assurance...) ou les investit-il en valeurs d'Etat. Il lui faut à tout prix (!) ne pas perdre son bien-être matériel et se mettre à l'abri des contingences susceptibles de l'empêcher de satisfaire ses principaux besoins dans le futur toujours reculé ! A l'inverse du **sanguin** profitant de la vie dans le présent, le **lymphatique** vit dans le confort mais sans excès, remettant toujours au lendemain son épanouissement !

Collectiviste et appréciant la bonne chère, il considère la table comme l'autel des relations sociales. Il joint ainsi l'utile à l'agréable et trouve dans l'amitié, non pas le plaisir de jouer un rôle d'émetteur comme le **sanguin**, ni le désir de mener son monde à la baguette comme le **bilieux**, ni l'envie d'intriguer ou de surprendre comme le **nerveux,** mais l'occasion de participer au bien-être général par l'association, la solidarité et la protection collective dont il bénéficiera forcément ! *(voir figure 22 page 82)*

Comportement affectif

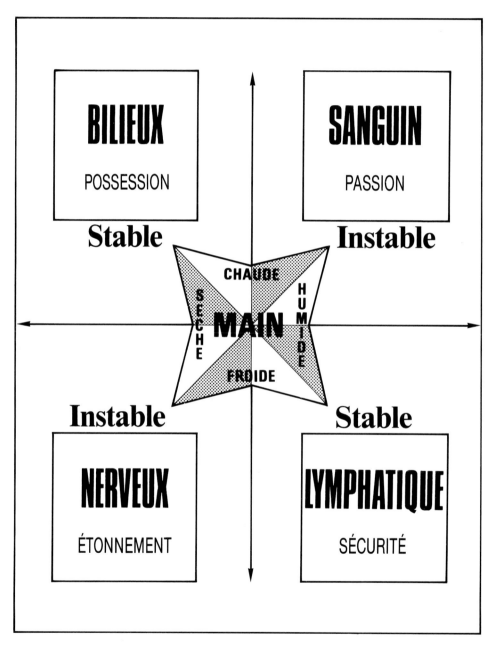

Figure 23

Comportement affectif

LES STABLES

Le lymphatique

Vie affective à l'image de son comportement social : le mariage représente pour lui une association d'entraide mutuelle sécurisante et protectrice.

Les grands élans romantiques le charment... partout ailleurs que dans sa propre existence, ils l'intéressent dans le domaine de ses loisirs, touchent aux différents médias : télévision, lecture, cinéma. Il considère en effet l'idéalisme comme générateur d'instabilité et de déconvenues. Son émotivité faible et surtout instinctive se satisfait dans les plaisirs passifs du bien-être de la sphère physique et plutôt matérialiste : une petite maison, de bons petits plats, une petite monotonie tranquille : vive la routine ! *(voir figure 23 page 86)*

Le bilieux

Passionné, il ne peut ni ne veut le laisser paraître ! Il désire offrir une image d'imperturbabilité et de maîtrise de soi, aussi son émotivité s'avère-t-elle réduite grâce à son contrôle sur ses réactions.

De plus l'individu **bilieux** ressent du mépris, et l'avoue sans honte aucune, envers ceux qui montrent une vulnérabilité affective et se laissent trop souvent gouverner par leur cœur. Les manifestations de tendresse, de clémence, de passion traduisent, à son avis, une faiblesse. En découle son attitude envers et dans le mariage : il le gère telle une entreprise avec autorité et efficacité. Il veut des enfants afin de laisser une trace (et davantage !) de son passage mais ne commence à les considérer réellement qu'à partir du moment où ils deviennent des interlocuteurs valables, capables de saisir le dessein qu'il a ambitieusement cogité pour eux !

S'il s'agit d'un homme, sa femme appartient à son « patrimoine » et il n'y prête guère attention car acquise et point à remettre en question ou re-séduire ! A ce régime (matrimonial !)-là, beaucoup de **bilieux** réussissent avec brio leur carrière et ratent leur vie privée. *(voir figure 23 page 86)*

LES INSTABLES

Le sanguin

Sa maxime : « Je séduis donc je suis ! » En séduisant l'individu **sanguin** décharge son extrême sensibilité. Actif et impulsif, il extériorise ses émotions par des actes, des discours ou des manifestations spectaculaires.

Dans sa vie affective, il lie de façon indissociable sensibilité et sensualité, cette dernière est si forte qu'il ne peut pas ne pas la satisfaire !

Souvent très exclusif, il ressent chaque passion comme seule et unique ! *(voir figure 23 page 86)*

Le nerveux

Idéaliste et surtout cérébral, le **nerveux** vit sa vie affective davantage en pensée qu'en action. Le chemin de son cœur passe par sa tête : pour toucher sa sensibilité profonde souvent très intériorisée, il faut séduire son intelligence, l'étonner, engendrer de sa part un sentiment d'admiration. Le **nerveux** ne séduit pas, il se fait séduire ou du moins en donne-t-il l'impression !

Eternel adolescent, l'individu **nerveux** recherche dans l'autre le partenaire maternellement ou paternellement responsable lui permettant de rester joueur et irresponsable, c'est la femme-enfant ou l'homme-enfant type. Dan Killey, psychologue américain, auteur du best-seller *Le syndrome de Peter Pan* (éditions Robert Laffont, mars 1985), s'en réfère là au héros du dessin animé fameux de Walt Disney. Peter Pan, charmant adolescent attardé, refuse de grandir et se présente ainsi : « Je suis la jeunesse, je suis la joie, je suis un petit oiseau tout juste sorti de l'œuf. » Il se saupoudre la tête de poussière magique et s'envole vers le pays de jamais-jamais pour fuir le monde réel inadéquat... « parce que j'ai entendu père et mère parler de ce que j'allais devenir quand je serai un homme. Je veux rester un petit garçon toute ma vie et m'amuser ».

Parmi les symptômes caractéristiques du « syndrome de Peter Pan » observés par Dan Killey, à noter l'irresponsabilité, l'angoisse (naissant du conflit intérieur entre l'homme qu'il ne peut, et ne veut, être et l'enfant qu'il ne peut plus être), la solitude (normale pour un individualiste) et le conflit à l'égard du rôle sexuel (il se conduit comme un enfant, prenant mais refusant de donner). Autant de comportements typiques du tempérament **nerveux**. L'homme-enfant, la femme-enfant découlent non d'un phénomène de société, comme le laisse entendre Dan Killey, mais de l'hérédité : un enfant **nerveux** naît de parents porteurs de gènes du tempérament **nerveux**.

Conclusion : Etre un homme, une femme-enfant ne représente pas un dérèglement psychologique mais le comportement logique d'un tempérament. Les hommes-enfants ne se multiplient pas, comme s'en plaignent les femmes (certaines d'entre elles en tout cas !...), plus aujourd'hui que par le passé, mais se montrent davantage car libres de l'être du fait du renversement des valeurs éducatives. De même, les femmes d'allure (et de fond) battante ne sont pas de nos jours plus nombreuses qu'autrefois mais l'évolution des mœurs favorise leur liberté d'action et de réalisation. *(voir figure 23 page 86)*

La compétence professionnelle

Déterminer la compétence professionnelle par le tempérament consiste moins en un choix d'activité qu'à bien cerner le type de responsabilité adéquat, quelle que soit l'activité choisie. Le métier de publicitaire, par exemple, recèle non pas une mais plusieurs branches distinctes requérant des aptitudes différentes : les gestionnaires, les commerciaux, les artistes (créatifs et exécutants).

Pour l'exposé à suivre, les études statistiques de la répartition des quatre températaments dans certains types d'activités, effectuées par Augusto Vels, spécialiste de sélection du personnel et psychographologue réputé, et rapportées dans son ouvrage *La sélection du personnel et le problème humain dans les entreprises,* se montrèrent fort utiles. Merci à lui !

Parmi les individus dans le domaine de la vente (1944 cas répartis en courtiers, VRP, représentants et agents de vente à domicile) se dégagent les pourcentages suivants :

897 personnes (46,1 %) ont une dominante tempéramentale *sanguine*
582 personnes (29,9 %) ont une dominante tempéramentale *lymphatique*
208 personnes (10,7 %) ont une dominante tempéramentale *nerveuse*
 37 personnes (2 %) ont une dominante tempéramentale *bilieuse*
221 personnes (11,3 %) ont une dominante tempéramentale *indéterminée*

LE SENS DES AFFAIRES
vendre du concret

La vente active : le sanguin

Individu séducteur commercialement et sentimentalement, il possède le tempérament le plus apte à la vente active et offensive. Passionné, doué du sens du concret, il éprouve un réel plaisir à convaincre l'acheteur potentiel sur lequel il jette son dévolu. Le produit ou le service à valoriser importent peu car sa motivation se module selon la difficulté et la marge de bénéfice se dégageant en fin de transaction ! Il joue de la même combativité pour imposer sur un marché commercial des savonnettes ou des Boeing 727 ! Ses convictions n'entrent pas en ligne de compte (!) : sans aimer ou connaître les animaux il trouvera les arguments nécessaires pour vendre un éléphant comme compagnon d'appartement !...

Le **sanguin** ne produit pas, il vend ; aussi, même maître de son affaire, commercialise-t-il les produits ou les idées des autres. *(voir figure 24 page 91)*

La vente passive : le lymphatique

Passif et sédentaire, possède le tempérament type utile au petit commerce. Possessif, conservateur et désireux de se protéger des contingences risquant de le mettre dans le besoin, il élit des commerces de première nécessité, en particulier ceux des denrées alimentaires (boulangerie, primeurs, boucherie...). Cette activité routinière : lever et baisser chaque jour d'un store de magasin, disposition et rangement matin et soir d'un étalage, ne le rebute en aucune façon, au contraire cela le rassure et lui plaît, sorte de rite ! Comme il ne travaille pas avec une intensité remarquable (!), le **lymphatique** commerçant travaille en général plus longtemps que le reste de la population. Il ouvre sa boutique tôt et la ferme tard, ne s'ennuie pas à demeurer disponible même aux heures pendant lesquelles les autres se détendent car pour lui la détente consiste le plus souvent à faire fonctionner son tiroir-caisse.

Le **lymphatique** profite mal des plaisirs de la vie, à l'inverse du **sanguin**. Il permet à ce dernier — la nature gère tout à merveille ! — de trouver pour se divertir une infrastruture de détente (cafés, restaurants, boîtes de nuit...) dont il s'occupe fort bien. *(voir figure 24 page 91)*

LE SENS DES AFFAIRES
vendre de l'abstrait

Le « bulldozer » : le bilieux

Son manque d'adaptation et de patience explique la faible représentativité de ce tempérament dans les métiers de la vente car un bon commerçant a toujours raison d'avoir tort et toujours tort d'avoir raison ; s'il ne pense pas et n'agit pas ainsi, il risque de perdre le client en lui faisant perdre la face ! Or, le **bilieux** ne sait pas avoir tort ; au contraire, il met un point d'honneur à convaincre, coûte que coûte (et parfois cher...), avec la force de persuasion de son tempérament de bulldozer.

Nanti du sens des affaires, le **bilieux** se révélera meilleur homme d'affaires que commerçant. Cérébral et gestionnaire, il trouve sa mesure dans le conseil (conseiller fiscal, juridique...), dans la vente de concepts (dépôts de brevet...) et dans les hautes sphères de la finance (spéculation boursière...) où se complaisent son intellectualité et ses aspirations de puissance.

S'il vend du concret, le **bilieux** industrialise. Il vend bien mieux ce qu'il produit. Ses arguments de persuasion prennent un aspect aussi technique et objectif que ceux du **sanguin** sont affectifs et subjectifs. *(voir figure 24 page 91)*

Vendre par obligation : le nerveux

Ce tempérament se rencontre peu dans les métiers de la vente ; si cependant cela survient c'est en général dans un rôle d'employé(e) dans la vente passive, faute de mieux, par manque d'intelligence ou période transitoire.

Cérébral et idéaliste, le **nerveux** ne trouve pas de plaisir dans le commerce et possède rarement le sens des affaires. S'il exerce un métier de conseil (juridique, fiscal, organisation interne, psychologique...), il ressent de la gêne à évaluer sur le plan financier un travail où il s'épanouit et se sent déjà payé par ce résultat !

S'il est artiste, la recherche de débouchés pour ses œuvres lui semble friser la prostitution morale !

Pour le **nerveux,** seule apparaît digne de vente ou de promotion la valeur interne, intrinsèque, innée ou innée-acquise. Par exemple, pour le peintre, une fois vendue une de ses toiles, part en sa compagnie une partie de lui-même : son talent. *(voir figure 24 page 91)*

La compétence professionnelle
Le sens des affaires

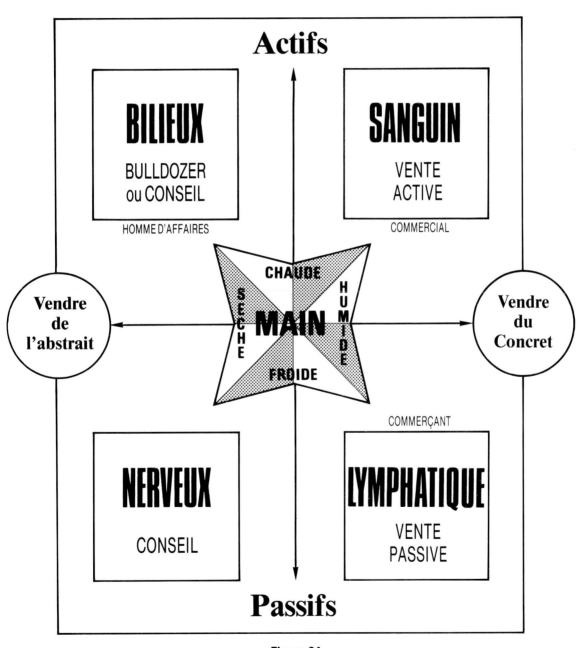

Figure 24

Le sens du commandement

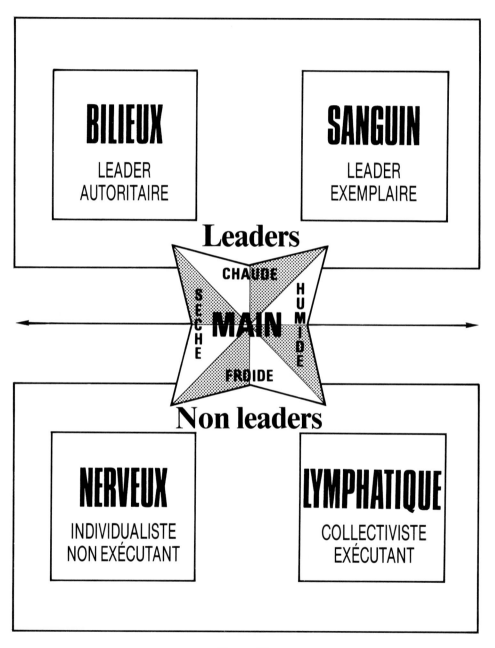

Figure 25

LE SENS DU COMMANDEMENT

les leaders

Le leader exemplaire : le sanguin

Excellent dynamiseur de groupe, le **sanguin** représente le « leader participant », un leader exemplaire. Actif et passionné, il ne saurait imposer une action sans s'en montrer capable lui-même : aussi risque-t-il parfois de ne plus pouvoir déléguer, sa rapidité d'exécution des tâches lui permettant de se trouver à la fois au four et au moulin !

Chaleureux et humain, il encourage ceux qui peinent et se montre en général tolérant envers eux. *(voir figure 25 page 92)*

Le leader autoritaire : le bilieux

Article premier : Le chef a toujours raison.

Article second : Si le chef a tort, se rapporter à l'article premier.

Cette galéjade du règlement militaire illustre à l'envi le sens du commandement façon **bilieux.** Responsable et organisé, maître de lui en toute occasion il se montre peu humain et peu proche de ceux qui exécutent ses ordres. Son ascendant et son autorité naturelle ne nécessitent, à son avis, aucune exemplarité. S'il est chef militaire, il préfère l'état-major et le commandement à distance à l'inverse du **sanguin** qui vibre en affrontant la mitraille à la tête de ses troupes. S'il est chef d'entreprise, accéder à son bureau pour le voir en personne semble plus improbable et difficile qu'obtenir un entretien privé avec Gorbatchev, Kadhafi ou Khomeiny. Cette distance va dans le sens de son pragmatisme, excluant la perte de temps mais lui interdisant les faux pas, les échecs sous peine de s'enfoncer pour toujours dans les sables mouvants de l'oubli sous le regard amusé de ceux qu'il ignorait avec superbe.

Nota bene : **bilieux** et **sanguin** exercent leur compétence de leaders à des niveaux plus ou moins élevés selon le degré de leur intelligence. *(voir figure 25 page 92)*

LE SENS DU COMMANDEMENT

les non-leaders

Par individualisme : le nerveux

Trop papillonnaire pour s'encombrer de responsabilités de commandement, le **nerveux** ne sait pas, ne veut pas commander ou être commandé.

Aux responsabilités humaines il préfère les responsabilités intellectuelles, moins lourdes et plus distrayantes selon lui. Il apprécie de suggérer, de conseiller mais non de contraindre. A ses yeux la diplomatie surpasse la force.

Si d'aventure il joue un rôle de leader, c'est souvent comme chef de file d'un mouvement culturel (art, philosophie, psychologie…). *(voir figure 25 page 92)*

Par collectivisme : le lymphatique

A l'instar du **nerveux** le **lymphatique** ne sait pas commander mais, lui, a besoin d'être commandé, dirigé, pris en charge. S'individualiser lui paraît la pire bêtise ; collectiviste, le **lymphatique** recherche la protection d'un groupe où tout et tous dépendent d'une hiérarchie. Il s'engouffre dans le fonctionnariat et forme 40 % de sa base. Il y trouve en effet la sécurité de l'emploi et la sûreté.

S'il est (ce qui peut arriver...) ambitieux, il gravira alors lentement mais avec certitude les échelons d'une profession où la valeur attend le nombre des années ! *(voir figure 25 page 92)*

LA COMPÉTENCE TECHNIQUE

(ingénieurs, chercheurs, inventeurs...)

De par l'importance de l'activité cérébrale et de la rigueur dans ce genre de profession, il n'est pas étonnant de constater le pourcentage de 65 % des deux tempéraments à dominante cérébrale : **nerveux** (40 %), **bilieux** (25 %).

Le nerveux

Idéaliste, et parfois même plus utopiste, il trouve son épanouissement dans la recherche pure.

Le bilieux

Pragmatique, peu patient, il recherche plutôt l'engineering débouchant sur des réalisations concrètes.

LA COMPÉTENCE ARTISTIQUE

Les trois quarts des individus exerçant une profession artistique appartiennent aux tempéraments où priment la subjectivité et l'idéalisme : **sanguin** (40 %) et **nerveux** (35 %).

Le sanguin

Tend plutôt vers les activités d'expression libre : peintre, comédien (one-man-show ou one-woman-show), publicitaire (création visuelle, idées de promotion...), et musicien (improvisation, jazz...).

Le nerveux

S'exprime mieux et avec davantage d'aisance dans un contexte de contraintes : comédien (rôle de composition), publicitaire (création verbale, conception-rédaction), musicien-interprète (en majorité dans la musique classique), création sur commande...

Si l'artiste **nerveux** ne se sent point créateur, il se contentera alors de se muer en critique, en journaliste : 70 % des journalistes se révèlent de tempérament **nerveux** car cette activité professionnelle leur permet de rencontrer une multitude de gens, de se cultiver en s'intéressant à des sujets divers et variés sur des périodes de courte durée.

La dualité masculin-féminin dans le diagnostic tempéramental

Les comportements tempéramentaux explicités dans ce chapitre ne tiennent pas compte, à dessein, du sexe de l'individu. En effet le tempérament n'est pas sexué, aussi sied-il de nuancer l'interprétation en regard de la polarité masculin-féminin. La vie sentimentale et émotionnelle d'un sujet diffère s'il s'agit d'un homme ou d'une femme. Les diversités de constitution et d'anatomie du mâle et de la femelle représentent peu de chose en regard de celles de leur psychologie, de leurs aspirations sexuelles et sentimentales diamétralement opposées !

Ils partent tous deux de points si divergents dans leur façon de définir leur sexualité qu'il en résulte vite une confusion sociale, renforcée par le paysage culturel faussant, dès le départ, les cartes du jeu de la séduction mais aussi de l'Amour.

Mis à part le cas de l'homosexualité non envisagé ici, rien n'excite plus l'œil et les sens d'un homme que le corps d'une femme ; la réciproque ne se révélant pas exacte car, pour la très grande majorité des femmes, la vue d'un corps masculin engendre parfois une réaction sur le plan esthétique… et encore ! A cela une explication simple : seul l'homme est mû par une pulsion sexuelle puissante, involontaire, souvent inconsciente. Cette quête sexuelle masculine due à un comportement instinctif se manifeste en l'absence de toute forme d'apprentissage. Cette pulsion sexuelle caractérisant l'homme, exacerbée par les médias qui lui présentent la femme comme un objet essentiellement sexuel, explique le nombre croissant de viols.

Pourtant cette pulsion innée permit (et permet encore) la pérennité de l'espèce : l'homme préhistorique, ignorant du processus de procréation, répondait en effet naturellement à son instinctive bestialité attirée par les femelles de sa tribu… Ainsi, à cause de l'existence de cet instinct, l'homme perçoit malgré lui les rapports homme-femme avec des lunettes génitales. Shakespeare écrit dans *Roméo et Juliette* : « L'amour des jeunes hommes n'a pas sa vraie résidence dans leur cœur mais dans leurs yeux » ; et le comte de Belveze dans ses *Pensées, maximes et réflexions* : « L'amour est un sentiment servi par des organes. » Cet état de fait accentue parfois le besoin de séduire de l'homme jusqu'à le pousser à se comporter en don juan (surtout s'il est sanguin) ; les don juanes, elles, passent vite pour des p… !

La femme perçoit ses rapports avec l'homme dans une optique non de sexualité, dont la pulsion n'existe pas en elle (cela n'empêchant pas l'éclosion de ses envies), mais de tendresse et d'affection, de douceur et de respect. Sensuelle, peu génitale, une attitude attentionnée, sincère (ou en donnant l'apparence), des caresses l'émeuvent, la comblent mille fois plus que des prouesses sexuelles.

Là réside la source du malentendu : ce qui charme et satisfait la femme n'est, en fait, que le préliminaire de l'attitude séductrice de l'homme… Il sait ou sent qu'en cajolant la sensualité et surtout la sensibilité de sa compagne il peut ensuite posséder son corps, la violer avec son consentement ! Le processus restera tolérable pour elle si l'homme manifeste de manière durable et efficace son affection. Car la femme est entière, unidimensionnelle, nul homme ne devrait l'ignorer et il faudrait l'enseigner à l'école lors des cours d'éducation sexuelle souvent plus sexuels qu'éducatifs.

L'homme, au contraire, est pluridimensionnel, sa psychologie compartimentée fonctionne en cloisons étanches. Chacune de ses activités, chacun des différents domaines de son existence jouit d'une vie à part entière. L'homme distingue et vit successivement son travail, sa voiture, sa femme, son chien, ses amis, ses loisirs (l'ensemble énoncé dans le désordre, les épouses sauront bien hiérarchiser, voire compléter cette liste !).

La femme, elle, ne cesse pas d'être épouse lorsqu'elle travaille et de travailler dans son rôle d'épouse... Pour elle, la vie forme un tout, pas de cloisons étanches dans sa psychologie. Ainsi deux univers, l'un masculin, l'autre féminin, se côtoient sans avoir la même vision des choses et, paradoxe, les progrès de « l'ère de la communication » ne semblent pas venir à bout de l'incompréhension régnant dans les relations hommes-femmes. A preuve la multiplication des divorces, des ruptures, des liaisons sans lendemain. La libération des mœurs n'a certes pas déchargé les mentalités des deux camps de leurs idées fausses sur le sexe opposé.

Alors, comment harmoniser et rendre heureux deux êtres si différents ?

Rien ne sert de constater, il faut aller au-delà, faire évoluer les esprits, propose Roger Drolet, dynamique animateur radiophonique québécois dans son livre *Les femmes me disent* [1] :

« Il vaut mieux apporter à l'homme qui veut sortir de son état d'otage de sa pulsion sexuelle le remède qui lui permet de la sublimer. Il n'aura un désir de rapprochement sexuel que pour accéder à l'unité totale avec l'être de son choix, aimera dans la délicatesse, le respect et la tendresse. Le couple ainsi fondé sur la fidélité, la confiance, la sincérité sera constamment revitalisé par des échanges mutuels que la lassitude ne viendra jamais ternir.

« Voilà le rêve de toutes les femmes équilibrées car les femmes aiment le sexe dans l'amour, les hommes aiment l'amour dans le sexe : l'homme est génital et la femme oblation. »

Ainsi le vœu de chasteté ne représente rien d'insurmontable pour une religieuse comblée car amoureuse du Seigneur, et, se sachant aimée de lui de façon infinie, cela lui suffit. Son besoin sentimental assuré, la maternité mise à part, que peut-elle désirer de plus ?

« Systématisation abusive et caricaturale, diront certains, les religieuses sont avant tout des femmes... et en conséquence non dépourvues de sensualité ! »

Cet exposé rhétorique suscitera des cris non d'amour mais d'indignation : « Il existe des hommes et des femmes dont les comportements ne correspondent pas du tout à vos descriptions ! » s'exclameront d'autres lecteurs. Certes, mais l'exception confirme la règle là aussi.

Un sondage réalisé par l'Institut français de recherches économiques et sociales, publié en juillet 1985 par l'hebdomadaire *Elle,* statue : deux Françaises sur trois préfèrent la tendresse à l'orgasme. Ce sondage présente un inconvénient, défaut d'ailleurs endogène, il fait passer cette préférence pour une opinion alors qu'il s'agit d'un état de départ de la nature féminine. En outre si l'on prenait la peine de bien considérer les pourcentages respectifs des quatre tempéraments dans le tiers restant du panel, on constaterait sans aucun doute une prédomi-

---

1. Editions Albert Soussan, Québec.

nance du plus sexuel des tempéraments : le **sanguin**.

Quant à l'homme, avec sa pulsion sexuelle, il n'échappe pas non plus à la loi tempéramentale. Débordant d'énergie et très physique, l'homme **sanguin** éprouve un vibrant besoin de se dépenser : la pulsion sexuelle en terrain très favorable trouve là son exutoire ! A l'opposé, cérébral et platonique, l'homme **nerveux** n'éprouve nul besoin de donner libre cours à sa pulsion sexuelle.

Analogie des quatre secteurs de la paume avec les quatre tempéraments

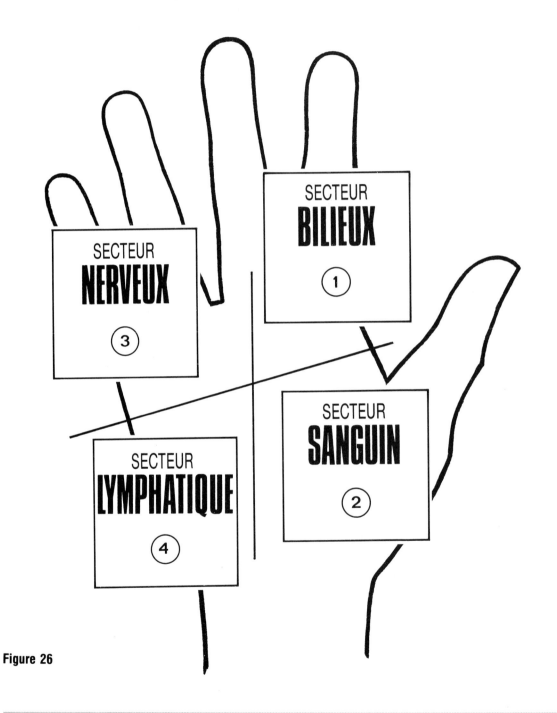

SECTEUR **BILIEUX** ①

SECTEUR **NERVEUX** ③

SECTEUR **SANGUIN** ②

SECTEUR **LYMPHATIQUE** ④

Figure 26

GÉOGRAPHIE DE LA PAUME

Ce chapitre suit, par logique, celui des tempéraments car la paume se divise en quatre secteurs délimités par les lignes et chacun de ces secteurs correspond sur le plan psychologique à l'un des quatre tempéraments.

Pourquoi quatre tempéraments ? Parce que en recoupant deux doubles secteurs nord-sud et est-ouest s'obtiennent quatre secteurs *(voir figure 26 page 98)* !

La *ligne mentale* (voir chapitre « Les lignes et leur interprétation »), frontière nord-sud, sépare le secteur nord, cérébral, du secteur sud, végétatif *(voir figure 27 page 100)*.

La *ligne de destinée* représente la frontière est-ouest entre le pôle passif, cubital, et le pôle actif, radial, de la paume *(voir figure 27 page 100)*.

Les quatre secteurs

SECTEUR 1

Correspond au tempérament **bilieux**, situé principalement sous l'index, secteur cérébral actif. Secteur du moi social et professionnel. Encombré de lignes, il signale son importance dans la vie du sujet si la ligne *vitale* vient y prendre sa source.

Compte tenu du nombre très restreint de lignes ornant les paumes des sanguins et des lymphatiques, ce secteur se voit plus sûrement strié de lignes s'il s'agit d'une main de type cérébral, c'est-à-dire d'un tempérament **nerveux** mais surtout **bilieux.**

SECTEUR 2

Correspond au tempérament **sanguin**. Secteur végétatif actif.

Comporte le mont de Mars et le mont de Vénus, ce dernier présente un renflement et une surface supérieure au premier.

Mont de la sensibilité, le mont de Vénus est aussi celui de la sensualité en particulier et de la jouissance en général. Lieu des pulsions (voir le « canon » pour le

pouce au chapitre « Les doigts »), plus exacerbé si le mont se montre proéminent et d'une élasticité tonique et/ou si Mars déborde dans Vénus.

La plupart du temps une ligne frontière sépare Mars de Vénus, évitant le cocktail Molotov résultant de la confrontation de l'agressivité et de la sensibilité *(voir figure 28 page 101)*. L'agressivité de Mars

Les quatre secteurs de la paume

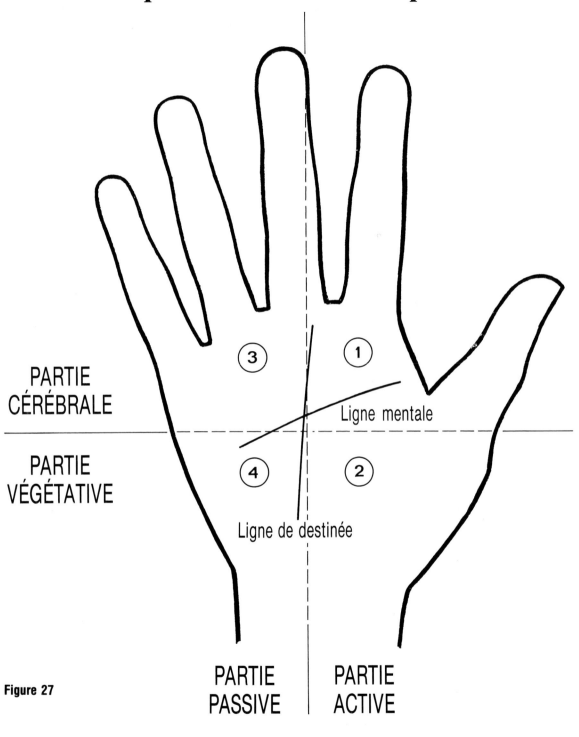

PARTIE
CÉRÉBRALE

PARTIE
VÉGÉTATIVE

Ligne mentale

Ligne de destinée

PARTIE
PASSIVE

PARTIE
ACTIVE

Figure 27

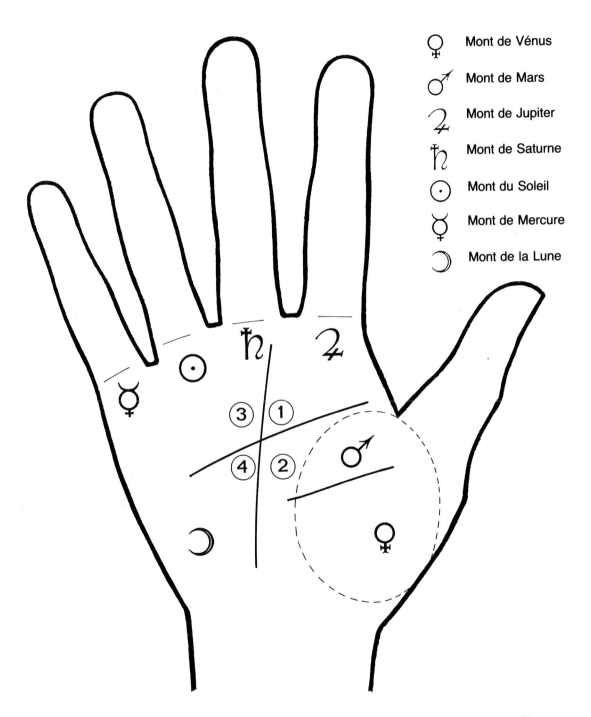

Mont de Vénus

Mont de Mars

Mont de Jupiter

Mont de Saturne

Mont du Soleil

Mont de Mercure

Mont de la Lune

Figure 28

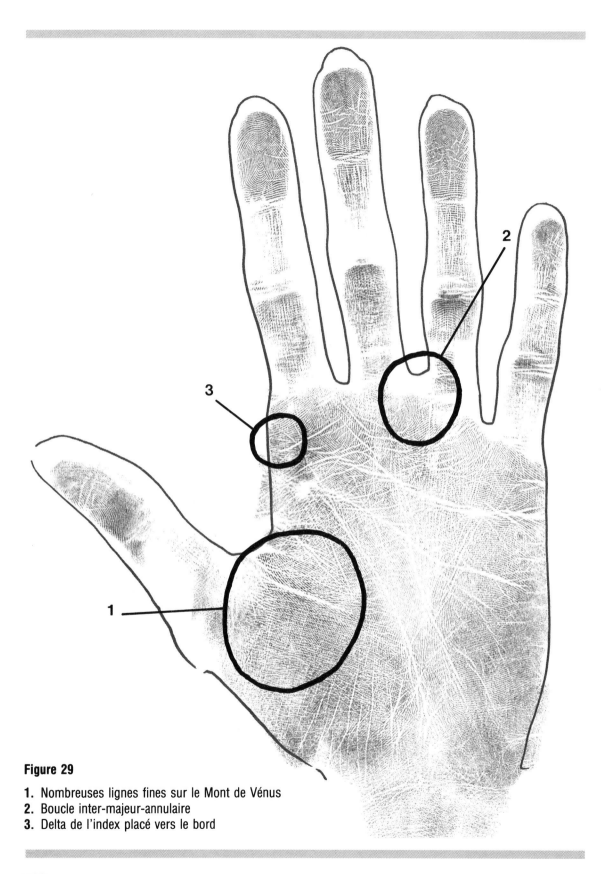

Figure 29

1. Nombreuses lignes fines sur le Mont de Vénus
2. Boucle inter-majeur-annulaire
3. Delta de l'index placé vers le bord

prend en fait allure d'énergie combative mal gérée, mal dirigée.

Plat, le mont de Mars reflète l'absence d'énergie combative ou agressive. L'individu montre parfois une combativité ou une agressivité dont la cause gît ailleurs, il s'agit alors d'une agressivité/combativité acquise et non innée.

Renflé, le mont de Mars traduit un trop-plein d'énergie combative à investir dans l'action de façon impérative.

Renflé et mou, l'individu ne sait pas contrôler et canaliser son énergie mais possède une certaine dose de témérité. Cependant sa colère éclatant d'emblée cette personne au comportement impulsif possède peu de rancune du fait de sa spontanéité. Tendance alors à la primarité.

Renflé et dur, signe de courage, de combativité contrôlée et organisée. La fermeté de la peau donne une idée positive du caractère de cet individu : il entend apaiser sinon différer son agressivité. Tendance alors à la secondarité.

Peu important en surface et en volume, le mont de Vénus apporte une indication : la sensibilité ne caractérise pas son propriétaire. Cas fréquent chez certains intellectuels caricaturaux souligné par un tempérament **nerveux.** Cas aussi de certains **lymphatiques** à la sensibilité amorphe.

Important en volume et en surface, le mont de Vénus traduit l'hypersensibilité de son possesseur. Présente chez un tempérament **sanguin** émotif affectif par nature avec un mont souple et tonique ; présente chez un tempérament *bilieux* avec un mont dur à la peau ferme et sèche. Le *bilieux* point insensible s'interdit en effet, par désir d'invulnérabilité, de découvrir sa faiblesse aux autres, parfois même à ses propres yeux !

Une fois appréciée la force ou la faiblesse de sensibilité, reste à interpréter le choix de comportement adopté par l'individu. Les lignes horizontales ornant le mont de Vénus annoncent beaucoup par leur profondeur et leur nombre.

Plus *nombreuses* sont-elles, plus réceptive est la sensibilité. Cette réceptivité va de pair avec une vulnérabilité, tel un radar dont la sophistication engendre la fragilité. L'individu compense alors son hypersensibilité par l'introversion. Si, outre leur nombre, ces lignes présentent finesse et superficialité leur possesseur, secret par défense, laisse seul percevoir sa sensibilité et ce qu'il ne parvient pas à cacher : la surface *(voir figures 29 page 102 et 31 page 105).*

Deux attitudes se montrent possibles suivant les autres composantes de sa personnalité :

— ou l'individu s'enferme dans une tour d'ivoire de manière à limiter échanges et communication afin de ne pas se livrer et de ne pas se rendre vulnérable : *introversion* ;

— ou il s'agit, paradoxalement mais en fait en apparence, d'un individu très ouvert, expansif, concerné par tous et tout ce qui l'entoure... pour donner le change. Il s'intéresse aux autres dans le but de les nombriliser sur eux-mêmes afin de les détourner de lui ! Façon de concilier son désir d'ouverture sur le monde, de contacts humains avec son besoin impérieux de demeurer secret : introversion émotionnelle avec extraversion intellectuelle. L'individu raisonne avec son mental ; sans cette gymnastique de l'esprit, il se replierait sur lui-même. Comportement assez typique de certains **nerveux,** surtout s'ils possèdent le groupe sanguin O, « donneur universel ».

En revanche, des lignes profondes ornant le mont de Vénus signalent l'extraversion, la nécessité d'exprimer aussitôt avec spontanéité les sensations. Cependant le nombre de ces lignes s'avère en général inversement proportionnel à leur profondeur. Si l'individu doit exprimer son être

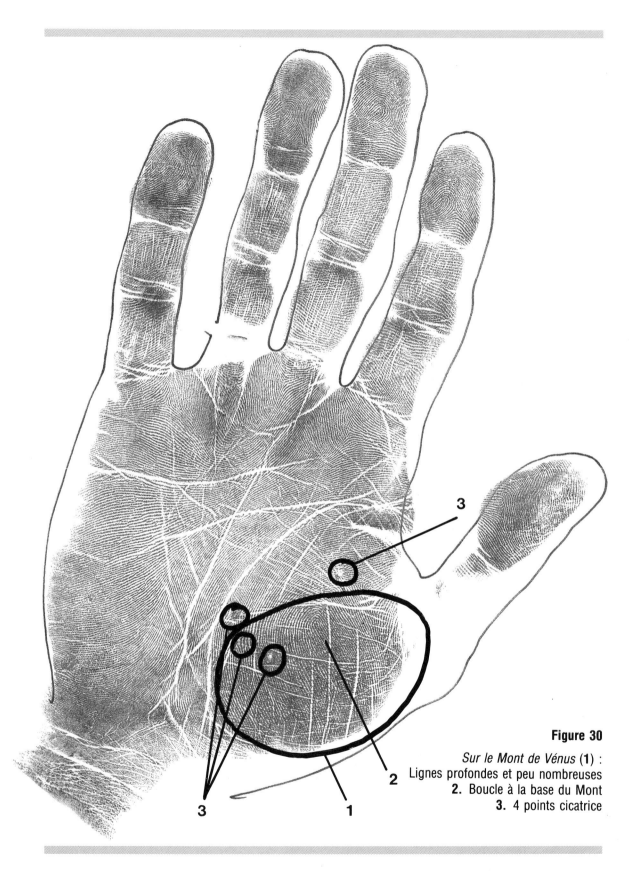

Figure 30

*Sur le Mont de Vénus (**1**)* :
Lignes profondes et peu nombreuses
2. Boucle à la base du Mont
3. 4 points cicatrice

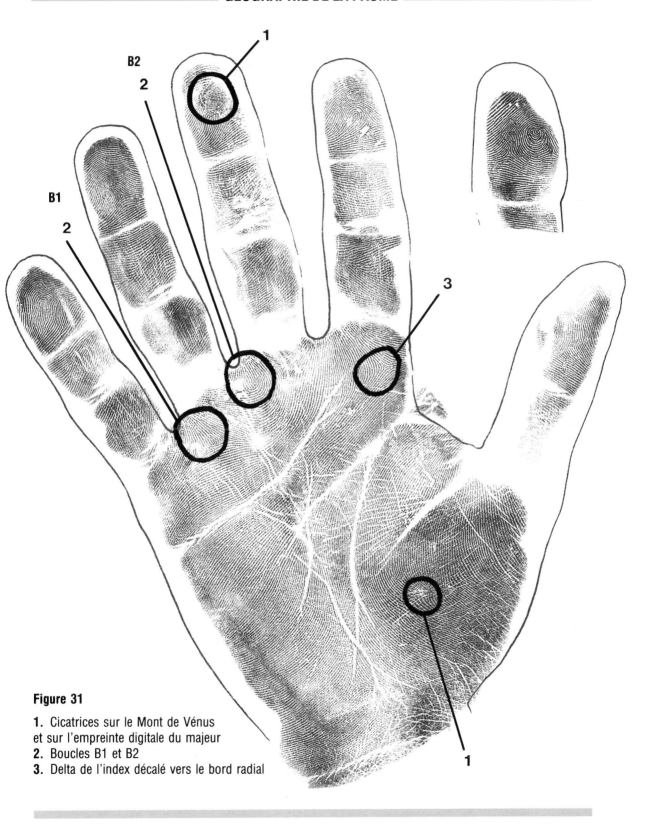

Figure 31

1. Cicatrices sur le Mont de Vénus
et sur l'empreinte digitale du majeur
2. Boucles B1 et B2
3. Delta de l'index décalé vers le bord radial

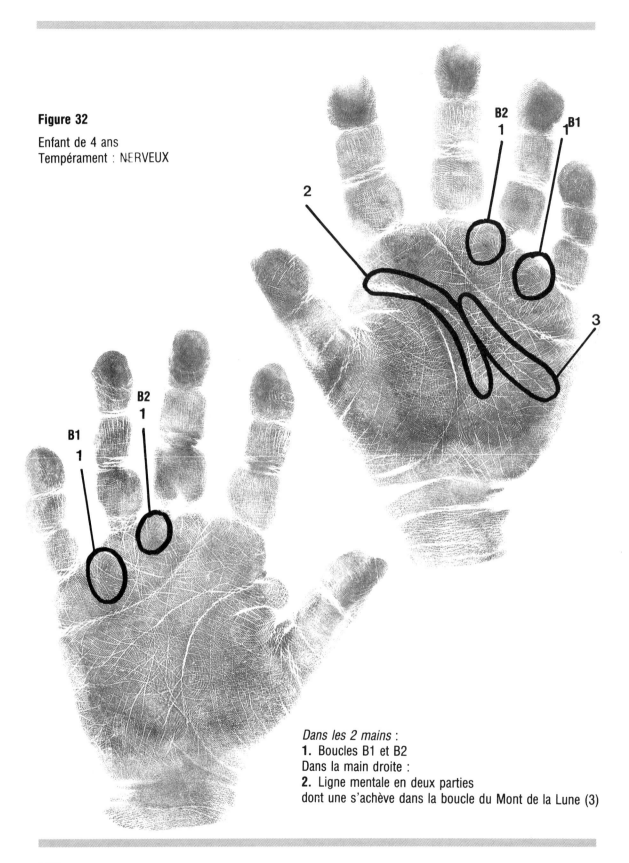

Figure 32

Enfant de 4 ans
Tempérament : NERVEUX

Dans les 2 mains :
1. Boucles B1 et B2
Dans la main droite :
2. Ligne mentale en deux parties
dont une s'achève dans la boucle du Mont de la Lune (3)

intérieur il le fera sélectivement surtout si les lignes se regroupent dans la partie nord du mont *(voir figure 30 page 104)*. Avec certaines personnes choisies à l'aide de son instinct ou de son intellect — suivant le tempérament — l'individu s'ouvre, avec d'autres il se ferme.

SECTEUR 3

Correspond au tempérament **nerveux,** secteur cérébral passif, c'est-à-dire subjectif, situé sous l'annulaire et l'auriculaire. Il comprend les monts du Soleil et de Mercure, l'idéalisme et la curiosité.

Avec *un mont de Mercure renflé,* l'individu cherche systématiquement à savoir le pourquoi et le comment des choses, surtout s'il détient un tempérament **nerveux** ou **bilieux** et si le cerveau gauche prime sur le droit (voir le chapitre « Main droite, main gauche »).

Avec un *mont du Soleil renflé,* l'individu vit sa vie de façon très idéaliste et subjective. La tradition attache ce renflement à l'art et à la créativité. Elle ne se trompe pas tout à fait dans ce cas, cependant d'autres critères : le désaxement et la forme des doigts, la texture de la peau, la forme de la ligne *mentale,* etc. plus significatifs priment. Isolé, ce signe perd en effet beaucoup de son impact.

L'absence du mont du Soleil implique la présence du mont de Saturne, celui du devoir, en rapport avec le doigt de Saturne : le majeur. Situé à la frontière des secteurs 1 et 3 il relie les parties bilieuse et nerveuse, essayant de concilier leurs contradictions par désir d'efficacité.

Une évidence : si la frontière nord-sud se place bas, le secteur nord s'en trouve agrandi et en particulier le secteur **nerveux** car la *ligne mentale* plonge alors dans le mont de la Lune, indiquant l'importance de l'imaginaire et favorisant la créativité. Ainsi se constate l'inter-relation logique entre l'interprétation de la courbure vers le bas de la *ligne mentale* et la signification découlant de l'importance superficielle (au véritable sens du terme, le premier !) du secteur 3. Le dessin rejoint la psychologie et vice versa *(figures 32 page 106 et 34 page 112).*

SECTEUR 4

Correspond au tempérament **lymphatique** ; secteur végétatif passif.

Situé dans la partie basse de la moitié cubitale de la paume, ce secteur cadre avec le mont de la Lune, or la lune domiciliée en astrologie dans un signe d'eau, le *cancer,* se rattache en psycho-astrologie au lymphatisme, mont de la Lune, lieu du rêve et de l'imaginaire, mais aussi de la passivité !...

Un individu lymphatique avec un secteur 4 important ne s'avère pas rêveur et imaginatif — c'est actif — mais vit dans le rêve et l'imaginaire — c'est un état. En effet l'importance de ce secteur détermine une *ligne mentale* plutôt haute dans sa terminaison et le mental n'alimente alors pas sa créativité dans l'imaginaire.

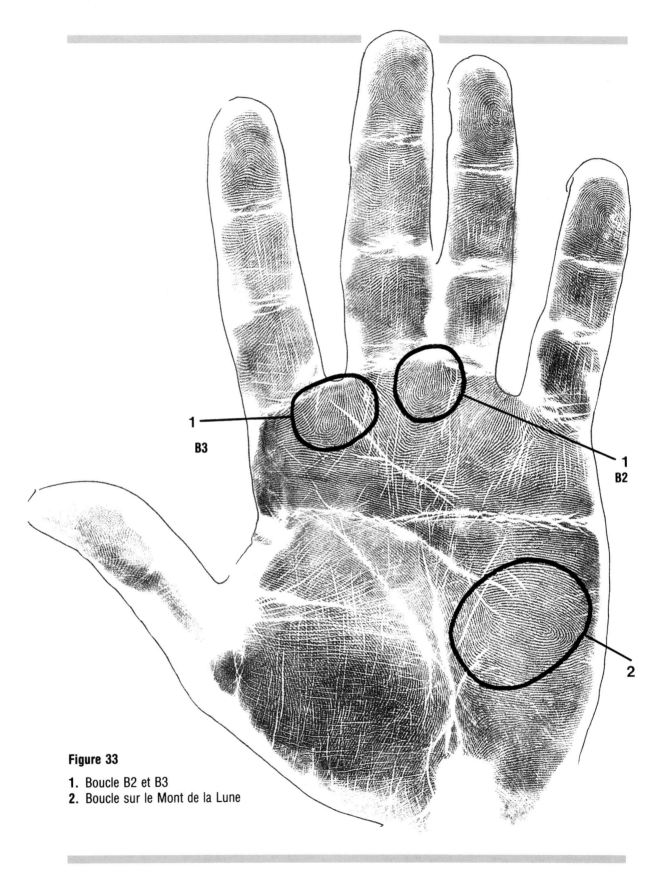

Figure 33

1. Boucle B2 et B3
2. Boucle sur le Mont de la Lune

Interprétation des motifs palmaires ou palmoglyphes

Dessins de la peau immuables comme les digitaloglyphes (chapitre 5) pourtant sujets à des modifications dans leurs dimensions, grandissant en homothétie avec la croissance, rétrécissant parfois dans la vieillesse. Ces dessins se forment en même temps que la peau, persistent jusqu'à sa désintégration. S'il survient une blessure assez profonde pour laisser des traces, un motif s'ornera d'une cicatrice *(voir figures 30 page 104 et 31 page 105)* mais demeurera identifiable : un géologue sait repérer et suivre le cheminement d'une couche de terrain même coupée par une faille ; malgré le décalage les lignes se raccordent ! Le chirologue possède une égale aptitude...

Par suite de maladie ou de l'emploi professionnel de produits corrosifs, un motif se désagrégera, mais subsisteront toujours des points ou des traits disposés de façon telle qu'ils permettent de retrouver le dessin originel (et original !). Il se reconstitue d'ailleurs lorsque la peau reprend son état normal, premier.

Des malfaiteurs essayèrent divers systèmes pour transformer leurs empreintes digitales et palmaires ; aujourd'hui encore certains prévenus dont on doit prendre les empreintes râpent la peau de leurs mains contre les murs de leur cellule pour rendre caduque la prise d'empreintes, reportant ainsi dans le temps l'opération ! Mais chassez ou effacez le naturel, il revient au galop : en effet le motif des dessins dermatoglyphiques génétiquement programmé se reforme en fonction de ce programme. Un affolement général s'emparerait du service des identités judiciaires si apparaissaient deux empreintes identiques chez des sujets différents. Heureusement pour eux l'agrandissement et le calcul précis des crêtes et des sillons aident toujours à distinguer deux empreintes semblables à première vue.

LES BOUCLES INTERDIGITALES

Les boucles interdigitales, au nombre de quatre (normal avec cinq doigts !), n'ornent pas de façon systématique la paume. Leur présence prend alors pleine signification. Une remarque : toute ressemblance de ces dessins avec des digitaloglyphes connus (voir chapitre 5) serait fortuite et pure coïncidence... elle n'implique en conséquence pas une similarité d'interprétation. Il sied de se méfier du raisonnement juste débouchant sur une ineptie.

« La logique mène à tout à condition d'en sortir » : Alphonse Allais.

Boucle interannulaire auriculaire

Boucle de l'optimisme [B1] *(voir figure 32 page 106).*

Nous l'aurions nommée boucle de la philosophie positive si cette appellation n'appartenait déjà à l'histoire de la pensée sur une initiative d'Auguste Comte explicitée par lui : « L'étude de la philosophie positive... nous fournit le seul vrai moyen rationnel de mettre en évidence les lois logiques de l'esprit humain. »

Or il ne s'agit pour nous en aucune façon du positivisme, doctrine prônant la stricte objectivité, mais d'une disposition d'esprit positive par opposition à négative !

Cette boucle signale la présence d'un véritable sens de l'optimisme aidant à affronter les aléas de l'existence avec le sourire et surtout le sourire intérieur. Chacun des problèmes à résoudre donne l'occasion d'un dépassement de soi (et parfois des autres !). Il ne s'agit pas d'un optimisme acquis ou raisonné émanant d'une démarche intellectuelle mais d'un optimisme inné et involontaire se manifestant aux moments cruciaux et faisant ainsi apparaître la différence entre ceux aptes à remarquer le ciel bleu derrière les barreaux et ceux habiles à voir seulement les barreaux...

• *Présente uniquement dans la main conceptive,* cette boucle marque l'optimisme nécessaire pour expérimenter avec sérieux des projets conçus avec utopie !

• *Présente dans la main active,* elle indique un optimisme venant lors de la réalisation, comme l'appétit en mangeant. Pas trop enthousiaste au début de l'action, la personne en apprécie le côté positif au fur et à mesure de sa progression.

Pour interpréter la présence de cette boucle dans les deux paumes, il suffit de combiner les deux commentaires ci-dessus.

La présence de cette boucle dans le secteur 3 comporte une relation avec le tempérament **nerveux,** en effet cet optimisme s'allie à l'idéalisme de ce tempérament.

Boucle inter majeur-annulaire

Boucle de l'efficacité [B2] *(voir figure 33 page 108).*

Située à la frontière des secteurs 3 et 1, elle s'efforce de concilier l'idéalisme conceptif **nerveux** et le réalisme actif **bilieux.** Sa présence même dans la paume du plus velléitaire des caractères garantit la potentialité d'efficience de l'individu quand le jeu en vaut la chandelle.

• *Dans la main conceptive,* cette boucle indique le sérieux avec lequel l'individu entend entreprendre son action, mais cela reste souvent au stade de l'intention.

• *Dans la main active,* elle signale une personne consciente de la nécessité de régler avec efficacité ses entreprises mais une fois — et seulement alors — au cœur de l'action.

Les détenteurs de cette boucle (dans l'une des deux mains ou dans les deux) détestent perdre leur temps et regrettent souvent leur inefficacité passée.

Boucle inter index-majeur

Beaucoup plus rare que les deux précédentes, cette boucle ne reçoit pour l'instant de notre part aucun qualificatif [B3] *(voir figure 33 page 108).* Le peu d'empreintes en notre possession la comportant ne permettent pas de lui attribuer une signification psychologique. Aussi sied-il d'en rester au stade de l'hypothèse. A remarquer cependant le terme attribué à ce signe par Beryl B. Hutchinson, membre actif de la Society for the Study of Physiological Patterns (SSPP), association anglaise de recherche en chirologie. Cette chirologue cite le chiffre de 6 % quant à la présence de cette boucle dans la main. Pour expliciter le nom donné à ce dessin, Beryl B. Hutchinson présente la thèse des palmistes hindous ; ils baptisent ce signe « Rajah », car, d'après eux, il caractérise les individus de sang royal. Compte tenu de son aspect génétique donc héréditaire et de sa rareté, si cette boucle orne les mains du chef de file d'une dynastie royale ou impériale elle se retrouvera au long des générations, mais affirmer la royauté de certaines paumes possédant ce signe apparaît douteux et aléatoire, voire grotesque. Ainsi le fameux « nez bourbon » trône certes au milieu des faces royales, cependant des personnages plébéiens en jouissent ! A l'inverse, des têtes pourtant couronnées ne détiennent pas ce type d'organe collectif, quoique bourbonnes !

En considérant sa position dans le secteur 1, **bilieux,** établissant une complicité entre le majeur (le devoir) et l'index (le rôle social), émettre la suggestion suivante ne semble pas stupide : ce signe traduirait de la part de son possesseur un sens du devoir et du service à autrui [1].

La quatrième boucle, la boucle « du courage »

Située sur le mont de Mars, mont de la combativité *(voir figure 34 page 112)*. Elle annoncerait — là encore il s'agit d'une hypothèse rejoignant le sens accordé à ce signe par Béryl B. Hutchinson — le courage physique de ces gens dont la voix populaire claironne qu'« ils n'ont pas froid aux yeux ».

D'autres boucles ornent aussi la surface de la paume. Parmi elles la plus courante — en France et en Angleterre, pour le reste de la planète, les recherches se poursuivent — est sans conteste :

LES BOUCLES DU MONT DE LA LUNE

La boucle de la mémoire émotionnelle

Présente chez environ 40 % des personnes, elle se situe dans leur(s) paumes(s) (une seule ou les deux) dans le secteur 4, en général sur le mont de la Lune. Elle prend son départ au milieu de la paume, sa partie courbe se trouve près du bord cubital, il s'agit donc d'une boucle radiale.

Nous qualifions ce signe du nom de boucle émotionnelle en raison de la propension de leurs possesseurs à revivre avec émotion les souvenirs montant en leur esprit. Ils donnent l'impression de se replacer dans l'ambiance régnant à leur époque.

Cela dote parfois certains d'une sorte de candeur, créative le plus souvent si la *ligne mentale* plonge au cœur de la boucle. En effet, l'imaginaire s'exprime alors en complète liberté, de façon non stéréotypée par l'éducation, l'environnement ou la mode *(voir figure 32 page 106)*.

La boucle commentée ci-dessus mise à part, l'interprétation des autres boucles palmaires prête à doute et caution ! Nos études les concernant ne permettent pas encore de tirer des conclusions probantes. Nous offrirons pourtant les explications les plus courantes tenues à leur égard pour attirer l'attention sur une science (ce chapitre est à ce sujet exemplaire) encore en voie de développement, au tout début de son histoire, à sa préhistoire même !

Boucle A

Pénétrant dans la main par le bord cubital du mont de la Lune, cette boucle ulnaire (du latin *ulna :* os cubital) tournée en sens inverse de la précédente est aussi bien moins fréquente. Elle se rencontre dans une proportion de 6 %, estiment les anthropologues en général et le docteur Debrunner en particulier. Ce psychologue suisse, dès 1941, en accord avec l'armée de son pays, utilise les empreintes des militaires dans ses expériences de psychologie du geste. Il effectue des comparaisons entre ces

---

1. Merci au lecteur détenteur d'une autre hypothèse plausible et vérifiée de nous la communiquer.

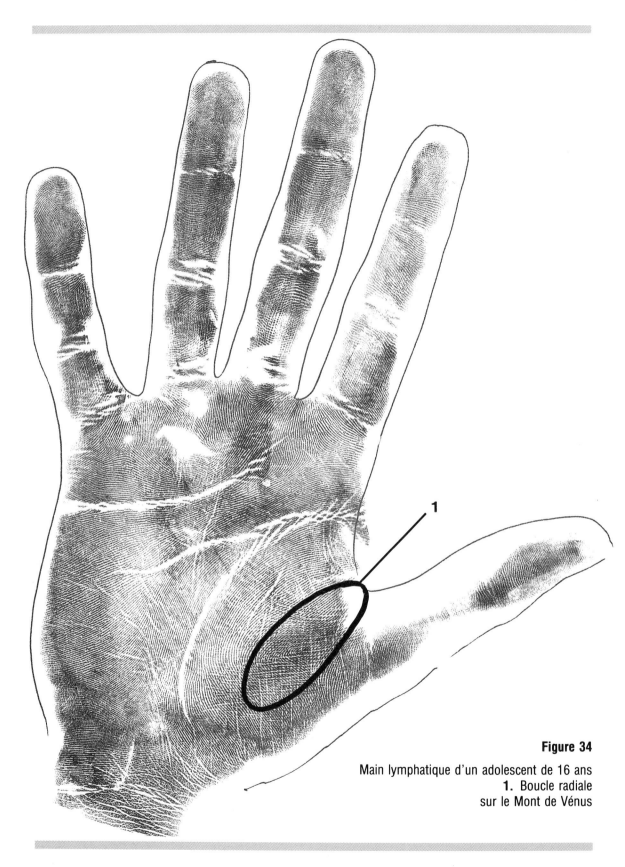

Figure 34

Main lymphatique d'un adolescent de 16 ans
1. Boucle radiale
sur le Mont de Vénus

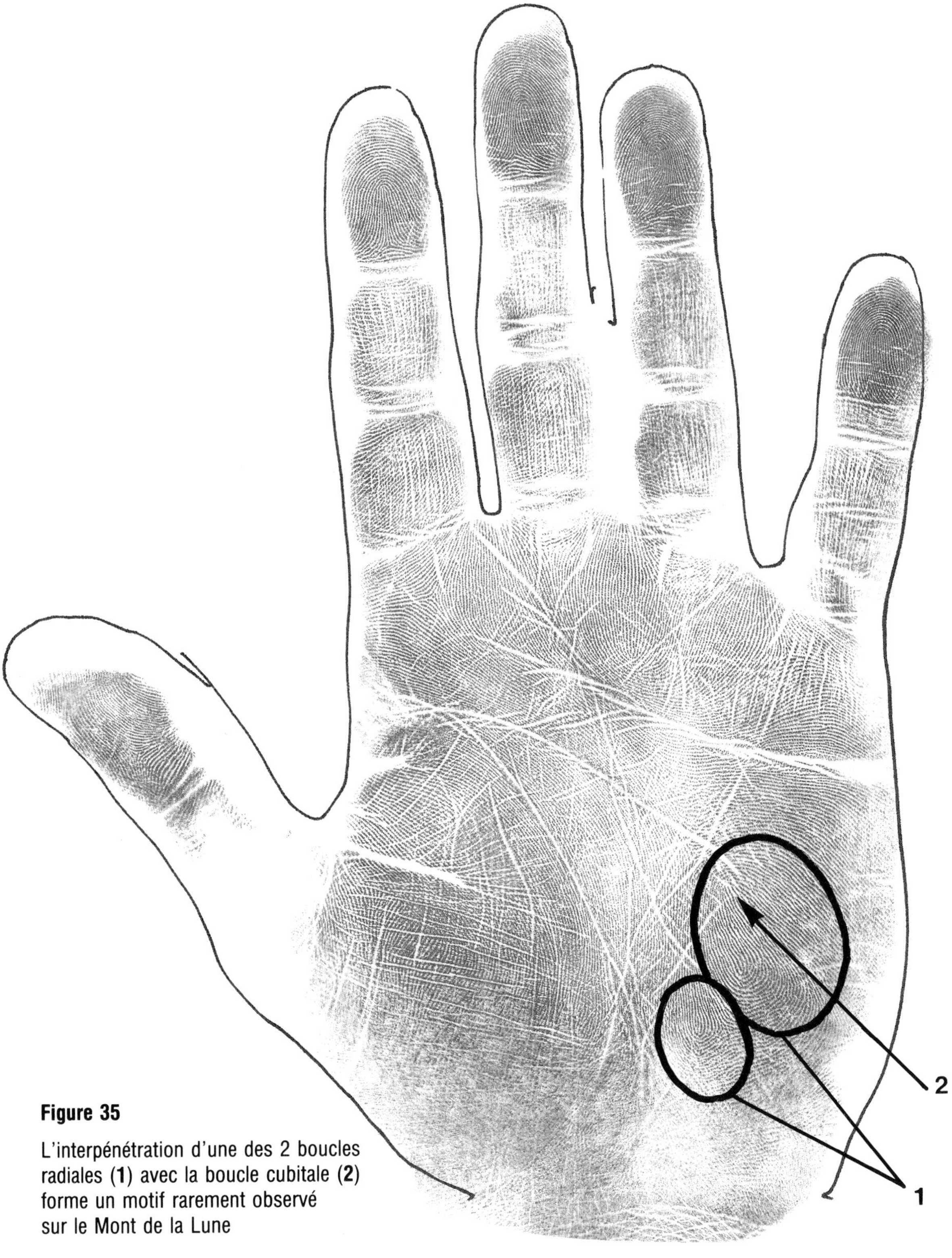

Figure 35

L'interpénétration d'une des 2 boucles radiales (**1**) avec la boucle cubitale (**2**) forme un motif rarement observé sur le Mont de la Lune

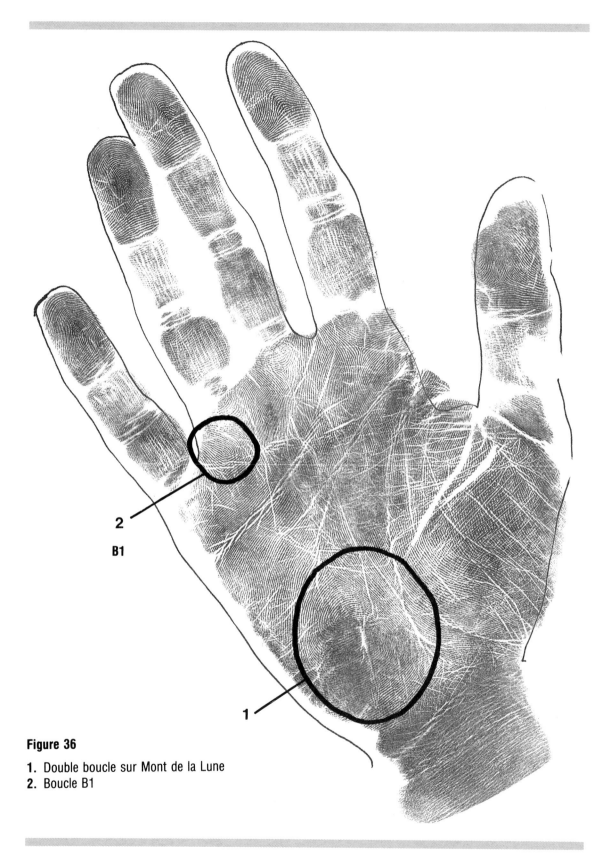

B1

Figure 36

1. Double boucle sur Mont de la Lune
2. Boucle B1

empreintes, l'écriture, les griffonnages spontanés, les structures du visage et du corps, etc. Il ne cesse ainsi d'accumuler un important matériel de recherches. Le docteur Hugo Debrunner décèle la présence de la boucle ulnaire sur le mont de la Lune à 90 % dans au moins sur l'une des deux mains de mongoliens et à 40 % dans les deux mains. Une précision pourtant dans le but de rassurer ceux qui la détiennent : nous avons repéré ce signe dans les paumes de gens tout à fait normaux, intelligents et équilibrés (voir les mains de Maurice Herzog et de Paul-Loup Sulitzer, troisième partie).

Considérant d'une part l'orientation de cette boucle, tournée à l'opposé de la boucle de la mémoire émotionnelle, d'autre part la personnalité des détenteurs de ce motif palmaire, les conclusions le concernant portent à croire que c'est là l'indice d'une ouverture sur le futur permettant même parfois une attitude visionnaire, et de toute façon signal d'une forte capacité d'extrapolation (voir figure 35 page 113).

Outre ces deux sortes de boucle, radiale et cubitale, le mont de la Lune comporte parfois d'autres motifs. L'un d'entre eux combine les deux abordés auparavant pour former un dessin que nous nommons double boucle.

Double boucle

Typique de ceux qui s'enferment dans le rêve et l'imaginaire par recherche de l'Absolu et de la Perfection impossibles à trouver dans la réalité.

Ce perfectionnisme crée l'inhibition, mais un rien, un conseil, un encouragement, suffisent à les aider à optimiser leurs potentialités (voir figures 35 page 113 et 36 page 114).

Comme le précédent, le porteur d'un tourbillon ou d'un dessin concentrique sur le mont de la Lune affectionne le monde imaginaire où, faute de s'impliquer dans les réalités de la vie, il se réfugie (voir figure 37 page 116).

Lui, au contraire, ne supporte aucune ingérence dans sa manière de voir les choses et de « mener sa barque », et, surtout, aucune incursion dans son univers particulier.

Le mont de Vénus s'orne parfois aussi de motifs tels boucles [1], tourbillons [1], volutes. L'avancée de notre travail, des statistiques encore insuffisantes ne permettent pas (pour l'instant, patience !) l'interprétation de ces signes. Un fait cependant à noter : le lieu où s'inscrit la double boucle revêt une importance singulière à ne pas négliger.

Dernier point, et non des moindres, à considérer : les deltas.

LES DELTAS

Appelés également *triradius* ou *apices* (pluriel d'*apex*). En principe au nombre de quatre, situés dans la région palmaire à la base des doigts : un pour chacun des doigts sauf le pouce.

Les deltas doivent se chercher à l'aplomb du centre de la racine du doigt pour l'index, le majeur et l'annulaire ; pour l'auriculaire il se trouve souvent déporté vers le bord interne du doigt.

Cependant les deltas peuvent se voir décalés par rapport à ces positions théoriques. Si ce décalage est important, un

_____

1. Voir à ce sujet les paumes de Charles Aznavour dans la troisième partie de cet ouvrage.

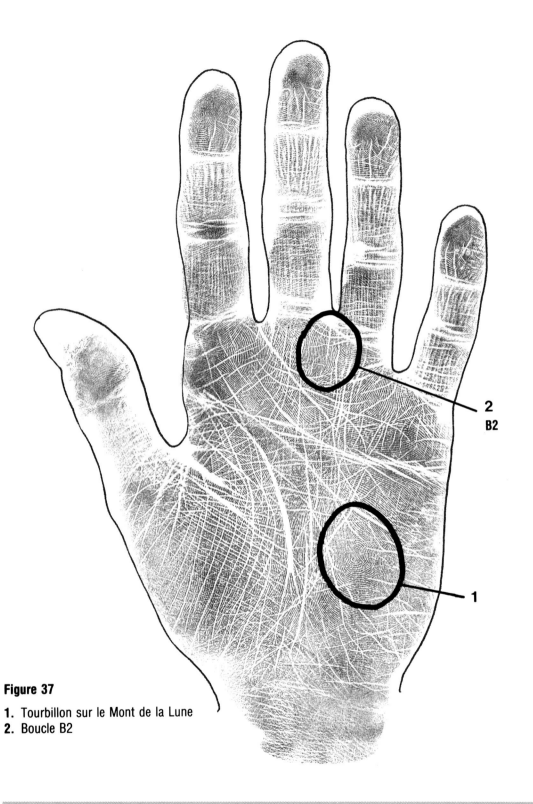

Figure 37

1. Tourbillon sur le Mont de la Lune
2. Boucle B2

triradius disparaît, trois demeurent. Jusqu'à présent nous n'avons jamais rencontré moins de trois deltas dans une paume, cela ne signifie pas pour autant l'impossibilité d'en découvrir moins : le monde est vaste et nombreux ses habitants !

Vladimir Kariakine, disciple du professeur Viard, fit des recherches en ce domaine, il en dénombre, lui, parfois six !

Un cinquième delta peut s'avérer présent à la base de la paume. Les glyphologues accordent de l'importance à l'emplacement de ce triradii... uniquement d'un point de vue quantitatif *(voir figure 38).*

Figure 38

(Dessin de l'empreinte de la figure 33 p. 108)
Deltas :
— T_1, T_2, T_3, T_4 et T_5 sont habituellement présents dans la paume
— T_5 est plus haut que la normale
— T'_1 et T_6 sont rares

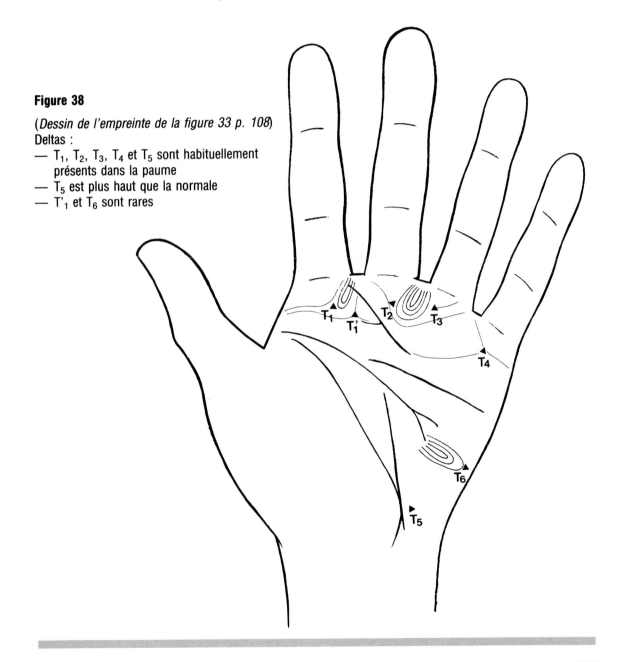

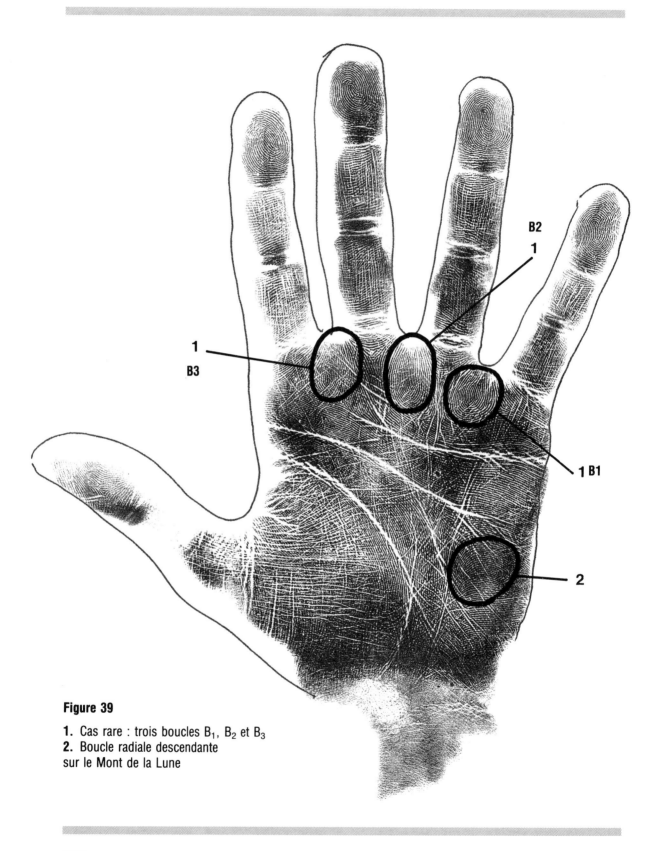

Figure 39

1. Cas rare : trois boucles B_1, B_2 et B_3
2. Boucle radiale descendante
sur le Mont de la Lune

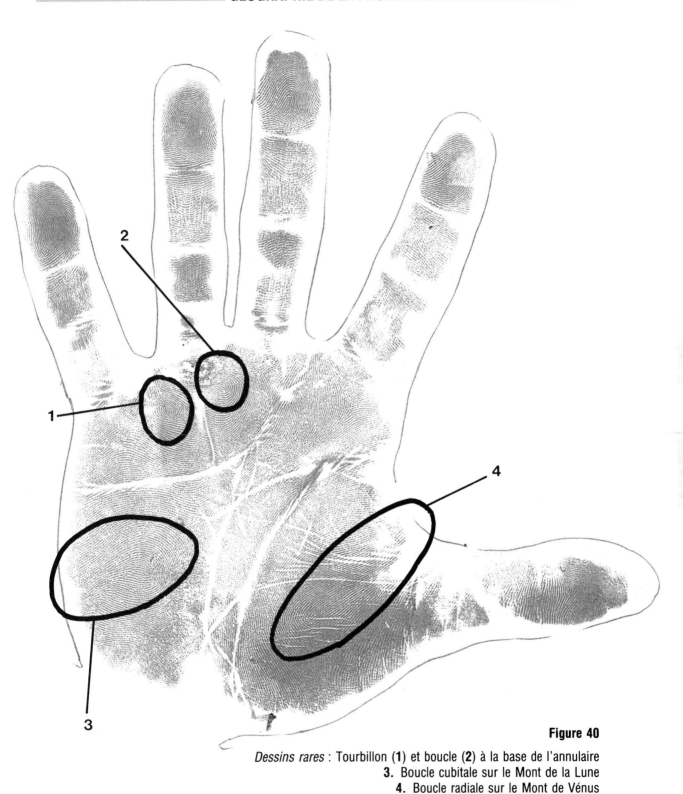

Figure 40

Dessins rares : Tourbillon (**1**) et boucle (**2**) à la base de l'annulaire
3. Boucle cubitale sur le Mont de la Lune
4. Boucle radiale sur le Mont de Vénus

LES DOIGTS

Le maître doigt (le chef d'orchestre)

LE POUCE

Maître de la main, le pouce donne, grâce à son étude, la clé d'une majeure partie du comportement de l'individu. Il occupe un cinquième de la projection corticale du corps dans le cerveau. Facteur primordial du développement humain, il permet, par sa capacité d'opposition avec les autres doigts, d'appréhender les objets, d'utiliser les outils. A partir de cette capacité a lieu un essor des facultés de l'esprit. Clément Blin résume très bien cette assertion en son remarquable ouvrage *Votre main, principe de chirométrie* [1] : « Si notre cerveau a pensé la civilisation, ce sont nos mains qui, fidèles traductrices de nos conceptions et grâce à leur structure capable des plus fines différenciations, l'ont réalisée. »

A l'image du chef d'orchestre dirigeant, encourageant, canalisant, catalysant... son orchestre, le pouce (volontaire et responsable) illustre, par sa position en retrait des autres doigts (orchestre au comportement pas toujours adéquat !) et face à eux, par la rotation, le contrôle exercé, conjointement certes mais de façon inégale, par la volonté et la raison de l'individu sur son comporte-ment. Comportement résultant des multiples forces contradictoires des désirs divers décelables dans le reste de la main, en particulier dans les quatre autres doigts.

Une comparaison de la « main » du singe avec celle de l'homme amène à plusieurs constatations. Allongée, elle éloigne le pouce des autres doigts, d'où une « opposabilité » théorique du pouce dont l'animal ne se sert presque pas pour saisir les objets ; il utilise seule la « préhensilité » des quatre autres doigts (et de sa queue s'il en possède une !...). De même l'enfant dans la première année de sa vie presse ce qu'il tient entre ses quatre doigts et la paume, sans se servir de son pouce. Le début de l'existence d'un être humain s'écoule au rythme de ses besoins instinctifs et biologiques : boire, manger, dormir. Cette vie instinctive obéit au code logique de la Nature. Dans ses rapports de force avec l'entourage, l'enfant ne montre pas des volontés mais des caprices. Un lien s'établit entre la non-prise de conscience par le bébé des possibilités de son pouce — domaine de la volonté et de la raison — avec la non-utilisation d'un contrôle de ses pulsions inhérentes aux forces instinctives. Cette comparaison ne doit pas laisser croire que le « petit d'homme », animal au commencement de sa vie,

---

1. Editions du Rocher.

devient ensuite un être humain. Il l'est d'emblée, mais la partie instinctive possède une part prépondérante dans la prime enfance. Il peut en aller de même — hélas ! — à l'autre extrême de la vie, par sénilité.

Au repos, l'enfant garde le pouce bien protégé, au chaud, fermé et caché à l'intérieur des autres doigts repliés sur lui. Attitude de certains adultes en état de démission morale face aux dures réalités quotidiennes ! Ce geste facile et naturel pour la souplesse d'une main de bébé semble beaucoup moins évident à une main d'adulte sauf extrême souplesse du pouce. Quant aux boxeurs ils cachent leur pouce à l'intérieur de leur main pour mieux assener des coups, il s'agit là d'une philosophie différente !...

Souplesse ou rigidité du pouce

La souplesse ou la rigidité du pouce exprime — sauf en cas de fatigue ou de maladie — assez bien l'attitude générale de l'individu.

La rigidité traduit un comportement stable, inflexible, proche de l'entêtement et de l'obstination.

Points faibles : manque d'adaptation, incapacité à saisir les occasions, la chance.

Points forts : faculté de s'en tenir à la décision prise en dépit des pressions et contestations quand cette décision repose sur une conviction intime solide.

Avec un tempérament fort, c'est la ténacité : une position prise ne se lâche pas ! (ni même d'un pouce !)

Avec un tempérament faible, c'est l'entêtement, dernier rempart des faibles justement !

La souplesse du pouce se retrouve alors dans les mains de ceux qui refusent l'affrontement du fait de leur faiblesse. Ces sujets savent lorsqu'ils ne doivent pas s'obstiner à poursuivre un but. Leur conduite rencontre-rait une opposition trop importante pour leur degré de combativité. La faiblesse de leurs convictions leur permet de développer le sens de l'adaptation, ils parviennent à se tirer d'affaire en toutes situations !

Hauteur de l'insertion du pouce sur la paume

Plus courte est la distance séparant l'insertion du pouce de la ligne d'insertion des autres doigts, plus spontané, voire impulsif, s'avère le tempérament *(voir figure 29 page 102)*. Au contraire, le recul de l'insertion du pouce dans la paume correspond à un recul de l'individu vis-à-vis des choses, des gens ou des problèmes. Il les apprécie et appréhende avec précisément le recul nécessaire *(voir figure 30 page 104)*.

Angle d'ouverture

Par la façon dont il s'écarte du reste de la main, le pouce forme avec elle un angle plus ou moins proche de 90°. L'ouverture du pouce par rapport à la main correspond à une ouverture d'esprit, à une ouverture sur le monde mais aussi à une soif d'expansion. Il faut, pour considérer ce point, étudier l'attitude naturelle de la main au repos à plat, sur une table par exemple *(voir figure 41 page 122)*.

Rarissime cas : celui du pouce « collé » aux autres doigts indique le plus souvent un blocage, ou une puissante tension interne.

Le pouce avec un angle d'ouverture normal mais présentant la phalange onglée repliée vers l'intérieur signale, malgré un désir d'expansion, un individu peu prêt à risquer ses possessions matérielles et sociales. La crispation du pouce représente assez bien par son côté crochu les serres du rapace : il veut amasser et, affolé à l'idée de perdre une miette de son acquis, l'enferme *(voir figures 42 page 123 et 43 page 124)*.

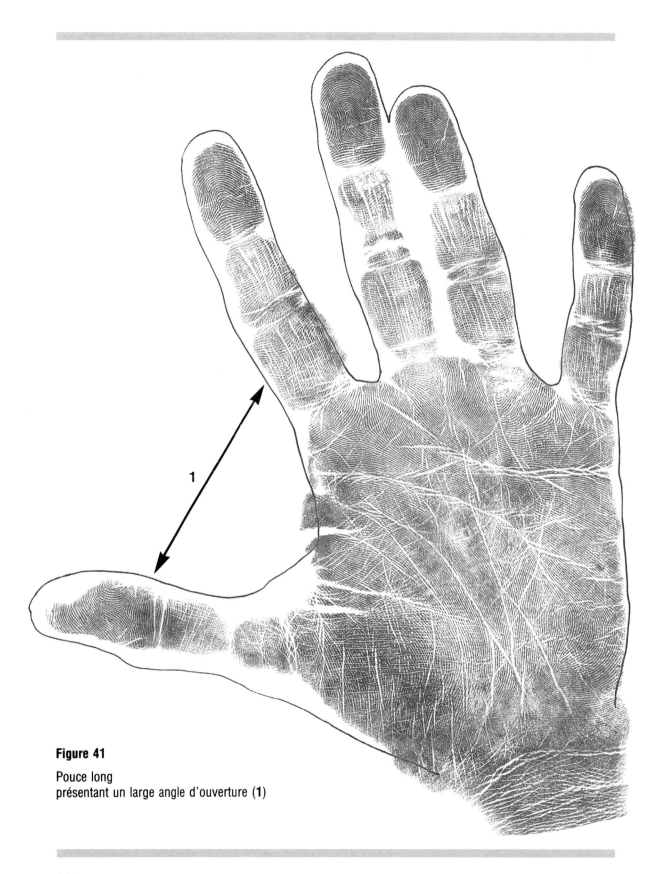

Figure 41

Pouce long
présentant un large angle d'ouverture (**1**)

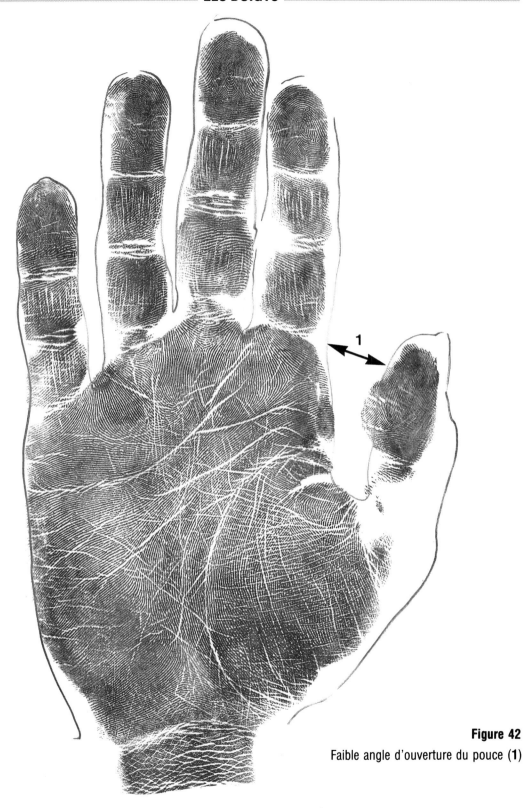

Figure 42
Faible angle d'ouverture du pouce (**1**)

Attitude d'ailleurs fréquente en consultation : l'individu, se sentant trop exposé, mis à nu par l'analyse de ses mains au départ ouvertes et tendues, prend une certaine distance, se retire presque ; elles se crispent alors et se referment petit à petit, marque de protection, refus du consultant de voir s'échapper la maîtrise de son être.

Rotation du pouce

En posant la main sur une surface plane, il faut regarder, vue du dessus, en quelles proportions l'ongle du pouce est visible. Le pouce représentant une caractéristique importante de l'espèce humaine, son opposition avec les autres doigts donne à l'homme son pouvoir sur l'environnement. Ainsi, la main au repos et à plat, si l'observateur, se trouvant juste au-dessus de la main, voit la totalité de l'ongle du pouce, cela annonce un pouce au diapason des autres doigts, suppléant à leurs quatre volontés. Il s'agit là d'une volonté au service des désirs et impulsions de l'individu *(voir figure 44 (2) page 125)*. En revanche, le pouce semblant s'opposer aux autres doigts (l'ongle ne « regarde » pas vers le haut mais sur le côté) indique la présence de maîtrise de soi. Il image le chef d'orchestre surveillant, même au repos, son orchestre. Muet ou inactif il en impose pourtant par sa prestance *(voir figure 44 (1) page 125)*.

La différence entre le pouce collé à la paume et le pouce tourné vers la paume illustre la différence entre l'inhibition et le contrôle de soi. La première résulte d'un repliement involontaire souvent douloureux, le second découle d'une volonté délibérée de se maîtriser non par sentiment de culpabilité mais par dignité. La liberté de l'âme se gagne par la discipline.

Les trois phalanges du pouce

La troisième phalange (dénommée

Position du pouce

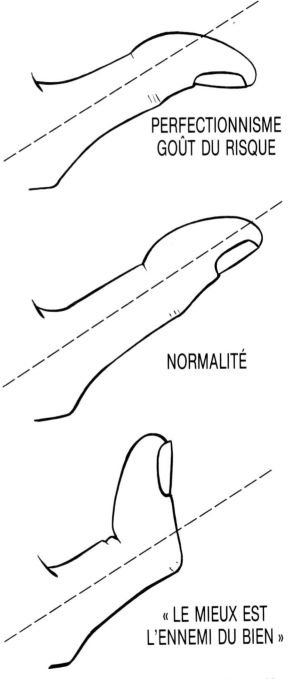

PERFECTIONNISME
GOÛT DU RISQUE

NORMALITÉ

« LE MIEUX EST
L'ENNEMI DU BIEN »

Figure 43

Figure 44

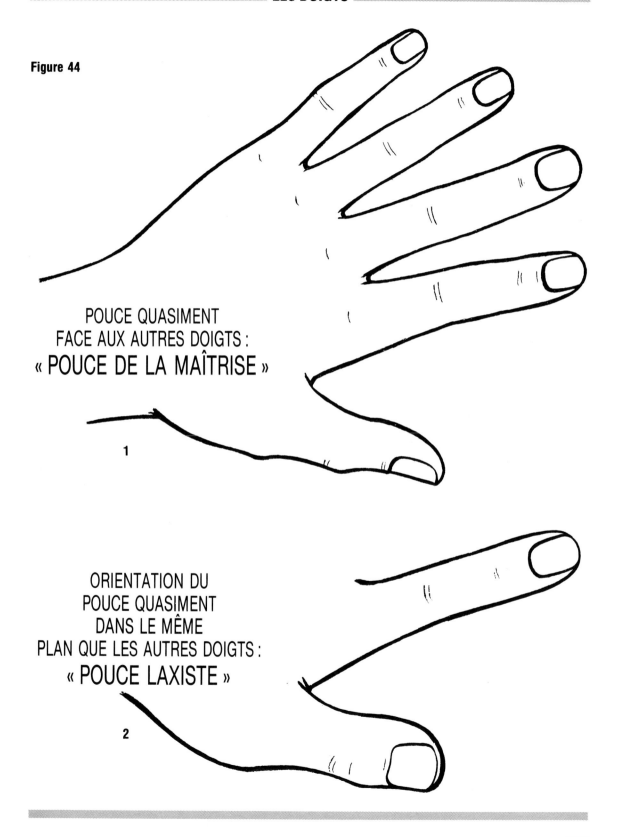

POUCE QUASIMENT
FACE AUX AUTRES DOIGTS :
« POUCE DE LA MAÎTRISE »

1

ORIENTATION DU
POUCE QUASIMENT
DANS LE MÊME
PLAN QUE LES AUTRES DOIGTS :
« POUCE LAXISTE »

2

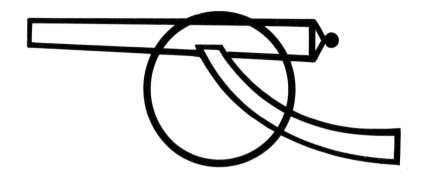

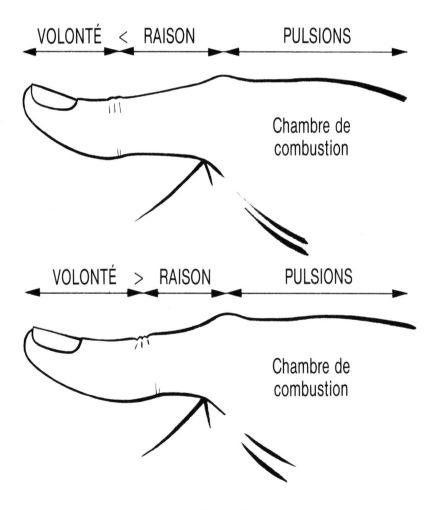

VOLONTÉ < RAISON   PULSIONS

Chambre de combustion

VOLONTÉ > RAISON   PULSIONS

Chambre de combustion

Figure 45

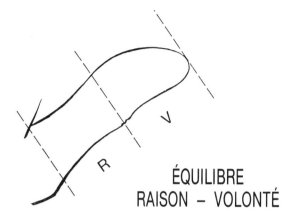

ÉQUILIBRE
RAISON – VOLONTÉ

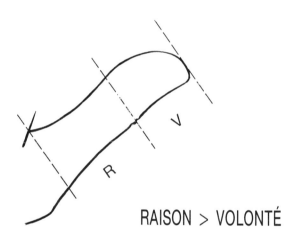

RAISON > VOLONTÉ

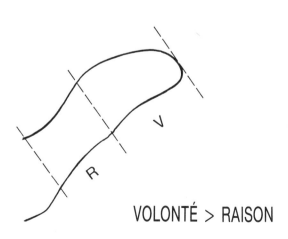

VOLONTÉ > RAISON

Figure 46

« éminence thénar » par les hommes de science) se trouvant incorporée dans la paume, l'étude de ses différentes formes appartient au chapitre sur la topographie de la paume.

Pour comprendre son importance, non dans la paume mais par rapport aux deux autres phalanges du pouce, la comparaison avec un canon expulsant les pulsions (!) s'impose *(voir figure 45 page 126)*. L'éminence thénar — ou mont de Vénus — correspond à la chambre de combustion du canon : plus le mont possède de souplesse et d'ampleur, vibre, plus les pulsions possèdent de force. Mais ces pulsions, il sied de les maîtriser sinon de les canaliser, rôle de la deuxième phalange (la phalangine), celle de la raison.

Qualité et quantité de maîtrise du raisonnement sur les pulsions :

● *La qualité* s'apprécie par le resserrement de la phalangine. Tel un goulet d'étranglement le resserrement contrôle, dirige le flot de pulsions inhérent à la nature humaine et, en particulier, au tempérament.

● *La quantité* s'exprime par la longueur de la phalange. Cependant, ne pouvant se référer à une mesure étalon à cause de la disparité des mains et de leurs différentes dimensions, le chirologue considère la longueur proportionnelle à celle de l'autre phalange (phalange onglée ou phalangette). Cette phalangette exprime, elle, par sa forme et sa longueur l'efficacité et le type de volonté.

Ainsi la volonté et la raison se partagent — parfois avec équité, parfois l'une au détriment de l'autre — la longueur du pouce à partir du début de l'os de la phalangine jusqu'au bout de la phalangette. La prédominance d'une phalange sur l'autre détermine la primauté d'une des deux facultés sur l'autre *(voir figure 46 page 127)*.

Pour reprendre l'image tonnante (!) du canon, la forme de la phalange de la volonté permet d'apprécier la capacité d'efficacité de cette volonté (sans négliger pour autant la valeur du dermatodigitaloglyphe, voir chapitre 5) comme l'efficacité d'une juste visée permet d'atteindre du premier coup, avec le boulet, l'objectif.

Si la terminaison du pouce est pointue — cela s'apprécie en regardant le pouce l'ongle vers soi —, la volonté met toute son efficacité au service d'un but unique. L'individu éloignera ce qui ne concourra pas à l'efficience de son plan d'action.

En revanche, une terminaison arrondie marque une volonté placée en plusieurs directions à la fois. La dispersion nuit alors à l'efficacité. Cette dispersion s'instaure car le personnage ne définit pas de façon précise le but ou les buts à atteindre. Le canonnier au boulet préfère la mitraille, il ne lui faut plus viser l'objectif pour l'atteindre, le hasard ou la chance (pas pour ceux d'en face !...) vont l'aider.

L'extrémité du pouce en biseau, vu de profil, correspond à la volonté type « hors-bord », efficace si elle se trouve prise par un contexte d'action, de mouvement et de passion, contexte carburant du hors-bord. A l'arrêt le hors-bord se trouve ballotté par les vagues... et les événements, il suffit alors d'une motivation (le carburant) pour le rendre actif, mais cette motivation surgit de l'extérieur. Présence en ce cas de la non-autonomie d'une volonté à l'enthousiasme fébrile mais aussi fragile.

Si la phalange de la volonté se trouve rejetée vers l'extérieur, elle signale un goût du risque ou un sens du perfectionnisme ou les deux à la fois. Là encore il sied de considérer le contexte tempéramental du sujet. S'il s'agit d'un **nerveux** ou d'un **lymphatique,** ils tendent plutôt vers le perfectionnisme. L'idée de la perfection attirera le premier, le second recherchera un état de perfection. Pour le **sanguin,** le goût du risque s'avère quasi nécessaire. Quant au **bilieux,** il possède le goût du risque calculé, poussé d'ailleurs par son perfectionnisme *(voir figure 41 page 122).*

▌Aspect général des doigts

Avant d'aborder les quatre autres doigts un par un, un certain nombre de points communs restent à préciser :

LA DIMENSION

Dans son ensemble, la main paraît comporter des doigts longs et courts. La mesure exacte doit se faire en considérant l'intérieur de la main et en comparant la longueur du majeur à celle de la paume (de la première ligne du poignet jusqu'à la racine du majeur [ou médius]). La dimension moyenne du médius équivaut à 8/10ᵉ de celle de la paume.

La dimension des doigts aide à connaître le temps de réponse nécessaire à la réaction du sujet. Plus court si les doigts sont courts : pas de palabre, de l'action ! A l'inverse des doigts longs exigent un temps de réflexion pour prévoir les conséquences de leur action, pour envisager les différents cas de figure, etc.

L'inspection de la paume permet d'apprécier le potentiel d'énergie de l'individu. La longueur des doigts donne une idée de l'ampleur de ses désirs, d'où l'importance de la comparaison de ces deux données.

Parmi les lois régissant l'économie une règle s'impose : l'offre doit répondre à la demande afin de satisfaire le plus grand nombre. En chirologie la proportion paume-doigts respecte rarement l'équilibre offre-demande. Avec des doigts trop courts, l'individu dispose de plus d'énergie qu'il n'en peut investir pour alimenter ses désirs. Avec des doigts trop longs, la disproportion des désirs par rapport à l'énergie disponible engendre une certaine frustration.

Sans misogynie aucune, le chirologue se voit contraint de constater la fréquence du dernier cas chez les femmes. Cela tient au fait de la prédominance chez elles de l'hémisphère droit du cerveau, domaine de la féminité, de l'intuition et de la *subjectivité*. Prédominance favorisant le non-réalisme de la recherche de la satisfaction des désirs ! Ces longues mains féminines aux doigts effilés suscitent l'admiration — même parfois l'envie —, mais le montant de la facture à payer à la Nature prend des allures effrayantes (!) : les femmes ainsi parées, non contentes de vivre l'insatisfaction inhérente à la démesure de leurs desseins, reprochent à leur entourage cette insatisfaction attribuée par leur subjectivité à des causes extérieures et non à leur propre nature ! Si la beauté de leurs mains va de pair avec celle de leur visage, ces « déesses », par leur aspect invivable, se voient souvent courtisées jamais épousées !... Là encore l'inégalité crée l'égalité : plus la vie donne, plus cher elle fait payer. Drôles de cadeaux !...

Un signe isolé (il faudrait le répéter à l'infini !) s'étudie dans une vision synthétique de la main. Ainsi ces tendances s'accusent ou se modèrent en fonction de l'aspect lisse ou noueux des doigts.

L'ASPECT

L'aspect lisse des doigts correspond à l'expression directe, spontanée, guidée par l'intuition et confirme — si c'est le cas — la prédominance de l'hémisphère droit, sinon il donnera à l'individu des élans de spontanéité engendrant de sympathiques écarts dans son programme préétabli par son hémisphère gauche !

L'aspect noueux des doigts signale une attitude plus réfléchie, un personnage doué pour l'approche méthodique mais parfois hésitant, désireux de savoir le pourquoi et le comment des choses avant d'agir. Si le croisement des doigts indique (voir chapitre sur la latéralité) la prédominance de l'hémisphère gauche (masculin, objectif) du cerveau, cette tendance se verra exacerbée. A l'inverse la prédominance de l'hémisphère droit (féminin, subjectif) favorisera une inhabituelle spontanéité, ce brin d'idéalisme donne d'ailleurs bien du charme à la vie !

Un rapport s'établit entre la nodosité

CORRESPONDANCE ASTROLOGIQUE ET MORPHOLOGIQUE

GÉMEAUX ♊ 3	VIERGE ♍ 6	SAGITTAIRE ♐ 9	POISSONS ♓ 12	} Cérébralité ESPRIT
TAUREAU ♉ 2	LION ♌ 5	SCORPION ♏ 8	VERSEAU ♒ 11	} Social Affectif AME
BÉLIER ♈ 1	CANCER ♋ 4	BALANCE ♎ 7	CAPRICORNE ♑ 10	} Instinctif CORPS

LES TROIS SECTEURS CHIROLOGIQUES

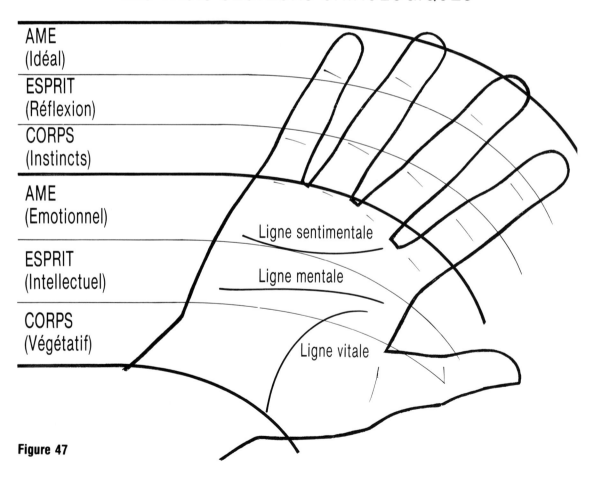

AME (Idéal)

ESPRIT (Réflexion)

CORPS (Instincts)

AME (Emotionnel)

ESPRIT (Intellectuel)

CORPS (Végétatif)

Ligne sentimentale

Ligne mentale

Ligne vitale

Figure 47

des doigts et la prédominance d'un hémisphère cérébral sur l'autre. Si la main aux doigts lisses s'avère plutôt une caractéristique féminine, cela va de concert avec la prédominance de l'hémisphère droit chez la plupart des femmes. En revanche, celles à l'hémisphère gauche plus actif possèdent en général des doigts plutôt noueux, moins cependant que ceux d'une main d'homme.

Les hommes spontanés et intuitifs, à la sensibilité semblant jouer un rôle supérieur à celui de la réflexion, possèdent des doigts d'aspect plutôt lisse se croisant la plupart du temps de la manière indiquant la prépondérance de l'hémisphère droit du cerveau.

Les nœuds correspondent à des sas de communication entre deux phalanges, frontière d'échanges entre les trois « modes » de l'Etre (voir le chapitre sur l'interprétation des lignes) retrouvés de bas en haut dans la paume avec les lignes *vitale, mentale* et *sentimentale,* Instinct, Réflexion, Idéal respectivement dans la suite phalange, phalangine, phalangette. La répartition des trois modes s'inscrit dans une logique différente de celle du découpage en trois zones horizontales du visage, en harmonie avec les signes du Zodiaque, cela n'implique pas pour autant l'incompatibilité de ces deux systèmes *(voir figure 47 page ci-contre)* !

L'individu aux doigts noueux entend mener à terme ce qu'il entreprend, établissant des cloisons étanches entre les trois modes de l'Etre. Par une sorte d'autocontrôle, il fera tout pour que la rigueur de son jugement (phalangine) ne se laisse influencer ni par les aspirations de son idéal (phalangette) ni par la force de ses instincts (phalange). Ainsi la nodosité exprime le contrôle de la raison sur la spontanéité.

Les deux nodosités, frontières des trois zones du doigt, peuvent posséder une importance inégale. Certaines mains comportent seulement le premier nœud, appelé aussi « nœud matériel », parce que séparant

la phalange du mental de la phalange des instincts. Cette disposition nodale reflète une grande spontanéité des élans de l'idéal conjointe à une forte maîtrise de l'élan vital. Une symbiose de ces deux aspects s'opère alors en la personne.

Autre confirmation du diagnostic précédent : la forme de la terminaison du doigt. Un doigt noueux possède très rarement une forme pointue, se voit plutôt nanti d'une terminaison carrée confirmant la rationalité démontrée par le reste de l'interprétation.

A l'inverse les doigts lisses ont souvent une forme plutôt pointue ou conique indiquant le rôle important joué par l'imaginaire et l'intuition dans leurs rapports avec le monde. La forme arrondie représente l'équilibre entre ces deux tendances, favorise un va-et-vient suivant le contexte entre le rêve et la réalité.

Un ou deux doigts de chaque main peuvent revêtir une forme différente. S'il s'agit d'un seul, l'index ou l'auriculaire sera de forme pointue. S'il s'agit de deux voici le cas le plus fréquent : l'index et le majeur carrés, l'annulaire et l'auriculaire pointus. Confirmation de l'appartenance de l'objectivité aux deux premiers et de la subjectivité aux deux autres. Une interprétation plus poussée implique la connaissance de la symbolique de chacun de ces doigts ; auparavant il sied de parler de la forme des ongles et aussi de la terminaison des doigts mais cette fois vue de profil. Considérées ainsi, les extrémités digitales apparaissent aplaties (comme la proue du pouce horsbord !) ou renflées, formant une petite saillie semblable à une goutte d'eau ne se décidant pas à tomber, s'accrochant avec désespoir à l'épiderme pour ne pas succomber à la force d'attraction universelle mise en évidence par le cher Newton et sa pomme ! L'individu détenteur d'une telle merveille aiguise sa perception du monde de façon concrète, usant même du sens du toucher fort affiné chez lui et décelable par la présence de cette « goutte d'eau ». Cette sensibilité tactile vive s'accompagne d'un discernement sensoriel allant croissant au fur et à mesure de l'existence (contrairement aux piles Wonder ce sens tactile s'use si l'on ne s'en sert pas !).

Le profil aplati du doigt marque la prédominance et la préférence de la perception abstraite du monde. L'attitude des gens lors d'une exposition de sculptures s'avère symptomatique : la pancarte « défense de toucher » se révèle tout à fait inutile dans les deux cas mais pour des raisons différentes. Pour les premiers, les empêcher de toucher une sculpture confine à l'incongruité : une sculpture ne se regarde pas seulement, elle se vit par la perception tactile.

Inutile aussi pour les seconds, l'affichette « défense de toucher » ne les concerne pas, ils caressent l'objet des yeux, avec leur cerveau. L'impression donnée par l'existence de la sculpture possède un impact supérieur à sa présence et à son toucher.

LES ONGLES

L'étude des ongles, science en elle-même, se nomme l'onychologie. Parmi les ouvrages consacrés à cette science, ceux d'Henri Mangin-Balthazard (il y traite de la chiroscopie médicale et de la valeur clinique des ongles) demeurent, même aujourd'hui un peu dépassés sur certains points, d'une réelle pertinence. Pas de développement ici à ce sujet, l'aspect médical du chiro-diagnostic n'est pas le propos de ce livre. Sans doute sera-t-il celui d'un suivant !

Pour expliquer comment interpréter sur le plan psychologique la largeur et la longueur des ongles, se référer au symbolisme accordé par les Grecs au tandem largeur-hauteur du fronton de leur temple apparaît nécessaire : ils attribuaient à la hauteur la pensée, à la largeur l'action. Ce symbolisme préside aussi à l'appréciation de la dualité longueur-largeur en morphopsychologie en général et en chirologie en particulier, pour l'étude du visage ou de la carrure d'un individu, de sa paume ou de ses ongles.

Les ongles larges se trouvent en toute logique dans les mains aux paumes larges, ils dénotent l'importance de l'énergie dont dispose la personne, preuves de dynamisme et d'action.

L'étroitesse de l'ongle, au contraire, annonce un individu disposant de très peu d'énergie, il doit puiser ailleurs le carburant de son moteur.

La longueur des ongles traduit l'importance de l'intellectualité et non de l'intelligence (deux notions à ne surtout pas confondre) dans la vie et le comportement d'une personne.

L'interaction des deux exemples types ci-dessus engendre quatre catégories de formes d'ongles cadrant avec les quatre tempéraments hippocratiques (voir figure 48 page ci-contre).

Rectangle dans le sens de la hauteur

• *Long et large* : Conception plus action.

Ongle du *réalisateur,* il concrétise ce qu'il conçoit, tempérament **bilieux**.

• *Long et étroit* : Conception uniquement.

Ongle du *penseur,* concepteur mais théoricien restant dans l'abstrait, tempérament **nerveux**.

Les ongles selon les tempéraments

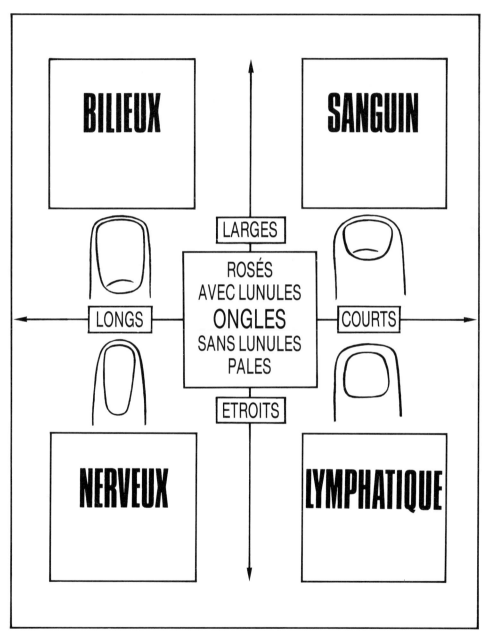

Figure 48

Rectangle dans le sens de la largeur

- *Court et large* : Action uniquement.
Ongle du *mobile,* actif et improvisateur, réfléchir lui semble perdre du temps, tempérament **sanguin.**
- *Court et étroit* : Pas de conception, pas d'action.
Ongle du *sédentaire* cherchant à être pris en charge sur le plan conceptuel et sur le plan actif, tempérament **lymphatique.**

Les ongles pâles ou blancs

La plupart du temps sans lunules, ils signalent l'atonie typique des tempéraments **nerveux** et **lymphatiques.** Cette atonie s'accompagne en général d'une médiocre ou mauvaise circulation sanguine confirmée par l'absence de lunules, la blancheur et la froideur de la main.

L'ongle de forme évasée se retrouve chez les gens au sens artistique très aiguisé. Cet ongle de type mercurien va souvent de pair avec un visage de typologie mercurienne, c'est-à-dire en forme de triangle pointu en bas. Les personnes possédant ce genre d'ongles appartiennent le plus souvent à la catégorie des tempéraments **nerveux,** ne s'impliquant dans aucun système et pouvant, de ce fait, donner libre cours à leur sens critique, ce en toute impunité !

A l'inverse de l'interprétation du pouce, il ne sied pas de détailler, pour les quatre autres doigts, le sens attribué à chacune des phalanges. Certains ouvrages y font référence mais leurs interprétations n'apparaissent pas plus probantes que l'attribution des douze signes du Zodiaque aux douze phalanges de ces quatre doigts.

Les quatre autres doigts (l'orchestre)

L'INDEX

Intervenant pour montrer, et au besoin pour démontrer, l'index s'affirme le doigt de la décision ! Il souligne du geste (du mouvement plutôt !) l'importance d'un acte, l'intérêt d'un propos. En rapport constant avec le pouce dont il s'inspire avant de s'exposer, surtout s'il possède le même motif digital ou une boucle tournée vers le pouce (voir le chapitre sur les dermatodigitaloglyphes), il agit avec promptitude, sachant à l'occasion

commander ou menacer. Il représente le « moi » social et professionnel, correspond à la fonction de l'individu, apte à renseigner, en tenant compte du tempérament, sur les dispositions de chacun dans l'accomplissement de sa tâche.

De nombreuses discussions anthropologiques et anatomiques naissent au sujet de la spécialisation de l'index chez l'homme. Il joue un rôle prépondérant dans son évolution, développant en lui une indépendance de mouvements absente chez l'animal. Le haut degré de mobilité de l'index dû à sa musculature particulière lui permet des « gestes » fort différents de ceux des singes, incapables d'employer leurs doigts séparément. Ce n'est, en conséquence, pas hasard si l'homme, par les positions de son index, suggère et exprime sa pensée consciente et persuade. Outre sa mobilité, la longueur de ce doigt chez les êtres humains prend un aspect caractéristique fondamental. Les singes disposent, eux, d'un index plus court que celui des hommes, ne dépassant en principe pas la phalange moyenne du médius.

L'index, doigt de Jupiter, planète de l'expansion, de la sociabilité et de la générosité... paternaliste ! Un index « normal » doit être aussi long que l'annulaire et atteindre la moitié de la phalangette du majeur. Un excès de longueur de l'index indique le plus souvent le besoin d'expansion mais aussi celui de commander, de régir, d'organiser et d'asseoir son pouvoir, sinon sa notoriété, sur un siège directorial inébranlable. Ce désir de commander s'avère vite de l'autoritarisme si la troisième phalange, celle de la base, se montre plus renflée que le reste du doigt et des phalanges de base des trois autres doigts.

Droit de la base à son extrémité, l'index marque la force de caractère et la puissance de décision. Si le tempérament le confirme, il en impose, personne n'ose interférer dans la marche de ses affaires. Cet individu-là n'éprouve nul besoin de se protéger, à la différence de ceux à l'index, l'annulaire et l'auriculaire tordus vers le majeur. Ces derniers érigent leur individualisme comme un rempart, seul garant — pensent-ils — de leur invulnérabilité..., mais garant aussi d'une certaine associabilité d'où découle une incapacité à l'adaptation à autrui et à la délégation.

Bien entendu (et lu !) les remarques sur l'index et les autres doigts perdent de leur sens quand il s'agit de déformations dues à la diathèse arthritique. De même il ne faut voir aucune signification d'ordre psychologique dans un cas de cachexie, affaiblissement général de l'organisme dont le symptôme immédiat, en médecine, revêt l'aspect d'une première phalange de l'index écourtée, déformée, avec une profonde altération de l'ongle.

L'esthétique de l'index diffère parfois de celle des autres doigts, preuve d'une distorsion entre le comportement social et professionnel et celui de la vie privée, entre le moi exprimé et le moi réel.

Après les deux catégories génériques déjà citées : doigts pointus et doigts carrés, deux autres types de formes nuançant respectivement les premières méritent certaines explications : aux doigts pointus reflétant l'imagination, l'intuition, la prédisposition au rêve et les goûts artistiques s'ajoutent les doigts coniques appartenant aux personnes compréhensives, de caractère aimable et d'esprit conciliant.

La peinture et la sculpture montrent certaines mains illustres de ce type ; celles de Marie-Antoinette, de Chateaubriand, de Victor Hugo présentent des doigts pointus ; celles de Lamartine, de Mazarin, de Léonard de Vinci des doigts coniques.

Les doigts carrés appartiennent aux gens pratiques, méthodiques, possédant souci de l'exactitude et sens des réalités.

De forme générale semblable à celle des doigts carrés, les doigts spatulés se différencient d'eux par leur terminaison évasée : ceux de l'artisan sachant le prix de son travail, de l'homme d'action ne doutant pas de sa valeur.

Pour le premier groupe se référer aux mains de Clemenceau, de Louis XIV, de Thiers, de Turenne. Pour le second, celles de Cromwell, de Lavoisier, de Napoléon III.

Hélas inconnue reste la dominante tempéramentale de ces divers personnages, empêchant ainsi de vérifier si ces observateurs l'infirment ou la confirment.

LE MAJEUR

Le majeur participe à la plupart des mouvements variés des doigts mais souvent d'une façon indirecte, moins accentuée que celle du pouce et de l'index. Il est intéressant de noter — sans aller plus avant, ces propos ne se voulant pas médicaux — l'attribution au majeur du reflet de l'état des viscères abdominaux. « Cela expliquerait — rapporte le docteur Charlotte Wolf — l'opinion attribuant à un majeur long la tendance à une certaine mélancolie, des conditions abdominales défectueuses engendrant la dépression ».

En rapport avec Saturne, planète de l'isolement, de la rigueur et de la recherche, le majeur traite ces domaines de la personnalité, correspond — en opposition au doigt de Jupiter représentant l'expansion et la vie extérieure — à la restriction et à la vie intérieure.

Médicalement pas attribués aux fonctions sexuelles, les rapports (!) de ce doigt avec la sexualité existent pourtant; il porte en effet par ailleurs la très ancienne et paradoxale (car en chirologie ce doigt symbolise la sobriété et la rigueur) dénomination d'« *impudicus* » *(voir figure 49 ci-contre)* par évocation d'un geste à la sublime obscénité pour un poète tel Pétrone ou à la vulgarité pornographique s'il s'agit d'un banal graffiti maculant, lâche, une affiche publicitaire dans le métropolitain ou bien encore simple insulte gestuelle ! Démonstration inédite du théorème de la Relativité !...

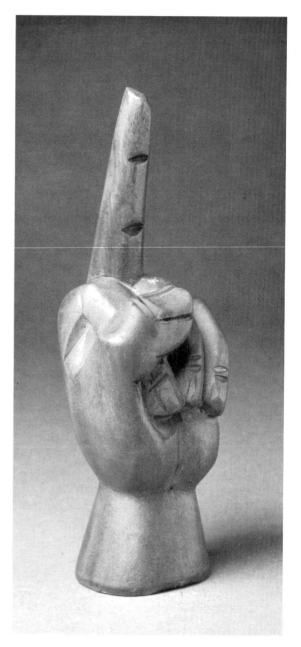

Figure 49

L'ANNULAIRE

L'annulaire se plie mal aux servitudes matérielles. Peu exercé au travail manuel, il semble plus disponible pour d'autres tâches, celles sollicitant les puissances affectives.

La tradition consacre ce doigt messager du rêve au service d'un idéal en le désignant par ce nom d'annulaire pour rappeler l'anneau et l'alliance, cette fois (une fois n'est pas coutume ni, a fortiori, tradition !...) elle n'a pas tort.

L'annulaire agit très peu sans l'assentiment des autres doigts dont il accompagne les mouvements. Cette observation image d'ailleurs la relative liberté dont jouit l'idéal pour s'accomplir et comment, ne pouvant faire cavalier seul sur les chemins utopiques de l'imaginaire, il se voit contraint de céder quelques pouces (!) à la réalité, se mettant au diapason du reste de l'orchestre (index, majeur, auriculaire) sous la baguette du chef (le pouce).

L'annulaire, appelé aussi « doigt du soleil » (voir page 215, ligne d'harmonisation), outre l'interprétation sur l'idéal, permet de cerner les critères impératifs régissant l'idéal de l'amitié : domaine abordé en détail dans le chapitre sur les dermatodigitaloglyphes.

Ne pas négliger l'importance de la longueur de la phalangette, sa prédominance marque la communion d'âme, préside à l'établissement des relations amicales bien plus que la raison (phalangine) ou l'intérêt matériel (phalange). Cependant cette même prédominance fait participer l'idéalisme aux relations amicales, confirmant ainsi l'idéalisme général de la personnalité observable par le désaxement des doigts par rapport à l'axe de la paume *(voir figures 50 page 138 et 51 page 139).*

Il sied alors d'apprécier la présence ou l'absence de ce désaxement non par rapport au bras mais par rapport à la paume. Ne pas négliger lors de cette étude la différence de désaxement des doigts de la main gauche et de la main droite. Elle s'explique par le degré inégal d'idéalisme caractérisant la personnalité de chacun des deux parents. Le plus souvent la main gauche reflète celle de la mère et la droite celle du père (cf. chapitre sur la latéralité). L'interprétation tient aussi compte des rôles respectifs de chacune des mains : un plus important degré de désaxement dans la main gauche rend la planification de l'action moins réaliste que la concrétisation ; dans le cas inverse, l'individu conçoit et prépare son action avec beaucoup de réalisme, il agit en fonction de ses états d'âme.

Le désaxement des doigts caractérise et confirme le diagnostic des mains de type *nerveux* et *sanguin,* idéalistes tous deux, le premier intellectuellement, le deuxième émotionnellement. En revanche, le désaxement des doigts dans une main de type *bilieux* ou *lymphatique* suggère un idéalisme sous-jacent auquel la personne donne peu l'occasion de s'exprimer.

L'importance de la longueur de l'annulaire par rapport à l'index nécessite aussi de l'observation. Il sied de procéder à cette comparaison les doigts serrés : si l'annulaire dépasse l'index au point de presque rejoindre le majeur, goût du risque considéré en caractérologie comme force intrinsèque, non comme une intention. L'annulaire long coexistant dans une main avec le départ lié des lignes vitale et mentale (chapitre sur l'interprétation des lignes) associe deux traits de la personnalité aux apparences inconciliables : le goût du risque et la prudence, ils équivalent au fameux, étonnant,

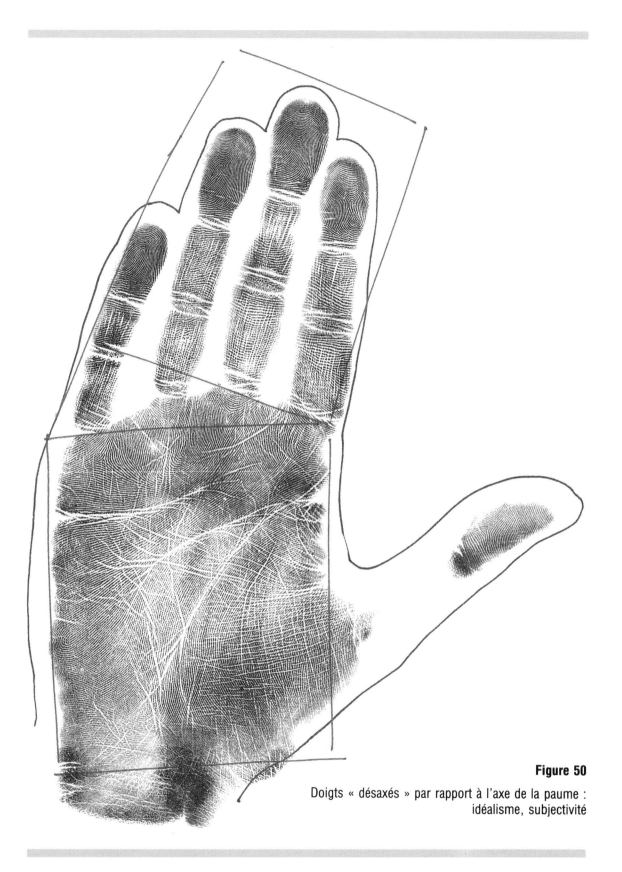

Figure 50

Doigts « désaxés » par rapport à l'axe de la paume :
idéalisme, subjectivité

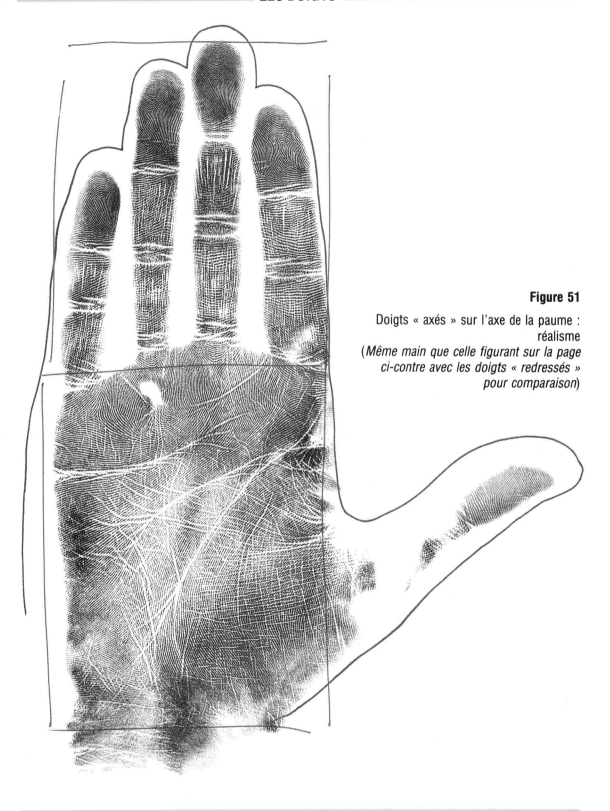

Figure 51

Doigts « axés » sur l'axe de la paume :
réalisme
(*Même main que celle figurant sur la page
ci-contre avec les doigts « redressés »
pour comparaison*)

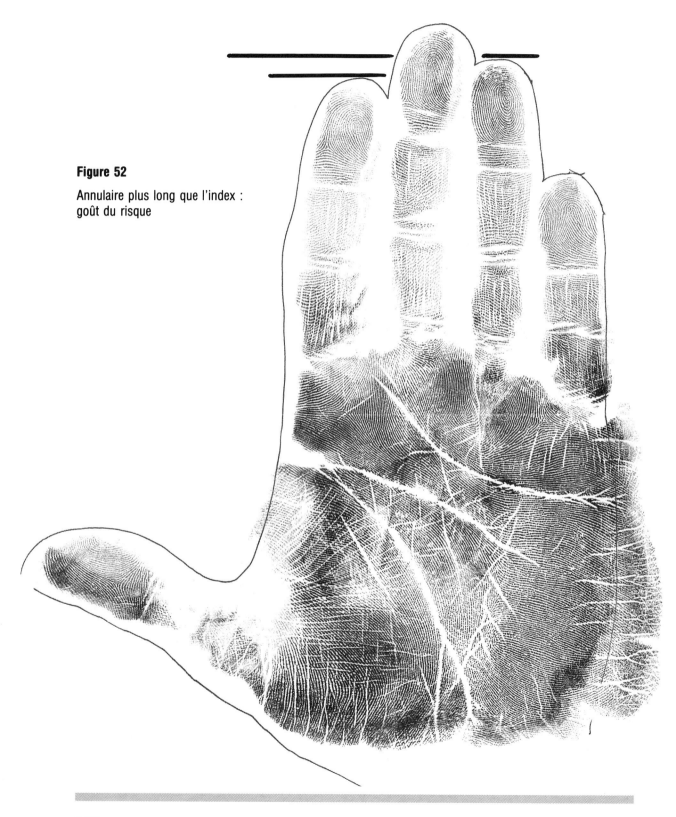

Figure 52

Annulaire plus long que l'index :
goût du risque

DEUXIÈME PARTIE : CARACTÉRISTIQUES GÉNÉRALES

contradictoire goût du risque calculé ! Le diagnostic de la dominante tempéramentale précise l'interprétation de ce goût du risque calculé ou non *(figures 52 page 140 et 53 page 142).*

Dans une main de type lymphatique

Surprise à trouver le goût du risque en ce genre de main, en effet le propriétaire, peu frondeur, se voit pourtant capable de prendre des risques mais pas seul ! Il ne décide pas lui-même de « s'embarquer » pour l'aventure, ravi d'affronter les risques… à la suite de ceux qui l'accompagnent susceptibles de le repêcher s'il vient à tomber dans une mer d'inquiétude !

Autre analogie : des truands de « seconde zone » croupissent en prison pour actes inconsidérés, seuls ils n'auraient pu les accomplir, mais ils agirent sous la houlette (ou le revolver !) de cerveaux de type **bilieux** qui, eux, courent encore…

L'utilisation de la chirologie, science à visage humain, dans le domaine pénal rendra l'application des peines plus humaines. La justice ne tiendra pas alors seulement compte de la gravité du forfait mais aussi du degré d'irréductibilité de la trajectoire délictuelle du prévenu ou du prisonnier ; degré appréciable par la chirologie car elle détermine par la force du tempérament si cet écart du droit chemin est un accident dont la cause s'avère la perméabilité à l'influence extérieure du sujet ou, au contraire, un choix délibéré.

La chirologie possède également la capacité d'indiquer le genre de délit inhérent à chaque tempérament. Sujet développé, avec celui non moins négligeable de la réinsertion après incarcération, à la fin de cet ouvrage dans la cinquième partie traitant de l'avenir de la chirologie.

Dans une main de type nerveux

Prévoyant par nature, le **nerveux** manifeste un goût du risque calculé. En fait il préfère l'idée du risque au risque lui-même. Il l'affronte, une fois prévu, la tête haute car l'esprit tranquille !

Dans une main de type sanguin

Faire allusion au goût du risque du **sanguin** tient du pléonasme comme parler d'un Basque autonomiste ou d'un ours polaire blanc ! Imprévoyant par nature, le **sanguin** possède en effet un don remarquable d'improvisation et d'adaptation à l'imprévu, plus efficace même si cet imprévu comporte un risque. Le risque calculé, il ne connaît pas car il ne calcule pas ! La spontanéité seule régit son comportement.

Dans une main de type bilieux

Le comportement du **bilieux** face au risque relève à la fois du comportement **nerveux** et du comportement **sanguin.** Il apprécie l'idée du risque et le risque lui-même. Prévoyant comme le **nerveux,** il calcule le risque potentiel mais tel le **sanguin** recherche le risque : en effet pour lui la facilité engendre la médiocrité. L'obstacle, et le risque par conséquent, le motive mais par efficacité il en vient vite à bout, sans nuance. Le **sanguin**, lui, peut prolonger par plaisir de l'improvisation.

L'AURICULAIRE

Ce long développement sur l'annulaire semble mettre à part l'auriculaire. De fait il se démarque des autres doigts par ses écarts (voir plus loin) et par sa petite taille. Benjamin de la famille, ses aînés supportent avec patience ses caprices d'enfant gâté, et

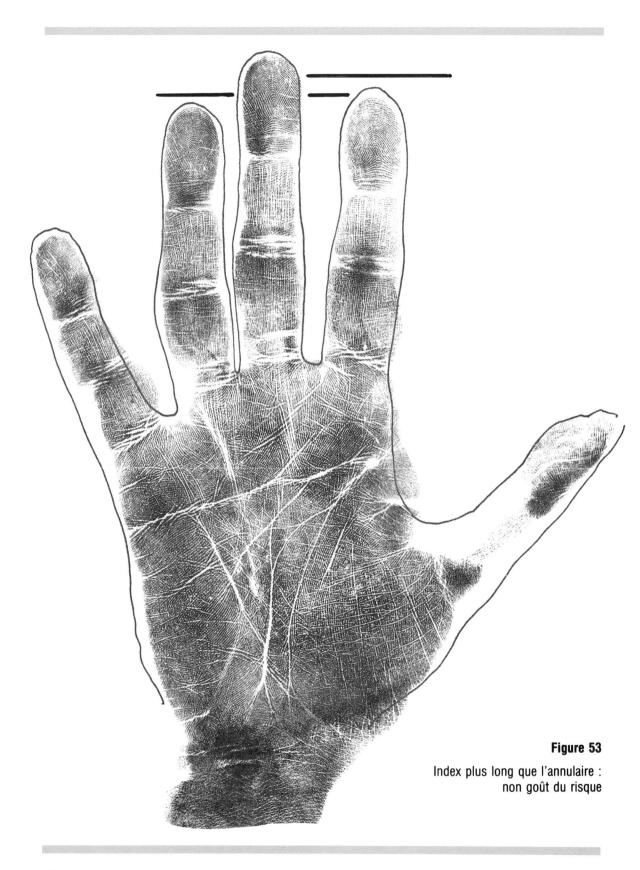

Figure 53

Index plus long que l'annulaire :
non goût du risque

DEUXIÈME PARTIE : CARACTÉRISTIQUES GÉNÉRALES

puis n'orne-t-il pas, plein de grâce, la main ?

Vif et nerveux, agile dans ses gestes, malhabile aux travaux manuels, il aime les jeux de scène. Il se complaît — grâce à la liberté de mouvement dont il dispose à l'inverse de ses comparses occupés, par exemple, à la délicate préhension d'une tasse de thé — en des attitudes sinon insolites du moins personnelles. Donnant alors l'impression d'oublier son entourage, il n'en perd pourtant pas une miette (de gâteau anglais !). Curieux, rien ne lui échappe, il perce tous les mystères. Son intuition légendaire explique le « mon petit doigt me l'a dit » de bien des grand-mères doctes et mutines. La *ligne d'intuition* doit venir confirmer cette intuition de l'auriculaire (cf. chapitre sur les lignes), le croisement des pouces aussi (cf. chapitre sur la latéralité).

Attribué à la planète Mercure, il reflète l'agilité mentale et la facilité de communication de son possesseur. L'aisance avec laquelle il se détache des autres doigts montre son besoin d'indépendance et sa curiosité naturelle. Cette observation amène la dernière partie de ce chapitre :

◾ L'écart des doigts entre eux

Il convient d'apprécier l'écart entre les doigts soit sur empreinte, soit par observation de l'attitude de la main posée à plat spontanément. Il faut aussi considérer les deux mains et interpréter en fonction des différences d'écart des doigts de la main gauche et de la main droite.

ÉCART AURICULAIRE-ANNULAIRE

Plus grand est cet écart, plus vivement se manifeste l'esprit d'indépendance ou l'indépendance d'esprit dépendant du tempérament *(figures 54 page 144 et 55 page 145).*

ÉCART ANNULAIRE-MAJEUR ET MAJEUR-INDEX

Ces deux écarts se traitent ensemble car complémentaires subordonnés, l'un à l'autre et inversement proportionnels : le majeur, par sa position intermédiaire entre l'index et l'annulaire, figure l'aiguille d'un baromètre indiquant la prédominance d'un des deux pôles. Le majeur, plus proche de l'index, traduit la primauté de l'ambition et de l'expansion, au contraire le majeur penchant du côté de l'annulaire annonce la prépondérance de l'idéal et de la vie amicale. Il sied de bien étudier les deux mains, le positionnement du majeur entre l'index et l'annulaire se révèle le plus souvent fort différent, voire, en apparence, contradictoire. L'interprétation en acquiert de l'intérêt : il s'agit de jauger alors la frontière entre ambition conceptuelle et ambition réelle et leurs interactions *(figures 54 page 144 et 55 page 145).*

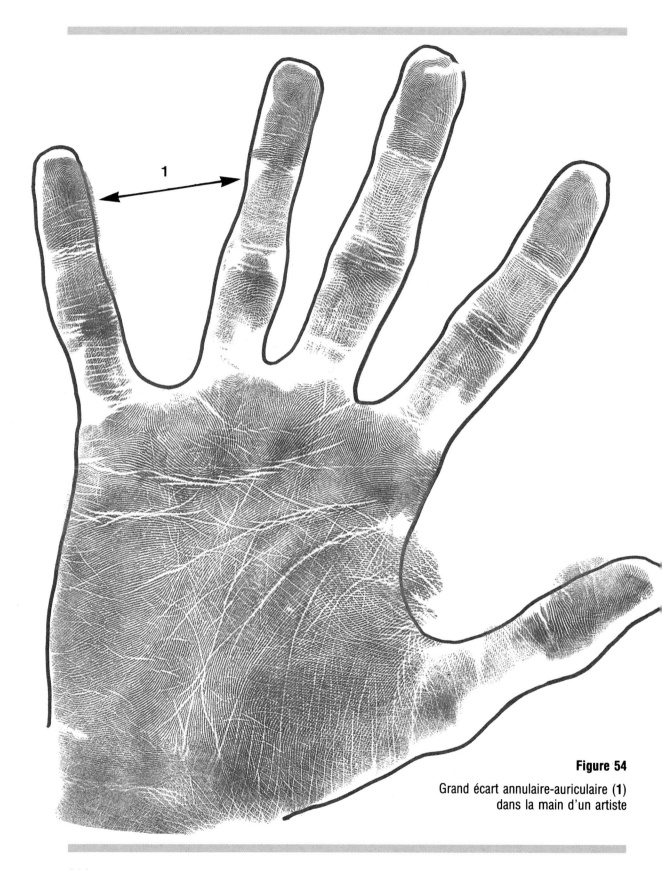

Figure 54

Grand écart annulaire-auriculaire (**1**)
dans la main d'un artiste

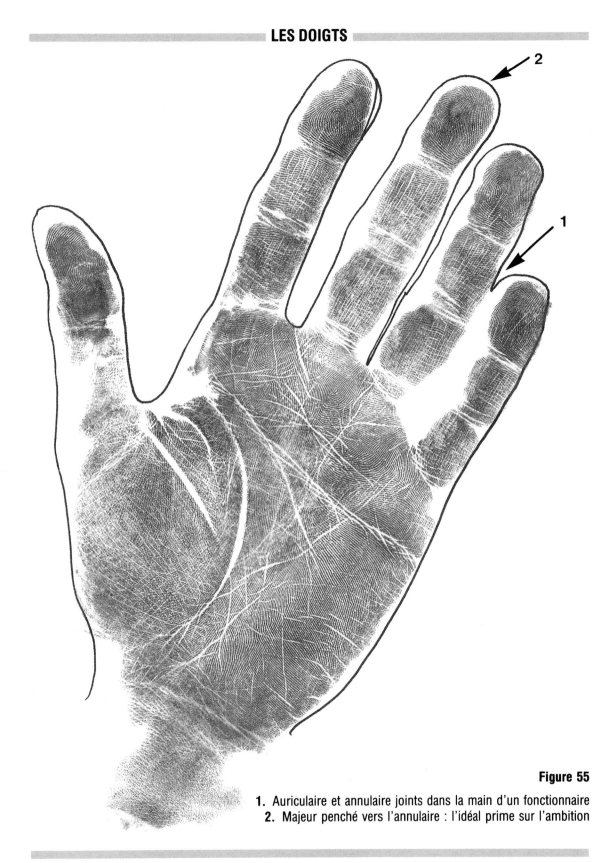

Figure 55
1. Auriculaire et annulaire joints dans la main d'un fonctionnaire
2. Majeur penché vers l'annulaire : l'idéal prime sur l'ambition

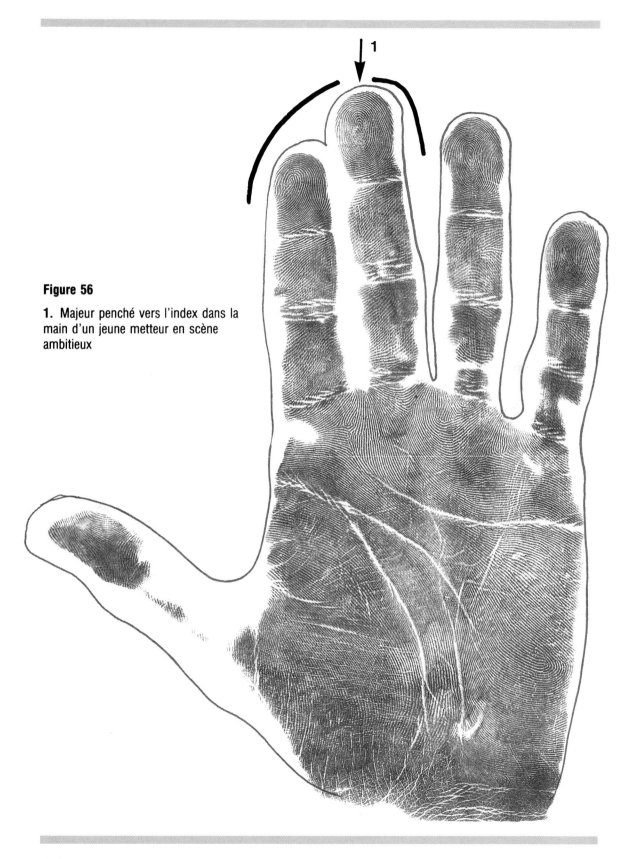

Figure 56

1. Majeur penché vers l'index dans la main d'un jeune metteur en scène ambitieux

LES QUATRE TYPES
DE DIGITALOGLYPHES

▮ Précision étymologique

Iconoclastie ! En effet élaborer un terme par l'association d'un préfixe latin avec un suffixe grec risque d'attirer sur nous les foudres conjointes et peu compatissantes des puristes latinistes et hellénistes, mais de réussir du même coup, pour une fois, à les mettre d'accord !

Il paraît pourtant plus orthodoxe de parler de dactyloglyphe car « dactylo » vient du grec *dactylos* et signifie doigt, glyphe du grec *gluphé* et signifie « trait en creux » d'après le Larousse, et « ciselure » pour le Robert (ce dernier précise l'entrée du mot glyphe dans la langue française en 1701).

Cependant avec le terme dactylo, par association d'idées, se présente à l'esprit la machine à écrire de la courageuse secrétaire puis les services de police recueillant les empreintes digitales des malfaiteurs (plus rarement celles des bienfaiteurs !) dont l'activité relève de la dactyloscopie.

Aussi sied-il de prendre en compte la provenance grecque mais indirecte du terme dactylo (indirecte parce que ayant transité, avec le substantif *dactylus,* par le latin) pour le remplacer par son synonyme latin *digitalis* et aboutir ainsi à *digitaloglyphes* ! Contents, messieurs les puristes ?

▮ Historique

La place acquise dans le folklore par les dessins digitaux revêt un aspect précis : les empreintes des doigts constituent en effet aujourd'hui des éléments culturels essentiels dans le système d'identité de beaucoup de pays, ce depuis le début du XXe siècle.

Dans les époques anciennes, un pou-voir magique fut attribué à ces signes par de nombreux dactylomanciens, parmi eux les dactylomanciens chinois, coréens et japo-nais valorisaient surtout (ils n'avaient pas tout à fait tort, voir explications plus loin) le tourbillon, dessin le plus fréquent dans ces populations d'alors et de maintenant. A ces tourbillons ils associaient les qualités de la réussite. Boucles et arcs, en conséquence, s'apparentaient aux caractéristiques moins désirables (là aussi explications à suivre).

Ainsi, d'après eux, dès la naissance le destin de l'individu se voyait gravé dans ses mains :

1 tourbillon signifiait qu'il resterait pauvre

2 tourbillons, qu'il deviendrait riche

3 ou 4 tourbillons, qu'il deviendrait banquier

5 tourbillons, qu'il était doué de savoir-faire (!)

6 tourbillons, il serait voleur !

7 tourbillons, il passerait par des situations difficiles...

8 tourbillons, il n'aurait pas à manger

9 tourbillons et une boucle, il mangerait toujours !

Point d'oracle sibyllin pour la présence de 10 tourbillons à cause de la rareté de ce cas de figure. Les dactylomanciens ne le mentionnent pas, démontrant ainsi un fait : sans être scientifiques ils connaissaient pourtant les principes morphologiques de ces dessins, leur fréquence, et jouaient sur des probabilités avec subtilité et psychologie.

Certaines activités de la vie sédentaire comme la céramique conditionnent l'homme à travers les temps, l'obligeant à manipuler des matériaux différents et à une transformation de ses gestes, de sa pensée et de son psychisme. L'amélioration des conditions de vie crée une nouvelle dimension de la division du travail et de la conception de la propriété. A l'argile est due la première technique, matière dans laquelle se conservent jusqu'à nos jours des empreintes. Au IIIᵉ siècle avant J.-C. les Chinois usent déjà des empreintes comme d'une signature rapide et sûre, rigoureusement individuelle ;

en témoignent maints documents de procès (procédé utilisé aussi au Japon). Des poteries et des morceaux de poteries gravées d'empreintes de pouces datant de cette époque montrent ce même intérêt pour les digitaloglyphes. Furent découvertes en Chaldée, sur un mur de brique primitif, deux empreintes digitales profondément imprimées dans la terre glaise. Mur, d'après les certitudes des archéologues, érigé par le roi de la seconde dynastie des Ur, régnant environ 2 800 ans avant notre ère (voir *Eléments de police scientifique* du professeur Sannié).

Avec l'avance technique de leur civilisation à cette époque, les Chinois auraient pu devancer Berthillon dans l'utilisation judiciaire des empreintes digitales, la réalité prend une allure différente car le système patriarcal d'organisation sociale orientait et canalisait la vie des gens, or le crime n'atteignait pas alors l'importance d'aujourd'hui. En conséquence il n'existait pas de spéculations centrées autour de systèmes d'identification.

En Occident, la conception du caractère individuel des empreintes et sa pratique pour l'identité résultent de plusieurs acquisitions culturelles et scientifiques du XVIIᵉ siècle en anatomie humaine et en technique histologique. En 1665, l'Italien Marcello Malpighi exprime ses idées à propos des organes tactiles humains (certaines cellules du derme portent d'ailleurs le nom de cellules de Malpighi). Un autre Italien, Oedefridi Bidloo, publie en 1685 une étude anatomique mettant en valeur les crêtes du pouce et les particularités de sa morphologie.

En 1788, une communication de Johann Christophe Andréas Mayer lance les fondements de l'identité en affirmant que les dessins ne s'avèrent jamais identiques chez deux personnes, même avec une grande ressemblance. Presque quarante années après, Jan Evangelista Purkinje, biologiste à l'origine de la découverte des cellules nerveuses (en particulier dans le cervelet), produit en 1823 une thèse sur la description des différents types d'empreintes digitales (classification en neuf types).

Deux Anglais pratiquent l'utilisation des digitaloglyphes pour l'identification au XIXe siècle : sir William J. Herschel, gouverneur du Bengale, l'appliqua dès 1860 pour éviter les fraudes des dignitaires ayant droit à des pensions payées par la reine Victoria... à l'exemple de Thomas Berwick (1753-1828), naturaliste et graveur qui signait ses œuvres d'une empreinte de son pouce. Puis, en 1880, Henry Faulds présente l'importance génétique des crêtes des dermatoglyphes et affirme la validité de l'examen des empreintes trouvées sur les lieux d'un forfait.

Pendant tout le courant de ce siècle, différents pays d'Europe entreprennent des études systématiques, avec l'appui des statistiques, du dessin des crêtes papillaires.

En France, une anecdote amuse : celui dont le nom restera dans l'esprit des gens avertis comme le précurseur et le spécialiste de l'utilisation du relevé des empreintes digitales comme technique policière, le docteur Berthillon, s'oppose longtemps et avec force à l'emploi de ces moyens d'investigation, préférant la méthode anthropométrique, sa spécialité, à la prise d'empreintes. Il change néanmoins d'avis lorsque le professeur Balthazar lui démontre, preuves à l'appui, l'individualité des dessins digitaux et palmaires, aidé en cela par la conclusion de l'Académie des sciences. Cette dernière charge cinq de ses membres, en 1907, d'Arsonval, Chauveau, Dastre, Ducloux et Provost, d'étudier la valeur identificatrice des empreintes.

« Le 1er juillet 1907, cite Charles Sannié, directeur de l'Identité judiciaire de Paris, dans son ouvrage *Eléments de police scientifique,* l'Académie des sciences admet que la dactyloscopie est la méthode d'identification la plus parfaite, la plus simple et surtout la plus infaillible. »

Cependant la classification française issue de cette étude dactyloscopique et utilisée en criminologie ne recueille pas l'unanimité des suffrages.

A l'inverse de la classification internationale utilisant trois types : Arch (arc), Loop (boucle), Whorl (spirale, tourbillon), la classification française adopte la tétratypologie des tempéraments (usant cependant et paradoxalement de cinq numéros pour les distinguer).

— numéro 1 : arc ;
— numéros 2 et 3 : boucles droite et gauche ;
— numéro 4 : volute simple ;
— numéro 5 : double volute *(voir figure 57 page 150).*

Les numéros 4 et 5 appartiennent au même groupe dans la tritypologie de la classification internationale. Cette tritypologie prend source des travaux de Galton (1822-1911). Biologiste anglais, il pose en 1888 deux principes fondamentaux : l'immuabilité et l'individualité des crêtes. Avec la collaboration de F. Howard Collins, statisticien, il analyse et répond aux questions sur la signification morphologique et biologique des crêtes. Important, l'apport de l'œuvre de Galton conditionne la tendance de l'école anglaise encore aujourd'hui : le laboratoire d'études de l'Université de Londres porte d'ailleurs son nom.

Harris H. Wilder, père de la terminologie « triradius », participe à ces études mais, critiquant les limitations dans lesquelles se cantonne Galton, il publie en 1902, 1904, 1916 et 1922 les conclusions de ses observations sur la morphologie des crêtes palmaires et aussi plantaires. En 1904, après avoir comparé les crêtes des Indiens, des Noirs et des Blancs, il conclut, fait fondamental, que les signes isolés ne contiennent pas assez d'informations pour justifier l'appartenance de quelques individus à une population donnée, la présence statistiquement prépondérante de ces signes seule ne distingue pas une population. Cela montre l'universalité de ces signes.

Des Anglais, des Américains aussi, se penchèrent sur l'évolution de l'étude des dermatoglyphes, d'où toute une littérature à ce sujet publiée dans la langue de Shakespeare.

En 1959, la France s'illustre à son tour (enfin !), aide à la progression des recherches dans le domaine de la génétique, par l'aboutissement des travaux d'éminents chercheurs : Jérôme Lejeune, Marthe Gauthier et Raymond Turpin. Ils établissent le rapport existant entre la maladie des mongoliens et la trisomie 21, attirent l'attention sur la manifestation de cette anomalie génétique confirmée par l'observation, à l'œil nu, des anomalies dermatoglyphiques. Ces malades portent depuis lors l'appellation de « trisomiques 21 ».

Cette découverte marque le début d'une investigation systématique des anomalies dermatoglyphiques associées aux aberrations chromosomiques. Les trisomies 18 et 13 — comme la trisomie 21 définie par la caractéristique de l'anomalie génétique, les autres types d'anomalie génétiques de même ordre ne reçoivent pas de nom spécifique mais se désignent par le chiffre caractéristique de l'anomalie précédé de trisomie —, la trisomie 8 mosaïque montre une augmentation de la fréquence des arcs (les « trisomiques 18 » possèdent au moins neuf de leurs doigts ornés d'arcs et 40 % des sujets ont même un arc sur chacun de leurs dix doigts) et un déplacement des boucles radiales ou autres.

Aujourd'hui les chercheurs se regroupent en une association internationale dont l'American Dermatoglyphic Association constitue le pilier. Les représentants fran-

Classification dactylotechnique
(identité judiciaire)

Numéro 1
Arc

Numéro 2
Boucle à droite

Numéro 3
Boucle à gauche

Numéro 4
Volute simple

Numéro 5
Double volute

Figure 57

çais de cette association forment un trop petit nombre pour ériger une association française. A noter parmi cette courte assemblée Mia Pereira da Silva, chercheur au laboratoire d'anatomie comparée du Muséum national d'histoire naturelle de Paris, et Edmond Iagolnitzer, chercheur au laboratoire d'anthropologie biologique à l'université Paris VII. Ce dernier crée en 1972 le mot « glyphologie » pour qualifier la première des trois voies vers lesquelles s'oriente la recherche dermatoglyphique :

• *Une première voie* pour laquelle les dermatoglyphes constituent l'objet propre d'une connaissance de nature biologique (anatomie comparée, embryologie, génétique, histologie, morphogenèse, morphologie structurale, transmission héréditaire, etc.).

• *Une seconde voie* pour laquelle les dermatoglyphes se considèrent comme témoins du développement embryologique. Il convient alors d'associer des éléments pathologiques à des aspects particuliers de ces dermatoglyphes avec l'espoir de trouver

ainsi le signe pathognomique témoin. Les recherches de Turpin, Gauthier et Lejeune s'engagent dans cette voie-là et permettent à la chiroscopie médicale d'établir des diagnostics à l'admirable justesse. Gilbert Decamps, chirologue bruxellois, s'attacha à développer ce domaine, certains médecins tel le docteur Yves Vandeput, bruxellois aussi, prennent les empreintes des mains de leurs clients comme outils de diagnostic.

• *Une troisième voie* pour laquelle les dermatoglyphes apportent un ensemble de caractère biométrique original dans les recherches d'anthropologie biologique. Un grand nombre de paramètres de natures très diversifiées, aussi bien qualitatifs que quantitatifs, pour la plupart établis de façon définitive dès le troisième mois de la vie intra-utérine, décrivent la surface dermatoglyphique. Cependant, même génétiques, par définition programmés, certains caractères quantitatifs de ces dermatoglyphes se voient aux effets de l'environnement durant les trois premiers mois après la fécondation, au contraire de la plupart des autres caractères anthropométriques quantitatifs.

Parallèle
avec l'embryogenèse

Cette dernière voie surtout intéresse la chirologie, elle se dégage toutefois des autres démarches d'investigation par une préférence pour une classification tétratypologique sensiblement différente de celle de la police française.

Vladimir Kariakine justifie cette tétratypologie dans sa thèse *Tétratypologie des dermatoglyphes chez l'homme et chez le*

singe, malheureusement non défendue devant un jury car présentée en 1968 à la faculté de lettres de Paris ! V. Kariakine étaye son propos par la description de l'évolution de l'embryon du poulet, animal le plus accessible pour l'étude de l'embryogenèse en général et donc de celle de l'homme.

Lecteur, suivez maintenant avec patience et vigilance le raisonnement à venir, les conclusions vous apparaîtront alors flagrantes, amenant sur vos lèvres plutôt desséchées le « bon sang mais c'est bien sûr » de la délivrance !

Après environ treize heures d'incubation surgit, dans la partie supérieure de l'aire transparente de l'œuf, un croissant à deux feuillets : l'extoblaste et l'endoblaste, et, au milieu de la partie centrale, une ligne appelée ligne primitive.

A partir du feuillet antérieur, endoblastique, commence à se former vers la seizième heure d'incubation un troisième feuillet : le mésoblaste ou, comme son nom l'indique, feuillet intermédiaire. « Blaste » provient du grec *blastos,* bourgeon ; *ecto, meso* et *endo* proviennent aussi du grec et signifient respectivement en dehors, intermédiaire, en dedans.

Le feuillet endoblastique donne naissance aux viscères et à l'appareil digestif et connexe. Le feuillet mésoblastique forme l'appareil respiratoire-sanguin et les tissus. Lorsque ces deux systèmes viennent à se fixer sur la ligne primitive, où déjà commencent à percer les somites (futures vertèbres), ils se séparent pour la formation du diaphragme.

En parallèle, le feuillet ectodermique s'invagine, forme une rigole et déverse à l'intérieur des somites la substance céphalorachidienne, laquelle recevra après sa formation le système nerveux.

A partir de la vingt-quatrième heure d'incubation, la position des appareils commence à se préciser. L'utilisation de la tritypologie se justifierait si l'on considérait uniquement la formation des tissus mais pas lors d'un examen d'ensemble de la formation d'un être vertébré. En effet, affirme Vladimir Kariakine, pour la synthèse de l'être la formation de cette structure ne peut s'abstraire car elle occupe une place prépondérante dans le soutien de tous ces divers systèmes.

Un aperçu simplifié de l'embryogenèse du poulet, appartenant comme l'homme aux vertébrés, attire l'attention sur les théories morphopsychologiques du professeur américain Sheldon et sur l'aspect incomplet de l'approche biotypologique de l'homme (ou caractérologie corrélationnelle) avec la seule considération des trois feuillets participant à la formation morphologique de l'être et classent ainsi les individus en trois catégories.

Or, le développement de la lame médullaire issue de la ligne primitive (ou chorde) se consolide à l'aide des somites lors de la formation prévertébrale. Les trois feuillets donnent naissance à des appareils divers habillant la chorde d'où provient le système osseux.

La chorde apparaît en premier mais achève de se développer en dernier.

ORDRE DE DÉVELOPPEMENT DE LA STRUCTURE MORPHOLOGIQUE

1) système nutritif
2) système respiratoire
3) système nerveux (avec son organe central : le cerveau)
4) système osseux

Chacun de ces systèmes correspond à un des quatre tempéraments :

1) système nutritif = tempérament **lymphatique**

2) système respiratoire = tempérament **sanguin**

3) système nerveux = tempérament **nerveux**

4) système osseux = tempérament **bilieux**

La logique et la hiérarchie de cet ordre se retrouvent à tous les niveaux et dans tous les domaines de l'évolution de l'homme et du monde.

Le fœtus se développe, de façon globale, ainsi : le tube digestif (**lymphatique**) se montre le premier, sur le support du feuillet interne ; puis vient l'appareil respiratoire (**sanguin**) sur le support de l'intestin céphalique. Le tube médullaire (**nerveux**) se forme à une période plus avancée du développement. Enfin les membres (**bilieux**) font saillie vers la cinquième semaine. Leurs segments se montrent une semaine après et l'ossification commence à partir du troisième mois.

De la fécondation à la mort, l'homme traverse ces quatre étapes de tempérament. Les neuf mois de vie fœtale constituent la partie lymphatique de l'existence, vie végétative alimentée par les racines placentaires, vie aquatique (élément symbolique : eau), tel un poisson dans le liquide amniotique. Le cri de la naissance représente le cri de départ de la vie aérienne et respiratoire, le nouveau-né emplit d'air ses poumons et débute alors sa vie sanguine (élément symbolique : air). Cependant, en prolongement de sa vie lymphatique, l'enfant conserve des besoins quasi identiques à ceux de l'époque antérieure : boire, manger, dormir. Cela confirme la dominante physique des tempéraments **lymphatique** et **sanguin.**

La première étape est *physique passive* : le fœtus reçoit, en totale dépendance vis-à-vis de sa mère.

La seconde étape est *physique active* : l'enfant naît, il bouge, dépense son trop-plein d'énergie, explore l'espace et le

contexte l'entourant puis commence à demander *pourquoi* mais ne comprendra le *comment* (ou le trouvera de lui-même) qu'à partir de la troisième phase de son évolution, parvenu à l'étape du tempérament **nerveux** (élément symbolique : terre) commençant environ à partir de *l'âge de raison.* Les éducations familiale et scolaire aideront à éclore et façonneront son mode de pensée. Il se meut en un être cérébral, doué de raison (presque raisonnable) mais non encore responsable. Il le deviendra au cours de la quatrième phase de son évolution, la phase bilieuse. De l'idéalisme et de l'insouciante subjectivité du tempérament **nerveux** il passe au réalisme et à l'objectivité nécessaires pour affronter avec l'efficacité bilieuse les réalités du monde adulte.

Cependant tout cela appartient à la théorie, chacun des individus s'arrête en effet au stade de sa dominante tempéramentale :

• *le lymphatique* en reste un sa vie durant, ne connaissant pas alors les autres étapes. Il ressemble à un grand bébé à prendre par la main, dorloter, protéger...

• *le sanguin* connaît, lui, étapes lymphatique et sanguine, cette dernière le maintient, même une fois devenu adulte, casse-cou, risque-tout, audacieux comme les enfants avides de découvrir et d'explorer, quitte à faire preuve de caprices si l'on a l'impudence de les en empêcher !

• *le nerveux,* après l'expérimentation des phases lymphatique et sanguine dont il se départ, prend le contrepied des besoins quasiment physiques de la vie lymphatique et privilégie l'aspect intellectuel, voire culturel et artistique de ses occupations. Il devient individualiste à l'inverse du sanguin collectiviste ;

• quant au *bilieux,* il passe avec rapidité par les trois phases décrites ci-dessus, très tôt responsable, concret et entreprenant, conservant de ce voyage tritempéramental les ambiances de chacun des tempéraments pour mieux connaître leurs forces et leurs faiblesses, et ainsi mieux les contrôler.

Dans l'évolution de notre planète, cette tétraprogression se retrouve au niveau des ères géologiques, comme l'explique le docteur Paul Carton dans son ouvrage *Diagnostic et conduite des tempéraments* : « Le terrain primaire ou **lymphatique** est caractérisé par l'intensité de la vie en milieu humide (apparition des poissons, luxuriance végé-tale de l'étage carbonifère). Dans le terrain secondaire ou **sanguin,** la vie aérienne apparaît exubérante (sauriens, reptiles, oiseaux monstrueux). Le terrain tertiaire ou **nerveux** est le règne des mammifères où le système nerveux arrive à sa prépondérance. Enfin, à l'époque quaternaire ou **bilieuse** apparaît l'homme qui synthétise, unifie et dirige à lui seul l'œuvre de l'évolution entière. »

Attribution de chacun des types de digitaloglyphes à l'un des quatre tempéraments

Selon la classification française modifiée en partie par nos bons soins ! (voir figure 58 page ci-contre)

EMPREINTE DIGITALE TYPE NUMÉRO 1

L'arc est l'attribut digitaloglyphique du tempérament **nerveux,** son interprétation théorique en découle donc et marque la prédominance de l'activité mentale, des formes abstraites de la pensée, la richesse d'imagination caractérisant le type *penseur* de la classification du docteur Viard chercheur, dont Vladimir Kariakine s'avoue l'un des disciples.

EMPREINTE DIGITALE TYPE NUMÉROS 2 et 3

Elles appartiennent à une même famille, celle du tempérament **sanguin.** Deux boucles en symétrie verticale inverse, dessinées en miroir l'une de l'autre. La première orne en général la main gauche, la seconde la main droite. Dans ce cas elles portent le qualificatif de cubitales, dans le cas inverse — du moins pour l'index et avec une probabilité moindre pour le majeur — elles se nomment radiales, et cela amène une certaine restriction par rapport à l'interprétation habituelle avec l'importance primordiale de la sphère émotivo-affective. La réceptivité mentale s'accompagne d'activité physique et définit le type *mobile (voir figure 58 page ci-contre).*

154   DEUXIÈME PARTIE : CARACTÉRISTIQUES GÉNÉRALES

Classification des digitaloglyphes selon les tempéraments

TOURBILLON

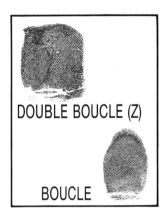

DOUBLE BOUCLE (Z)

BOUCLE

BILIEUX | SANGUIN

NERVEUX | LYMPHATIQUE

ARC

VOLUTE
CONCENTRIQUE

Figure 58

EMPREINTE DIGITALE TYPE NUMÉRO 4

A partir de ce point notre classification diffère de la classification française.

L'appellation « volute simple » (par opposition à celle de « double volute » qualifiant le dessin numéro 5) correspond en fait à plusieurs dessins et nécessite des éclaircissements.

La volute concentrique appelée aussi « tourbillon cible » par Bernadette Rostand (interne des hôpitaux de Paris, auteur, avec les conseils des professeurs Turpin et Lejeune, d'une thèse médicale en 1965 sur *Les dermatoglyphes humains*, observée surtout chez les peuplades sédentaires), s'accorde avec des formes habitudinaires de comportement et de pensée typiques du *sédentaire* et s'attribue au tempérament **lymphatique.**

La « volute spiralée » (toujours selon l'appellation de B. Rostand) se nomme « tourbillon » dans notre classification et traduit un besoin de suractivité physique et mentale du **bilieux.** Ce dynamisme appartient au *réalisateur.*

EMPREINTE DIGITALE TYPE NUMÉRO 5

Délaissons le terme « double volute » de la classification dont nous nous démarquons pour lui préférer celui de « double boucle » correspondant mieux à la réalité psychologique à laquelle se rattache ce digitaloglyphe.

Caractéristique des tempéraments **bilieux** et **sanguin,** ce dessin reflète et conjugue les multiples facettes de chacun d'eux.

La boucle, typique du tempérament **sanguin,** traduit la nécessité de contacts humains, le refus de la routine, la passion et surtout le dynamisme du *corporel actif,* du *mobile.* La double boucle doublerait-elle le dynamisme ? Non. En sens inverse l'une de l'autre leurs dynamismes respectifs s'annulent, reflétant ainsi l'effet inhibiteur du perfectionnisme, caractéristique de ce dessin, perfectionnisme pourtant constructif et réalisateur relevant alors du comportement **bilieux.** Facteur déterminant du contexte tempéramental car ce perfectionnisme, prison ou marchepied, enferme les uns dans une insatisfaction passive, le mécontentement, mais aiguillonne les autres et leur permet d'exprimer leur côté réalisateur, appartenant au tempérament **bilieux.** Ainsi, par leurs potentialités, les dynamismes contraires de la double boucle trouvent un point d'entente, un juste milieu transformant l'inhibition en un mouvement rotatif actif.

Comme pour la boucle classée en dessin numéro 2 ou 3 suivant son appartenance à la main gauche ou à la main droite, il faut différencier les deux sortes de double boucle. Numéro 5 : celle en forme de Z de la main gauche ; numéro 6 : celle en forme de S (en miroir de la précédente) de la main droite. Respectivement *double boucle Z* et *double boucle S.* La double boucle, typique de la main gauche, n'orne jamais la main droite et vice versa. Cela prouve une différence avec la boucle où un tel jeu tient du possible.

NOMBRE DE DELTAS PAR DIGITALOGLYPHE

Pour mieux différencier les nombreux cas, les services compétents utilisent la position d'un petit triangle appelé « delta » (ou « apex », dernière appellation plutôt anglo-saxonne) ; point où les incurvations des lignes dermatologlyphiques changent de direction en formant une confluence de trois systèmes d'évolution. La présence ou l'absence du delta confirme le classement :

- L'arc n'en possède pas.

- La boucle en possède un, situé sur le bord radial du doigt lorsque la boucle est cubitale et à l'inverse.
- La volute concentrique, le tourbillon et la double boucle se caractérisent par deux deltas.

Vladimir Kariakine signale la triple et même quadruple présence du delta dans certains digitaloglyphes (rare).

Nombre de deltas selon les digitaloglyphes

PAS DE DELTA   UN DELTA   DEUX DELTAS

TOURBILLON

TOURBILLON

VOLUTE CONCENTRIQUE

DOUBLE BOUCLE

Figure 59

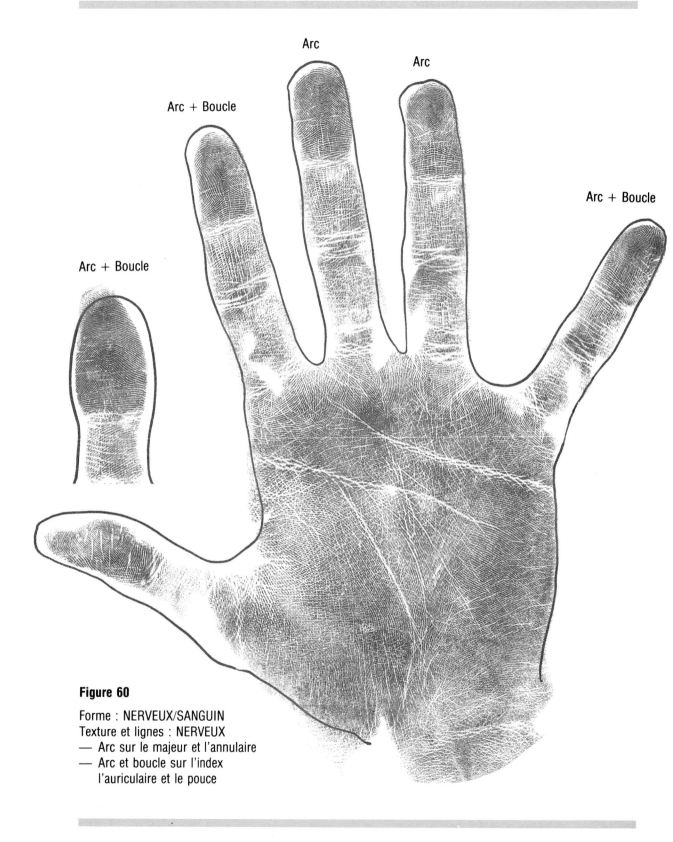

Arc

Arc

Arc + Boucle

Arc + Boucle

Arc + Boucle

Figure 60

Forme : NERVEUX/SANGUIN
Texture et lignes : NERVEUX
— Arc sur le majeur et l'annulaire
— Arc et boucle sur l'index
l'auriculaire et le pouce

Interprétation des digitaloglyphes par rapport à chaque doigt

L'ARC

Sur le pouce

Volonté faible et souvent velléitaire, mais sous-tendue par un attrait intellectuel elle peut se montrer efficace... un court instant ! Efficacité dépendant d'un contexte motivant lui épargnant la routine *(voir figure 60 page ci-contre)*.

Sur l'index

Très individualiste dans sa vie professionnelle, cette personne doit trouver une structure (entreprise, association...) pour concilier une apparente contradiction : travailler en groupe mais seule ! Elle s'épanouira dans un rôle de conseil artistique, technique ou psychologique, surtout si sa prévoyance s'avère une qualité professionnelle nécessaire *(figure 61 page 160)*.

Sur le majeur

Esprit méticuleux possédant plus le sens de l'analyse que celui de la synthèse, toujours intéressé à savoir le pourquoi et le comment des choses, de chaque raisonnement. Si le tempérament le confirme, être plutôt secret *(voir figures 60 page ci-contre et 61 page 160)*.

Sur l'annulaire

Cet individu choisit ses relations et ses amis en raison de leur capacité à alimenter sa curiosité mentale. Fidèle en amitié et en amour, il préfère parfois prendre ses distances afin d'éviter l'habitude et le pâle quotidien et garder ainsi la possibilité d'étonnement à constater l'évolution de ses amis, enfin de ceux acceptant de le voir une fois tous les six mois ! Il pèse ses décisions et respecte la parole donnée *(voir figures 60 page ci-contre et 61 page 160)*.

Sur l'auriculaire

Présence plutôt rare sur ce doigt de ce digitaloglyphe (un individu sur cent d'après Commins et Midlo, auteurs de l'ouvrage *Fingers, Prints, Palms and Soles,* paru en 1961 et faisant date dans les études de ce domaine). L'arc orne alors l'auriculaire mais aussi l'annulaire, le majeur et l'index, parfois même le pouce. Il s'agit d'un individu (du moins la plupart du temps) de tempérament **nerveux**. Il présente une nette propension à cérébraliser et à théoriser sa vie en général, son intuition en particulier.

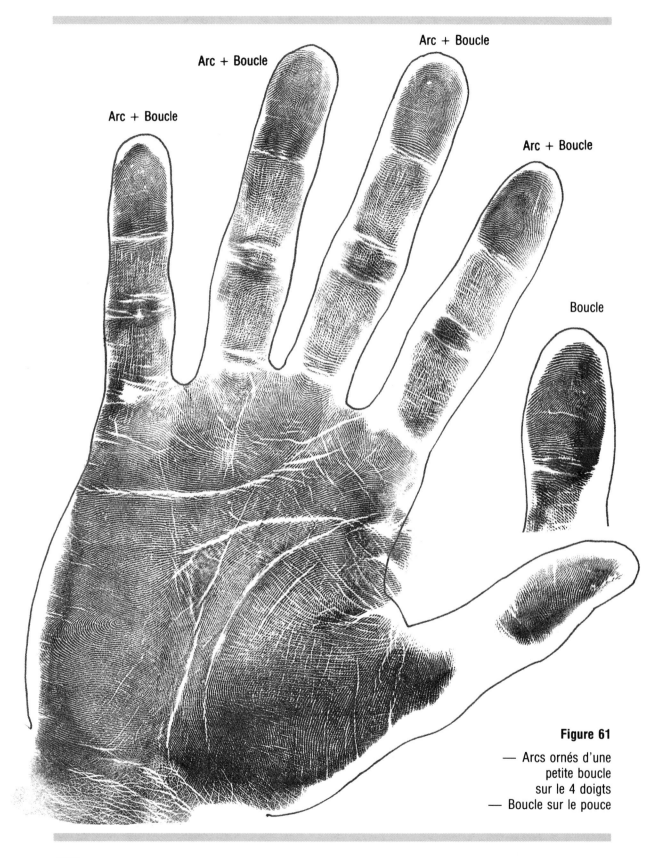

Arc + Boucle

Arc + Boucle

Arc + Boucle

Arc + Boucle

Boucle

Figure 61

— Arcs ornés d'une petite boucle sur le 4 doigts
— Boucle sur le pouce

LA BOUCLE

Sur le pouce : boucle cubitale

Volonté de type « hors-bord », impulsive, rapide et de courte durée, motivée par l'imprévu donnant libre cours à l'improvisation, à l'adaptation rapide. Il faut combiner passion, mouvement et contacts humains pour intéresser cette volonté.

Sur le pouce : boucle radiale

A notre connaissance le pouce n'en possède jamais *(voir figure 63 page 163).*

Sur l'index : boucle cubitale

Signale la capacité et la volonté de rapidité d'exécution d'une tâche par le sujet et la facilité d'adaptation et d'improvisation. L'individu, contrairement au possesseur de l'arc, n'est pas un théoricien, il aime agir, surtout sur du concret. Si cette boucle accompagne le tempérament **sanguin,** il s'agit d'un meneur, d'un dynamiseur de groupe, doué pour les contacts humains. Chez un **nerveux** ou un **bilieux,** la présence de la boucle sur l'index rend plus sociable et plus adaptable que s'il s'orne d'un arc ou d'un tourbillon. Au **lymphatique** elle confère un dynamisme et une rapidité de compréhension faisant de lui un précieux collaborateur *(voir figure 62 page 162).*

Sur l'index : boucle radiale

Si le digitaloglyphe se tourne vers celui du pouce, l'index semble se mettre au diapason du chef d'orchestre : adaptation inhérente à la boucle, cette fois sous le contrôle de la volonté. Il ne s'agit plus de l'adaptation type caméléon, c'est-à-dire sans restriction, mais d'une volonté ou non d'adaptation, d'une adaptation conditionnelle ! En effet l'individu s'adapte aux circonstances si elles le motivent, donc s'il le décide. L'interprétation du digitaloglyphe du pouce prend alors toute son importance pour le verdict :

— si le pouce s'orne d'un *tourbillon,* l'adaptation aux circonstances se fera en vue de le contrôler en fin de parcours ;

— si le pouce s'orne d'une *boucle,* il s'agit alors d'une réelle volonté d'adaptation ;

— si le pouce s'orne d'un *arc,* l'adaptation appartient davantage à la pensée qu'à l'action. Cette adaptation cérébralisée s'explique par le besoin de comprendre les tenants et aboutissants des nouvelles données auxquelles il doit s'adapter ;

— si le pouce s'orne d'une *double boucle,* l'individu adopte une position extrémiste : soit il s'adapte sans condition, poussant la perfection jusqu'au bout, soit il attend pour s'adapter la situation et le moment les plus favorables trouvant toujours une bonne raison de rester attentiste ;

— si le pouce s'orne d'une volute concentrique, il s'agira d'une bienveillante volonté (!) de l'individu de laisser le soin au contexte, aux événements ou à l'entourage de l'y adapter !

Précision importante : la *boucle* radiale orne plus souvent la main droite (et l'index droit) que la main gauche. L'adaptation conditionnelle relève en conséquence plus souvent de l'action elle-même que de la conception de l'action.

Sur le majeur : boucle cubitale

Sur ce doigt la *boucle* confère à son possesseur l'ouverture d'esprit et l'adaptation nécessaires pour diversifier son sens de la recherche, mais il risque aussi de se lasser assez vite *(voir figure 62 page 162).*

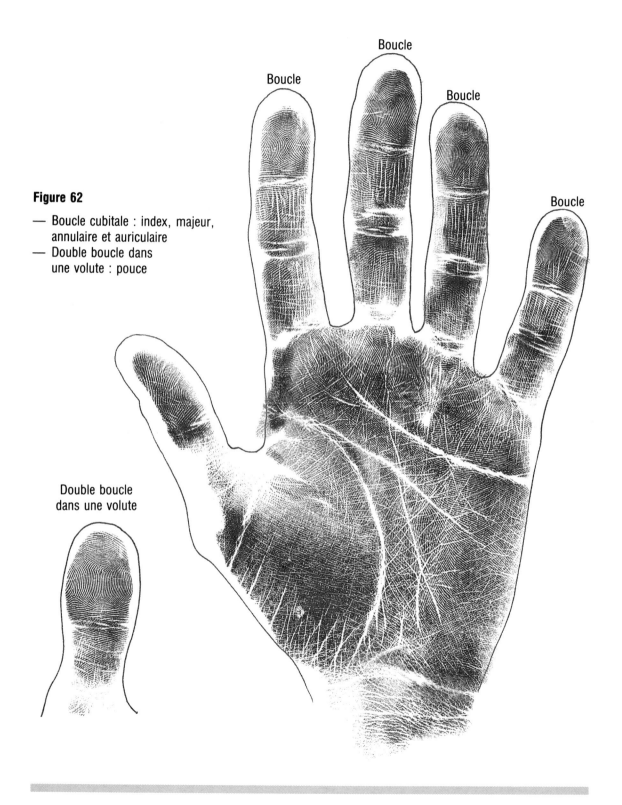

Boucle

Boucle

Boucle

Boucle

Figure 62

— Boucle cubitale : index, majeur,
  annulaire et auriculaire
— Double boucle dans
  une volute : pouce

Double boucle
dans une volute

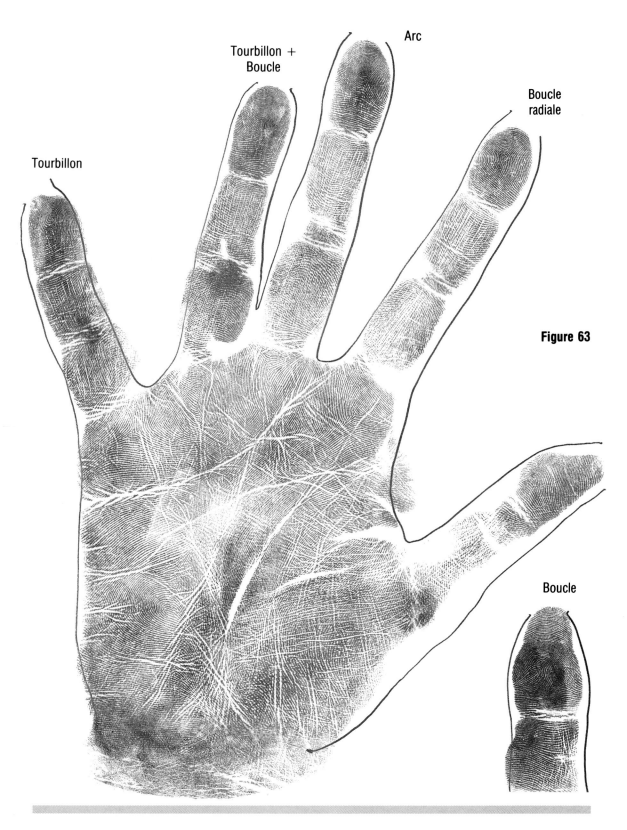

Tourbillon + Boucle

Arc

Boucle radiale

Tourbillon

Figure 63

Boucle

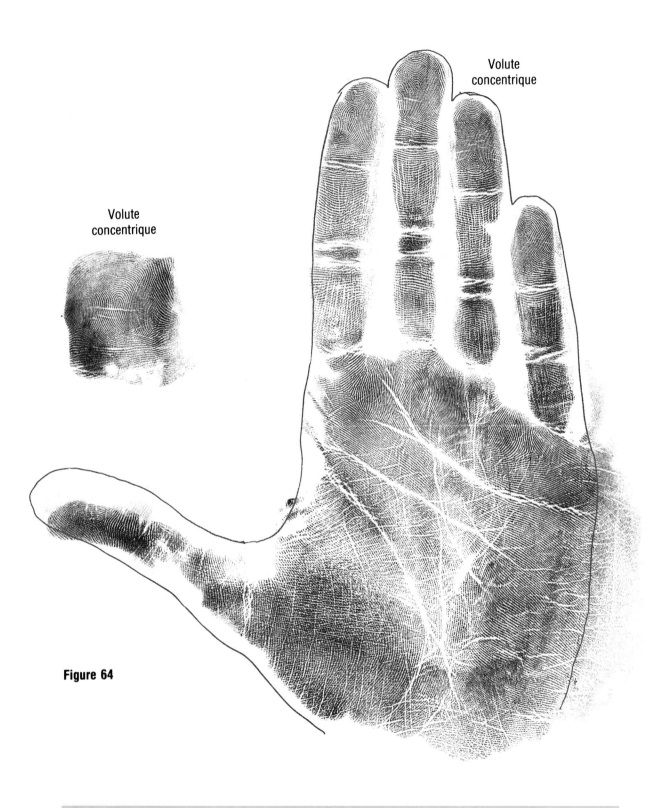

Volute
concentrique

Volute
concentrique

Figure 64

A l'inverse du détenteur de l'*arc,* il s'intègre avec aisance dans un travail d'équipe et s'adapte au rythme du groupe.

Sur le majeur : boucle radiale

Cas rare et rarement isolé (la présence de cette boucle sur le majeur se joint en général à celle de cette même boucle sur l'index), renchérit l'interprétation de la *boucle* radiale sur l'index : interprétation de l'adaptation conditionnelle à la recherche en groupe.

Sur l'annulaire : boucle cubitale

Quant aux choses du cœur, critère primordial réglant la sélection naturelle des amitiés. Cet individu ne supporte pas les caractères mous, recherche la compagnie des gens dynamiques, passionnés et, s'il est **sanguin** ou **lymphatique**, rabelaisiens ! La réalisation de son idéal passe d'abord par celle de son être affectif *(voir figure 62 page 162).*

Boucle radiale

Le professeur Penrose du laboratoire Galton a découvert, rapporte Beryl B. Hutchinson dans son livre *La main reflet du destin,* la relation existant entre la présence d'une boucle radiale sur l'annulaire et un trouble de la répartition des chromosomes. Cependant nous n'en avons pas observé et

ne pouvons, en conséquence, pas nous prononcer sur l'affirmation précédente ni sur une quelconque interprétation psychologique.

Sur l'auriculaire : boucle cubitale

« La boucle occupe environ 90 % des petits doigts où elle se trouve parfaitement à sa place car elle rend le sujet réceptif au plus haut point : elle l'aide dans tous les domaines, elle favorise les cheminements de son Moi caché, elle lui donne même une pointe d'humour », écrit toujours Beryl B. Hutchinson *(voir figure 62 page 162).*

Compte tenu de la haute fréquence de présence de la *boucle* sur l'auriculaire, elle n'apporte rien de caractéristique. A noter cependant, pour confirmation des écrits de B. Hutchinson, que la boucle, digitaloglyphe de la réceptivité, possède toutes les meilleures raisons de s'installer à l'aise sur l'auriculaire, doigt de l'intuition ! Pour le reste, il sied de demeurer pensif devant l'imprécision de la phrase : « elle favorise les cheminements de son Moi caché » et de considérer que l'humour ne caractérise pas 90 % des individus, hélas !...

Sur l'auriculaire : boucle radiale

Elle n'existe pas, à notre connaissance, sur l'auriculaire.

LA VOLUTE CONCENTRIQUE

Sur le pouce

Correspond à une volonté d'immobilisme, d'inaction. L'individu ne parvient pas à prendre la décision d'agir et se montre d'une remarquable capacité à ne vouloir

rien faire ! Surtout si le pouce possède de surcroît une extrémité assez grosse. Il peut assurer le rôle de collaborateur efficace si l'on sait ne pas tromper sa confiance *(voir figure 64 page ci-contre).*

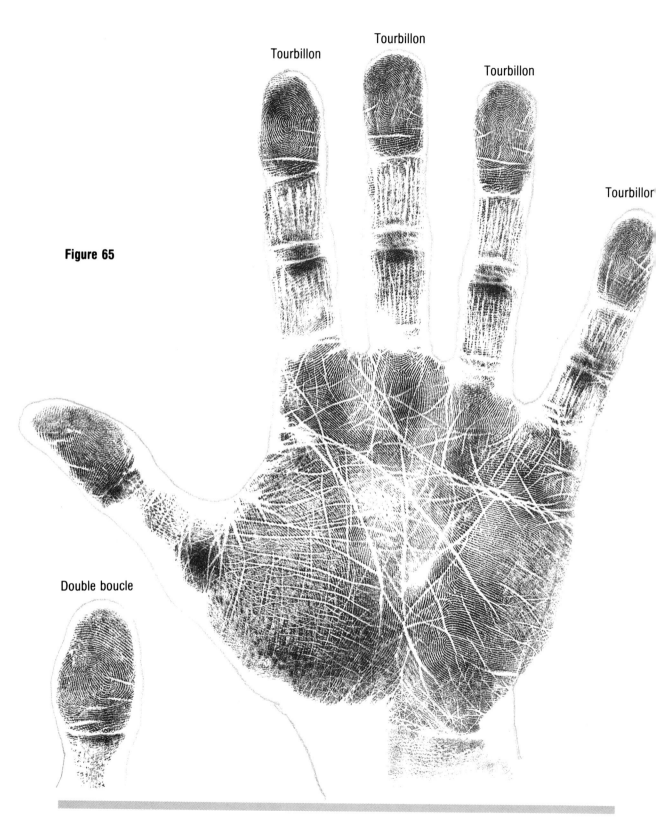

Tourbillon

Tourbillon

Tourbillon

Tourbillon

Figure 65

Double boucle

DEUXIÈME PARTIE : CARACTÉRISTIQUES GÉNÉRALES

Sur l'index

Signe de l'esprit fonctionnaire engendrant le comportement fonctionnaire si ce digitaloglyphe orne l'index d'un **lymphatique**. Il s'agit de personnes s'épanouissant professionnellement (et personnellement) dans un cadre rassurant : sécurité d'un emploi hiérarchisé dont la valeur « attend le nombre des années... », réglé par des horaires précis.

Sur le majeur

Les porteurs de *volutes concentriques* sur ce doigt présentent un esprit peu curieux, mais si on le leur demande ils se transforment en de méticuleux, patients et acharnés chercheurs, très méthodiques, plutôt lents.

Sur l'annulaire

La *volute concentrique* image bien par son dessin les desseins de l'idéal **lymphatique** : ériger un territoire réservé aux seuls élus, le besoin d'un petit bonheur tranquille confiné dans le calme et le prévu, loisirs et travail bien réglés. Les amis ne doivent pas perturber la douce quiétude de la vie quasi fœtale du **lymphatique** : boire, manger, dormir ! *(voir figure 64 page 164).*

Sur l'auriculaire

Assez rare, ce digitaloglyphe se rencontre sur le petit doigt de temps en temps, il reflète la répulsion à se mettre en avant et, par exemple, à prendre la parole. Peu bavard, secret, l'individu peut pourtant discourir avec brio s'il le faut.

LE TOURBILLON

Sur le pouce

Dénote la force et l'autonomie de la volonté. Le sujet ne ressent pas le besoin d'un contexte motivant. S'il se fixe un but, il avance inexorablement tel un bulldozer. Son sens de l'adaptation s'en trouve, par contrecoup, presque nul !

Sur l'index

Signe d'une impérative nécessité de commander, de diriger, d'entreprendre. *Réalisateur*, l'individu se doit de laisser derrière lui une réalisation concrète. A l'inverse du possesseur de l'index orné d'une boucle, celui dont l'index bénéficie d'un tourbillon ne dynamise pas le groupe mais cherche plutôt à canaliser le dynamisme du groupe à son profit ! Démuni du sens de l'analyse, il manque en conséquence de minutie et de patience et dédaigne les travaux requérant ce genre de qualités, fort doué, en revanche, pour la synthèse *(voir figure 65 page ci-contre).*

Sur le majeur

Esprit de recherche non motivé par le plaisir de la recherche mais plutôt par l'aspect pragmatique d'une étude débouchant sur des applications pratiques. Il se spécialise dans certains domaines, d'où un manque de culture générale *(voir figure 65 page ci-contre).*

Sur l'annulaire

Désir de commander dans la vie privée et professionnelle si l'index s'orne également d'un tourbillon ; sinon ce désir se manifeste dans la vie privée seule. Pour ces deux caractéristiques il faut posséder un tempérament à dominante bilieuse *(voir figure 65 page 166)*.

Dans tous les cas, ce digitaloglyphe sur l'annulaire traduit le paternalisme de son propriétaire et engendre un paradoxe : très élitiste, l'individu s'entoure cependant d'amis pourvus de faiblesses, il joue ainsi son rôle de protecteur ! Elitisme dû à une recherche d'invulnérabilité engendré par le refus de se livrer à un trop grand nombre de personnes.

Sur l'auriculaire

Ce digitaloglyphe de scepticisme et de cérébralisation confère à l'individu une attitude cartésienne face à ses intuitions et aux divagations de son agilité mentale... si elle existe chez lui ! Il jouit de la rigueur mentale de ceux ne s'en laissant pas conter ! *(voir figure 65 page 166)*.

LA DOUBLE BOUCLE

Sur le pouce

Elle confère à son possesseur une volonté dont le perfectionnisme constitue, selon la dominante tempéramentale, un boulet ou une force. Boulet si ce perfectionnement consiste à attendre pour agir le moment idéal jamais présent ! Force si l'individu, progressiste, jamais satisfait de l'acquis, désire pousser toujours plus loin ses limites. Cependant, dans les deux cas, l'interprétation rejoint celle de la boucle sur ce même doigt. Le contexte joue un rôle important de motivation pour l'efficacité de la volonté reposant aussi sur la rapidité de l'individu, il déteste en effet la lenteur *(voir figure 65 page 166)*.

Sur l'index

Aux aspects de l'interprétation rejoignant celle de la présence de la boucle sur ce doigt s'ajoute un perfectionnisme prépondérant dans toutes les activités professionnelles de l'individu. En accord avec l'avis de Beryl B. Hutchinson indiquant la prédisposition des possesseurs de ce digitaloglyphe à exercer le métier de magistrat ou un autre

nécessitant la capacité de considérer les intérêts de deux ou plusieurs parties en présence. Nette propension des écoliers porteurs d'une ou de multiples empreintes digitales de ce type à découvrir l'argument opposé à celui avancé par leur professeur. L'entourage de ces sujets appréciera selon des critères personnels leur argumentation *(voir figure 64 page 164)*.

Sur le majeur

La rareté de ce motif sur le médius ne permet pas d'établir une interprétation complète. Un perfectionnisme se joint à l'esprit de recherche. Ce digitaloglyphe reflète aussi, dans certains cas, le conflit intérieur résultant des besoins contradictoires d'introversion et d'extraversion.

Sur l'annulaire

La recherche de la perfection s'applique alors à la quête de l'idéal et de l'amitié. L'individu place la barre de son idéal très haut mais avec des aspects divers difficiles à concilier. De même il demande beaucoup à ses amis : d'être assez intelligents et équilibrés pour intervenir avec pertinence et le sortir des affres de l'indécision ! Il aime les gens dynamiques, mais la qualité de cœur demeure le critère essentiel de ses choix.

Sur l'auriculaire

La présence, rare, de ce digitaloglyphe sur l'auriculaire traduit une propension du sujet à avoir des intuitions contradictoires exacerbant son indécision ; il doute alors du crédit à leur accorder !

Ainsi s'achève ce chapitre sur les digitaloglyphes. Afin de ne pas compliquer et alourdir encore notre propos, nous avons choisi de traiter l'interprétation des cinq digitaloglyphes sur chacun des cinq doigts, sans intégrer à ces explications la notion de latéralité. Or (voir chapitre 1), l'interprétation des données de la main gauche concerne l'attitude réceptive et conceptive de l'individu, les données de la dextre concernent l'attitude active et réalisatrice de la personne. Ainsi la boucle sur le pouce gauche dénote l'adaptation et la tempérance de sa volonté dans le domaine de la conception et des idées ; cette même boucle ornant le pouce droit reflète l'adaptation et le dynamisme de l'attitude réalisatrice de l'être. Aussi s'agit-il de ne pas négliger cet aspect de la question pour préciser le domaine d'application du diagnostic chirologique.

LES LIGNES PRINCIPALES ET LEUR INTERPRÉTATION

Pareille aux carrefours où se rejoignent les voies d'une cité, la paume, avec ses lignes les plus infimes, représente le lieu où s'insèrent toutes les mutations de l'existence, avec ses caprices, son génie, ses transformations logiques ou illogiques.

A l'image de quelques cités américaines caractéristiques — New York par exemple —, certaines paumes offrent au regard le spectacle d'un quadrillage de lignes larges, régulières et organisées comme les artères de ces « mégagglomérations » impressionnantes mais impersonnelles.

A l'opposé, un réseau de petites lignes fines, semblables aux capricieuses et charmantes ruelles de nos cités médiévales, en sillonnent d'autres.

Certes, moins évocatrice ou poétique, l'interprétation des lignes ne doit pas s'arrêter à la forme seule ou aux détails mais s'imprégner de l'impression d'ensemble laissée par l'organisation (ou l'inorganisation) apparente des lignes.

La ligne vitale

La plus connue et, paradoxalement, la plus méconnue d'entre elles est sans nul doute celle que la plupart des manuels de chiromancie, s'engouffrant à l'instar des discours démago-politiques dans la brèche des habitudes et désirs de la masse, nomment la *ligne de vie*. D'où découle, forcément, la fausse logique qui voudrait attribuer à la longueur de la *ligne de vie* la longueur de la vie... or chacun (ou presque !) connaît dans son entourage un fort et vert vieillard dont les mains recèlent une *ligne de vie* courte et, *a contrario,* un personnage possédant au creux de sa paume cette même ligne longue et bien tracée prometteuse d'une vie de centenaire dont l'« heureux » présage se trouve anéanti soudain par une mort accidentelle, brutale.

L'effet néfaste engendré par la méconnaissance populaire du sens réel de cette ligne tient du gigantisme ! A preuve le nombre exagéré de fois où le chirologue — Jean de Bony en l'occurrence ! — se voit obligé de rassurer des consultants ou des consultantes arrivant persuadés de « devoir » mourir à tel âge parce que « marqués » dans leur main gauche, celle de la fatalité ! Indication confirmée, la plupart du temps, par une vague chiromancienne ou un marabout de mauvais aloi. Sans l'intervention avertie du chirologue, certains seraient capables de mourir par autosuggestion négative, pour « coller » à leur *destin* !

La chiromancie perpétue ce type d'analyse erronée pour créer une dépendance des gens par rapport à l'information décryptée dans la main et, par voie de conséquence, cette dépendance par rapport à eux, dignes (indignes !) décrypteurs des signes du « sacro-saint » *destin* !

Dans le but sain de démarquer de façon efficace significations chiromanciques et chirologiques, il sied de redéfinir, de rebaptiser certaines dénominations. Celle de *ligne de vie* appartient à la chiromancie, le terme *ligne vitale* adhère mieux à la réalité. En effet cette ligne entourant l'éminence thénar, ou mont de Vénus, renseigne sur la manière dont chacun va user de sa *vitalité,* compte tenu de la prédominance tempéramentale.

LONGUEUR DE LA LIGNE

Pour comprendre la différence entre une *ligne vitale* courte ou longue, il faut imaginer une énergie liquide contenue dans une bouteille plus ou moins grande selon les tempéraments. Pour vider une bouteille, le diamètre du goulot conditionne le débit d'évacuation du liquide et par là la durée de l'opération, inversement proportionnelle au diamètre du goulot. Il en va de même pour la *ligne vitale* : la durée de disponibilité et d'utilisation de l'énergie vitale se révèle proportionnelle à la longueur de la ligne. La force de l'énergie vitale, elle, est inversement proportionnelle à la longueur de cette ligne.

Pour une ligne vitale longue

Energie vitale utilisable à long terme, contraire d'une énergie « coup de poing » *(voir figure 66 page 172).*

Pour une ligne vitale courte

Energie vitale utilisable à court terme, énergie « coup de poing », elle permet de remplacer la durée par la force *(voir figure 67 page 173).*

INTERPRÉTATION TEMPÉRAMENTALE

Bilieux

Souvent longue, la *ligne vitale* confirme ainsi la régularité de l'action entreprise. Un mot d'ordre connu préside alors : « lentement mais sûrement ».

Sanguin

Plus souvent courte, la *ligne vitale* confirme un fait : le sanguin ne fraie ni avec la modération ni avec la routine, il lui faut résoudre en vitesse et « une bonne fois pour toutes » les problèmes.

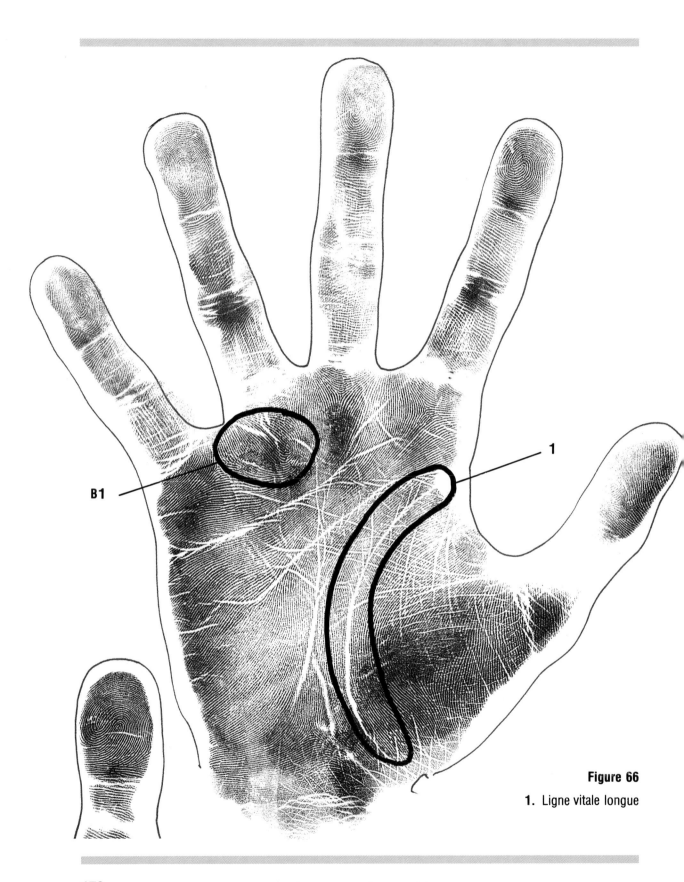

Figure 66

1. Ligne vitale longue

B1

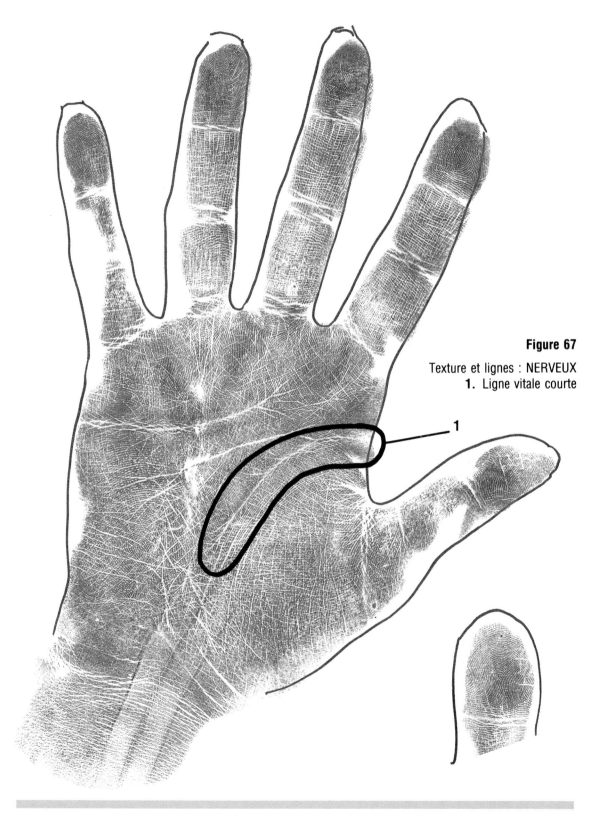

Figure 67

Texture et lignes : NERVEUX
1. Ligne vitale courte

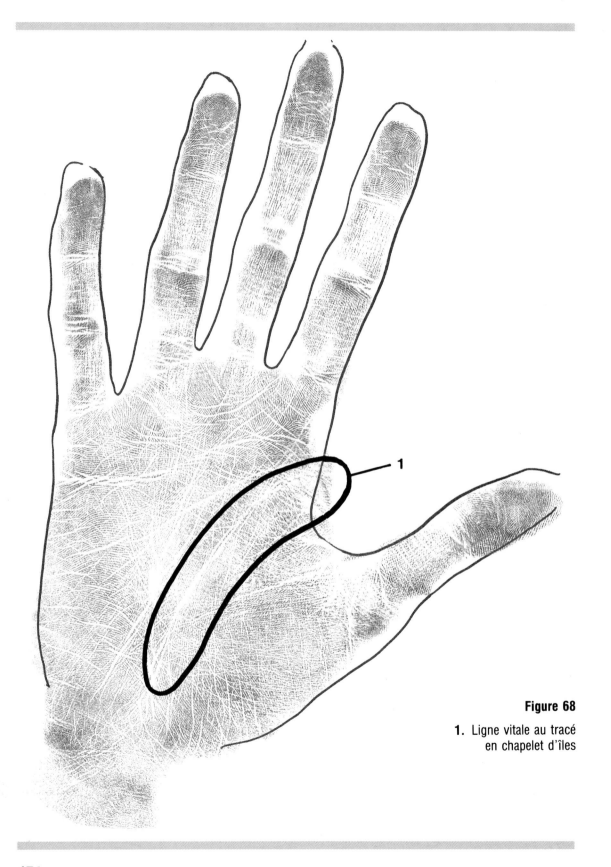

Figure 68

1. Ligne vitale au tracé
en chapelet d'îles

Nerveux

Ligne vitale souvent longue chez le nerveux. Ne pouvant « forcer » par manque de vitalité, il compense par la ténacité. Prévoyant par nature, il gère son atonicité pour la faire durer. Courte, la *ligne vitale* confirme sa fatigabilité et son besoin de changer sans cesse d'activité pour se ressourcer.

Lymphatique

Lenteur et régularité de l'activité confirmées par une *ligne vitale* longue et peu profonde.

FORMES ET TRACÉS DE LA LIGNE VITALE

Tracé net et continu

Bons équilibres fonctionnels, physiologiques et psychiques, capacité de résistance *(voir figure 66 page 172)*.

Iles ou chapelet d'îles

Dispersion momentanée d'énergie. Possibilité de disfonction organique *(voir figure 68 page ci-contre)*.

Sillon parallèle (du côté concave de la ligne)

Sorte de « ligne vitale de secours », ressource supplémentaire d'énergie.

Rupture de la ligne

Disponibilité de l'énergie en « courant alternatif », passant par des hauts et des bas. Il ne s'agit en aucun cas d'accident ou de mort brutale.

Rameaux rejoignant la ligne vitale

L'individu, ne disposant pas de réserves d'énergie suffisantes, puise sa vitalité dans le contexte au fur et à mesure de l'évolution de l'action entreprise *(voir figure 69 page 176)*.

Rameaux partant de la ligne vitale

Soit déperdition d'énergie, soit appel à l'évasion, à l'ouverture sur le monde, en action ou en pensée (cela dépend de la largeur de courbure de la ligne). Si le reste de la main montre un être plutôt casanier, un va-et-vient a lieu entre la force casanière et la force d'évasion. La personne ne peut quitter trop longtemps son *no man's land* *(voir figure 69 page 176)*.

La ligne mentale

Traversant la paume de part en part, séparant le nord — la pensée — du sud —, l'émotion et l'instinct —, s'étend la *ligne mentale* baptisée *ligne de tête* par la chiromancie. Révélatrice — son nom l'indique — des facultés mentales de son possesseur, elle n'en donne pas pour autant le QI, et ce pour deux raisons :

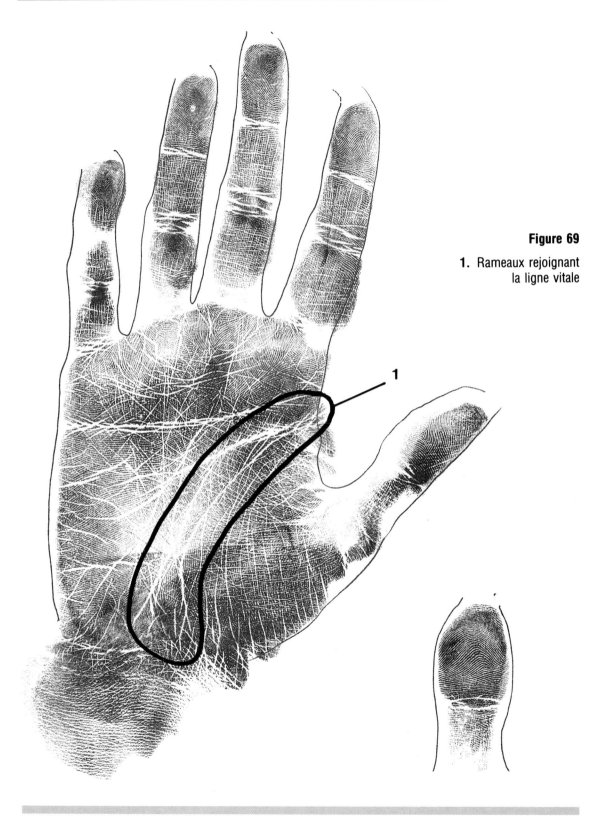

Figure 69

1. Rameaux rejoignant
la ligne vitale

1

— le QI (son appellation très contrôlée le sous-entend) quantifie l'intelligence — QI = quotient intellectuel ≃ quantité d'intelligence. Or, les « sciences humaines » — dont fait partie la chirologie — qualifient l'individu mais ne le quantifient pas. Aussi le QI n'est-il pas décelable par la main.

QI, en partie génétique, voit intervenir pour une bonne part dans son épanouissement l'éducation, la scolarité et surtout l'équilibre affectif (en particulier celui de la prime jeunesse) de l'individu concerné.

En présence d'un « prix Nobel » et d'un « homme de la rue », le chirologue ne parvient pas, par l'observation de leurs mains, à discerner le primé de l'homme ordinaire. Cet exemple met d'ailleurs en évidence la bêtise des banques de sperme provenant de prix Nobel : la « nobélisation » ne dérive pas d'un processus génétique.

Puis il s'agit, en chirologie, de la forme, non du niveau de l'intelligence. Ce dernier — expression d'une évolution — apparaît dans l'analyse graphologique. La qualité de la forme permet de bien s'exprimer comme un bon instrument permet au génie musical de s'exprimer sans pour autant le remplacer. Dans l'expression artistique, le talent, venant du tempérament, s'avère héréditaire, mais le génie non, car il vient de l'âme.

La famille Bach, véritable dynastie de musiciens, s'illustre dans la musique au XVIIᵉ et au XVIIIᵉ siècle au travers d'une cinquantaine de ses membres. Tous, par hérédité, bénéficièrent d'un talent musical. Le tamis de l'histoire en retiendra un en particulier : Jean-Sébastien Bach puis, pour les connaisseurs, deux de ses dix-neuf enfants : Carl Philippe Emmanuel et Johann Christian, nommé le Bach anglais.

Un homme génial reste un génie improductif s'il ne possède pas le talent pour exprimer son génie ; à l'inverse se rencontrent des hommes talentueux productifs mais sans génie. Les artistes exceptionnels — leur rareté s'explique ainsi — conjuguent avec bonheur talent et génie.

Au chirologue de déceler et comprendre les qualités des moyens (tempérament et caractère) donnant au génie (l'âme) la possibilité de dépasser le génie pour devenir un génie possédant l'instrument de l'expression de son génie.

Une juste connaissance de la forme de compétence et d'intelligence d'un enfant appuie l'accroissement et le développement de ses facultés mentales en harmonie avec les moyens génétiques apportés par la Nature (les parents).

LONGUEUR DE LA LIGNE

Ligne mentale longue

Esprit réfléchi, enclin à l'analyse, se fiant à son raisonnement avec de « la suite dans les idées »… *(voir figure 70 page 178)*.

Ligne mentale courte

Esprit rapide, confiant en son intuition (surtout si le croisement des pouces le confirme), enclin à la synthèse et à une vision globale des choses *(voir figure 71 page 179)*.

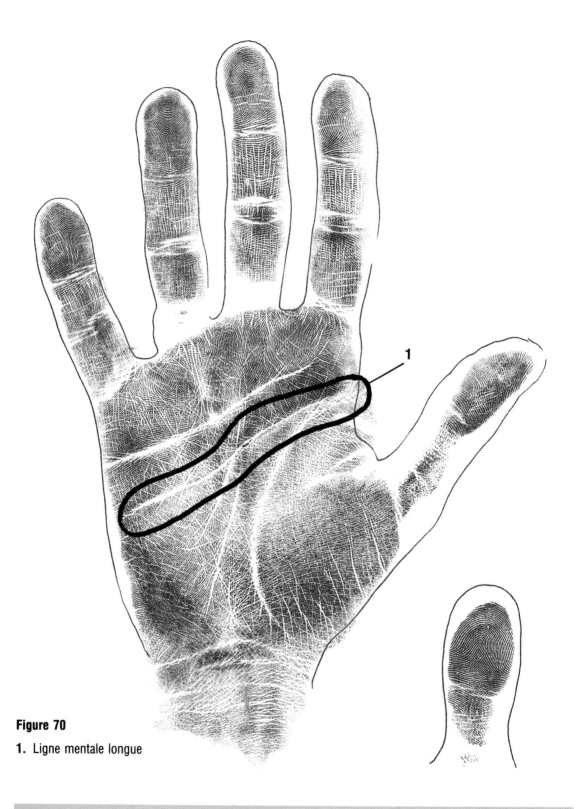

Figure 70

1. Ligne mentale longue

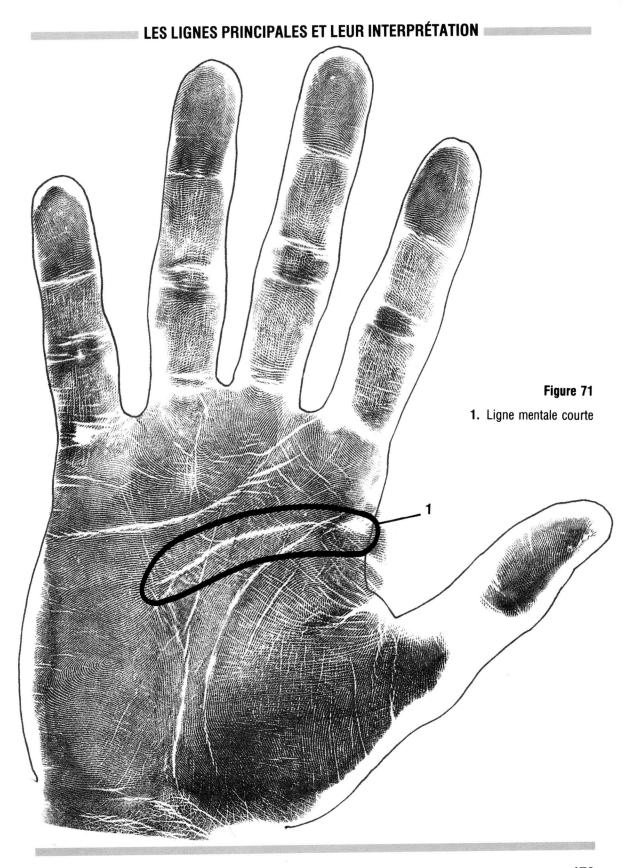

Figure 71

1. Ligne mentale courte

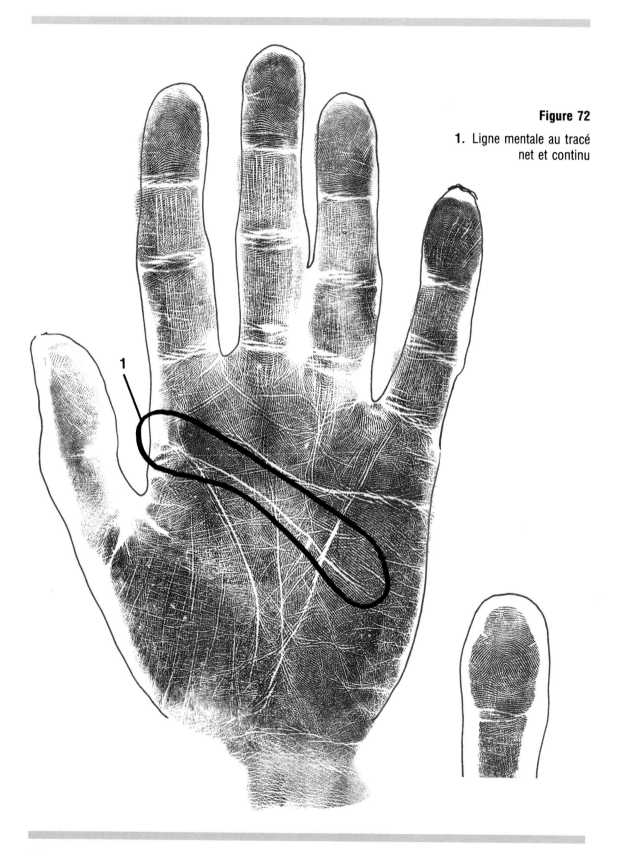

Figure 72

1. Ligne mentale au tracé
net et continu

INTERPRÉTATION TEMPÉRAMENTALE

Bilieux

Généralement longue, la *ligne mentale* confirme d'une part l'esprit de suite dans les idées, complète d'autre part par l'analyse l'esprit de synthèse inhérent au tempérament.

Sanguin

Plutôt courte, la *ligne mentale* va de pair avec le côté intuitif du tempérament et confirme le peu d'attraction manifestée pour l'analyse et la continuité.

Nerveux

Ligne mentale habituellement longue, l'esprit d'analyse se voit exacerbé par le tempérament et par le caractère. La longueur de la ligne met l'accent sur la prudence et la prévoyance de son détenteur, il tient du théoricien, non de l'expérimentateur.

Lymphatique

Mieux vaut une *ligne mentale* courte pour ce tempérament peu enclin à agir, elle favorise alors une plus grande promptitude des réactions et une plus grande ouverture d'esprit. Longue, elle accentue, hélas ! son lymphatisme.

FORMES ET TRACÉS DE LA LIGNE MENTALE

Tracé net et continu

Exprime la qualité de la tension psychique ; elle facilite le renouvellement et la fréquence des efforts mentaux ; surtout si elle est profonde *(voir figure 72 page ci-contre)*.

Tracé fait de rameaux enchevêtrés

Problème de concentration, il favorise, en revanche, la curiosité et l'agilité mentale *(voir figure 73 page 182)*.

Points, dédoublements, îles successives

Débit irrégulier de l'énergie mentale, variabilité de la tension physique, possibilités de fatigue cérébrale, difficultés de mémoire et de concentration, fatigabilité.

Ligne mentale droite

Aspect positif : rigueur du raisonnement, persévérance, efforts soutenus, ténacité. Aspect négatif : intransigeance, intolérance, obstination, manque d'adaptation au contexte et aux idées d'autrui. Le propriétaire d'une telle ligne s'apparente au chêne — il préfère se briser que ployer, orgueil oblige ! — de la fable du remarquable M. de La Fontaine *(voir figure 75 page 184)*.

Ligne mentale courbe (ou ondulée)

Une ligne droite illustre la rigueur du chêne, la courbure de la ligne, au contraire, indique la propension de l'individu à « arrondir les angles », à l'image du roseau pliant sans se rompre. Refus de l'affrontement *(voir figure 75 page 184)*.

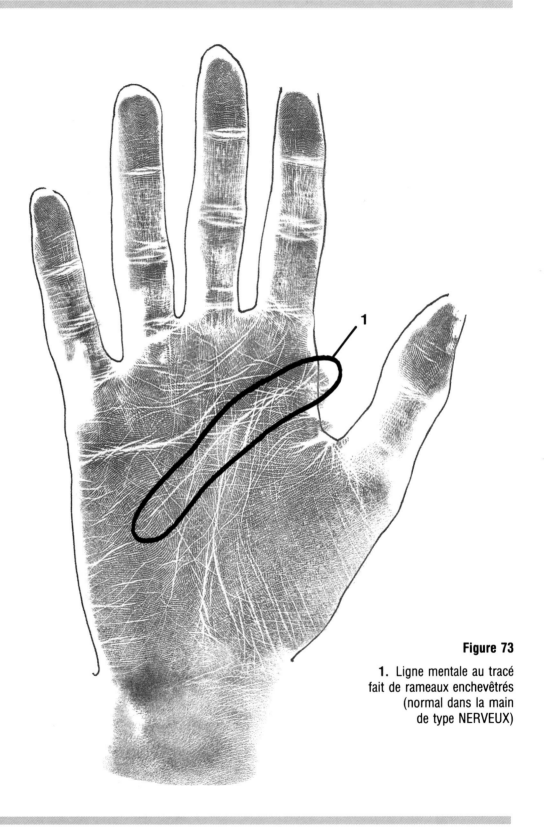

Figure 73

1. Ligne mentale au tracé
fait de rameaux enchevêtrés
(normal dans la main
de type NERVEUX)

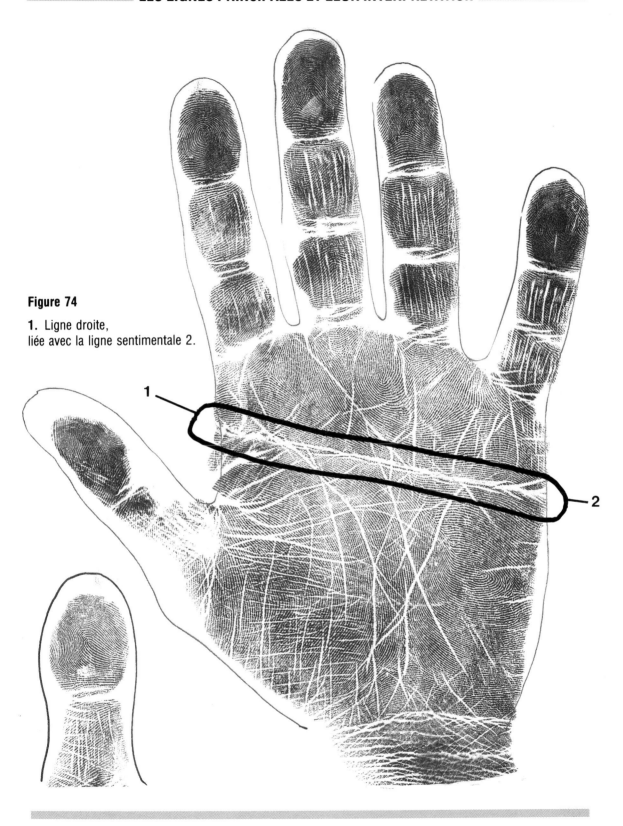

Figure 74

1. Ligne droite,
liée avec la ligne sentimentale 2.

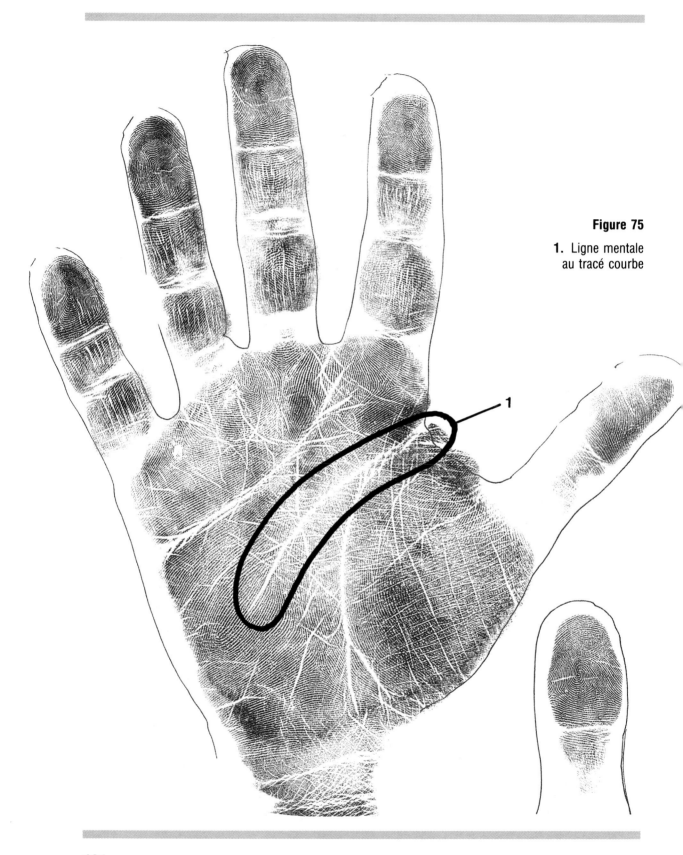

Figure 75

1. Ligne mentale
au tracé courbe

DEUXIÈME PARTIE : CARACTÉRISTIQUES GÉNÉRALES

Courbure vers le bas

Attirée par le mont de la lune — lieu du rêve et de l'imaginaire —, la ligne mentale y puise sa créativité et sa subjectivité. S'il s'agit d'un tempérament **nerveux** ou **sanguin,** la subjectivité intellectuelle du premier et émotionnelle du second (toutes deux naturelles) se trouvent renforcées par la subjectivité créatrice, intentionnelle, d'une telle ligne.

Courbure vers le haut

Ici point de rêve ni d'imaginaire mais une nette aptitude à « sentir » les réalités « sonnantes et trébuchantes » de la vie ! Un sens de la négociation favorisé par la diplomatie inhérente à la courbure de la ligne *(voir figure 77 page 187).*

Ligne mentale droite puis courbe

La rigueur précède la tolérance. L'individu, d'abord intraitable par principe, s'adapte par la suite, parvenant à l'aide du raisonnement à une sagesse d'action et d'attitude.

Ligne mentale courbe puis droite

L'adaptation précède la rigueur et l'intolérance. Pour endormir la méfiance, le détenteur de ce genre de ligne prétend s'adapter aux idées des autres, agit ensuite à sa guise, selon son bon (ou mauvais !) plaisir.

DÉPART DE LA LIGNE MENTALE ET DE LA LIGNE VITALE
même départ

Incidence physiologique

L'état *mental* influence l'état *vital* (et vice versa) ; les possesseurs de cette union de lignes font preuve d'une tendance au psychosomatisme.

Incidence comportementale

Le *mental* contrôlant l'élan *vital,* l'individu doté d'un tel départ de lignes tend vers la prudence au point d'aller jusqu'à l'inhibition de l'action si les deux lignes se lient sur une trop grande longueur. Qualité ou défaut ? Défaut si cette configuration se trouve associée à un tempérament **lymphatique** déjà prudent par peur d'agir ou à un tempérament **nerveux ;** celui-là, en effet, par comportement plus intellectuel qu'actif s'avère essentiellement prévoyant et théoricien : il en oublie d'être actif !

La rigueur et l'efficience naturelles de l'action du **bilieux** ne transforment pas la prudence en une qualité ou en un défaut mais en un « plus » donnant à la force une tranquillité douce.

Cette prudence de caractère, en revanche, revêt un aspect essentiel et vital pour le tempérament **sanguin** impulsif et « risque-tout ». Le conducteur (caractère) modère alors l'emballement naturel de son bolide (tempérament).

Cette configuration de lignes, associées à une main à l'annulaire plus long que l'index, implique — indépendamment ou en plus des significations du tempérament — le goût du risque. Il s'agit d'un goût du risque calculé. L'individu apprécie la haute voltige mais avec, pour l'assurer, un filet... placé par lui ! *(voir figure 76 page 186).*

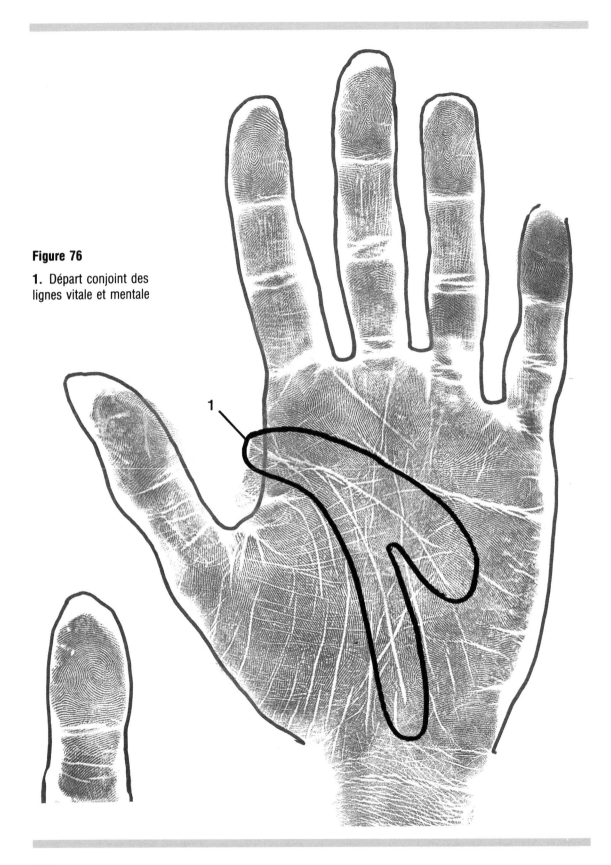

Figure 76

1. Départ conjoint des lignes vitale et mentale

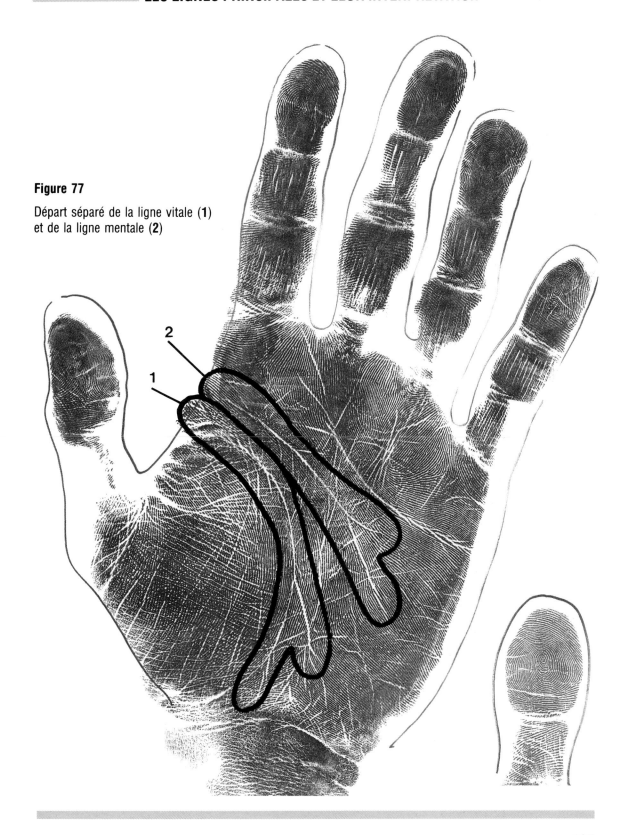

Figure 77

Départ séparé de la ligne vitale (**1**)
et de la ligne mentale (**2**)

DÉPART DE LA LIGNE MENTALE ET DE LA LIGNE VITALE

départs séparés

Incidence physiologique

Indépendance du *vital* par rapport au *mental* (et vice versa). Avantage : tendance au psychosomatisme rare ou quasiment nulle. Inconvénient : en cas de maladie le désir du malade de guérir n'intervient en rien dans le résultat final. En toute logique, si la maladie ne découle pas d'un processus psychosomatique, la guérison, la plupart du temps, non plus.

Incidence comportementale

L'élan *vital,* ne se trouvant pas sous le contrôle du *mental,* peut alors donner libre cours à ses élans instinctifs. Configuration significative d'indépendance et d'impulsivité.

Cette impulsivité caractérielle exacerbe celle, tempéramentale, du **sanguin ;** il agit alors avant de réfléchir, et réfléchit, en fin de compte, pour constater les dégâts ! Voilà, bien sûr ! un défaut !

Cette même impulsivité se mue en qualité pour les tempéraments **lymphatique** et **nerveux.** Le premier acquiert un peu le goût de l'initiative et développe une certaine confiance en lui, le second expérimente ses théories et va au bout de ses possibilités.

Quant aux **bilieux,** leur « bien-être » nécessite un tel degré de responsabilité que la somme des soucis indispensable à leur demande devrait agressser leur santé si, en compensation, dans la plupart des cas, ils ne possédaient des lignes *mentale* et *vitale* aux départs séparés. L'indépendance de ces deux lignes garantit leur équilibre… et, par conséquent, leur longévité. D'après M. de Lestrange, du musée de l'Homme, la séparation en question se rencontre plus souvent chez les femmes : 1/5 des hommes, 2/5 des femmes. *(voir figure 77 page 187).*

DÉPART DE LA LIGNE MENTALE ET DE LA LIGNE VITALE

lignes liées dans la paume gauche et séparées dans la paume droite

Prudence en majorité conceptive. L'individu laisse parler son impulsivité dans l'action et la concrétisation. Cette attitude s'accompagne souvent d'un perfectionnisme (dermatoglyphes en double boucle ou pouce incurvé vers l'extérieur) exacerbant la prévoyance et retardant la décision d'action.

Dans le cas inverse (lignes liées à droite et séparées à gauche), la prudence de l'action rend la concrétisation moins dynamique que le donne à penser a priori la vivacité et l'impulsivité de l'attitude conceptive.

TERMINAISON DE LA LIGNE MENTALE

En fourche

La fourche — toujours signe d'une dualité — signifie dans ce cas un élan à la fois vers le rêve et l'imaginaire, et vers le réalisme *(voir figure 76 page 186 et 77 page 187).*

La ligne sentimentale

Le chirologue ne peut percevoir, pour son consultant, sa vie sentimentale passée, présente et à venir à partir de la « ligne de cœur » (terme chiromancien). Son rôle réside ailleurs. Le voudrait-il qu'il ne le pourrait car la trajectoire sentimentale n'y est pas répertoriée. Mieux vaut recourir au livret de famille pour s'enquérir de la date et de la validité d'un mariage ! La fascinante ligne de cœur ne sait certes pas différencier un coup de cœur d'un acte administratif !

Cependant un choc émotionnel — heureux ou malheureux — se marque parfois, momentanément, dans le cours de la *ligne sentimentale* (terme chirologique). Momentanément car la main, sélective, établit elle-même une hiérarchie des signes à garder ou à effacer au fur et à mesure de l'évolution d'une personne. Elle parvient à apprécier, jauger la force et l'impact d'un événement sur la vie d'un individu et son comportement mais ne porte pas de jugement de positivité ou de négativité.

Le décès d'un être cher, une grande joie se marqueront sans signe distinctif lisible dans l'empreinte de la main, de même, une trace de pas dans la neige ne révèle pas non plus les bonnes ou les mauvaises intentions du propriétaire des chaussures ! La trace dans la paume témoigne du fait sans spécifier s'il engendre un bon ou un mauvais souvenir.

Il faut aussi se référer aux signes émaillant les autres lignes : dans certains cas ils concordent avec ceux observés le long de la *ligne sentimentale ;* en effet plus l'impact d'un événement marque le comportement d'un individu, plus l'impact dans ses paumes se verra généralisé à toutes les lignes.

LONGUEUR DE LA LIGNE

Ligne sentimentale longue

Prépondérance du rôle du mental dans la sentimentalité, frisant même le platonisme quand la ligne atteint le bord radial *(voir figure 79 page 191 et 88 page 206).*

Ligne sentimentale courte

L'aspect physique de la sentimentalité prédomine et, avec elle, la sensualité. Libido difficile à maîtriser *(voir figure 78 page 190).*

INTERPRÉTATION TEMPÉRAMENTALE

Bilieux

Possessivité et aspect directif, par nature, de son détenteur. Une ligne sentimentale courbe fait alors office d'excellent modérateur et permet la conciliation. Longue, le platonisme de la sentimentalité laissera le ou la partenaire mieux « respirer » !

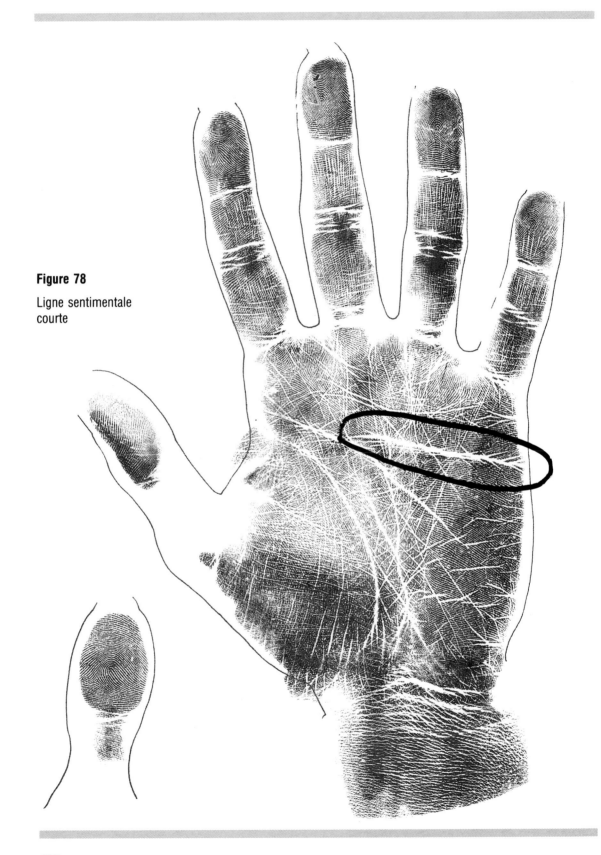

Figure 78

Ligne sentimentale
courte

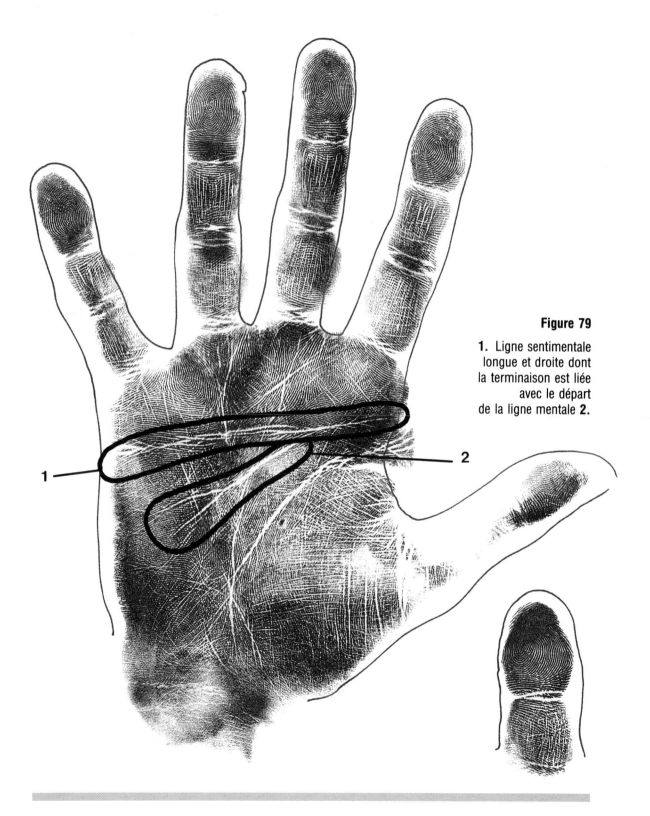

Figure 79

1. Ligne sentimentale longue et droite dont la terminaison est liée avec le départ de la ligne mentale **2.**

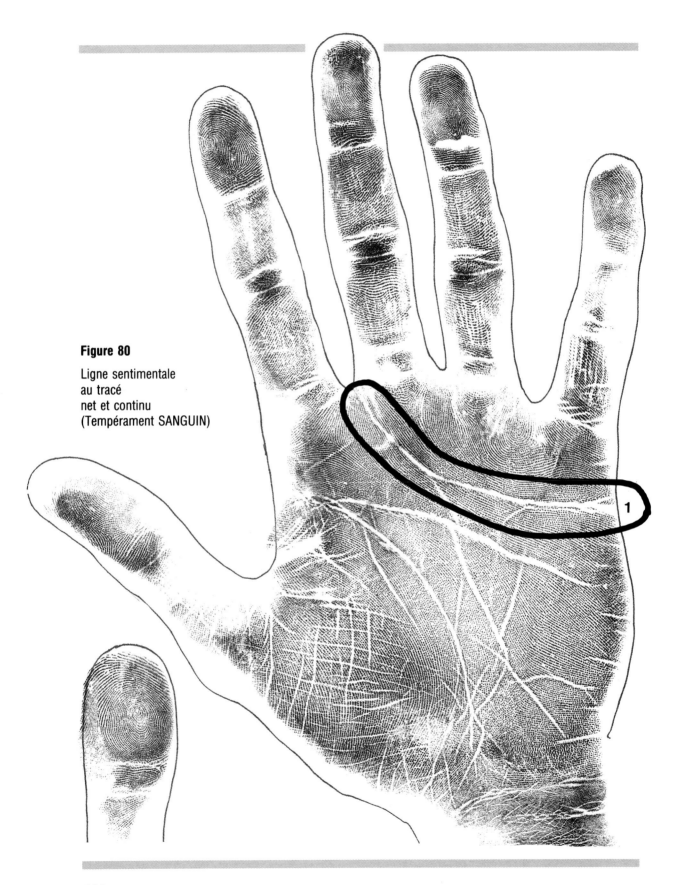

Figure 80

Ligne sentimentale
au tracé
net et continu
(Tempérament SANGUIN)

1

Sanguin

Il s'agit là d'un jouisseur ! très souvent la *ligne sentimentale* courte met le caractère au diapason du tempérament en favorisant ainsi la sensualité. Un talon d'Achille : de par son émotivité et son affectivité il (ou elle) tend à trop de conciliation comme le montre souvent aussi dans ce genre de main la rondeur de la *ligne sentimentale.*

Nerveux

La sentimentalité de ce tempérament trouve avantage à cohabiter avec un carac-tère un peu plus concret et sensuel manifesté par une *ligne sentimentale* point trop longue. Courbe, elle confirme le refus d'affronte-ment de ce tempérament.

Lymphatique

Courte et courbe la plupart du temps, la *ligne sentimentale* ainsi délimitée favorise la conciliation et la sensualité passive inhé-rente à ce tempérament.

FORMES ET TRACÉS DE LA LIGNE SENTIMENTALE

Ligne sentimentale courbe

Tendance à arrondir les angles, à la tolérance, à l'adaptation. Attention : trop courbe elle signifie une conciliation exagé-rée, le détenteur d'une telle ligne donne la main, sachant que le bras suivra !

Ligne sentimentale droite

Elle image la rigueur et l'intolérance de son possesseur fort possessif ! *(voir figures 78 page 190 et 79 page 191).*

Tracé net et continu

Témoigne de la stabilité — si le tempé-rament le permet et le confirme — du comportement et des états affectifs *(voir figure 80 page ci-contre).*

Ligne profonde

Type même de la sentimentalité « loco-motive », lente à s'échauffer et à s'émouvoir mais ne connaissant pas de mesure une fois emballée *(voir figure 80 page ci-contre)* !

Ligne sentimentale en rameaux enchevêtrés

Grande capacité d'emballements, par-fois platoniques et éphémères. Emotivité à « fleur de peau » *(voir figure 81 page 194).*

Rameaux partant de la ligne sentimentale (en général vers le bas)

Elan vers les autres, besoin de contacts humains. Si la finesse des stries du mont de Vénus annonce plutôt l'introversion, l'indi-vidu, pour concilier son désir de rester secret, au lieu de s'enfermer dans sa « tour d'ivoire » protectrice s'occupera des autres, les protégera, se rendra utile pour les « nombriliser » sur eux afin de tourner leur attention vers leurs vies propres et non vers sa propre personnalité *(voir figure 81 page 194).*

Rameaux joignant la ligne sentimentale à la ligne mentale

Sentimentalisme intellectuel. Personne dont il faut séduire à la fois le cœur et la

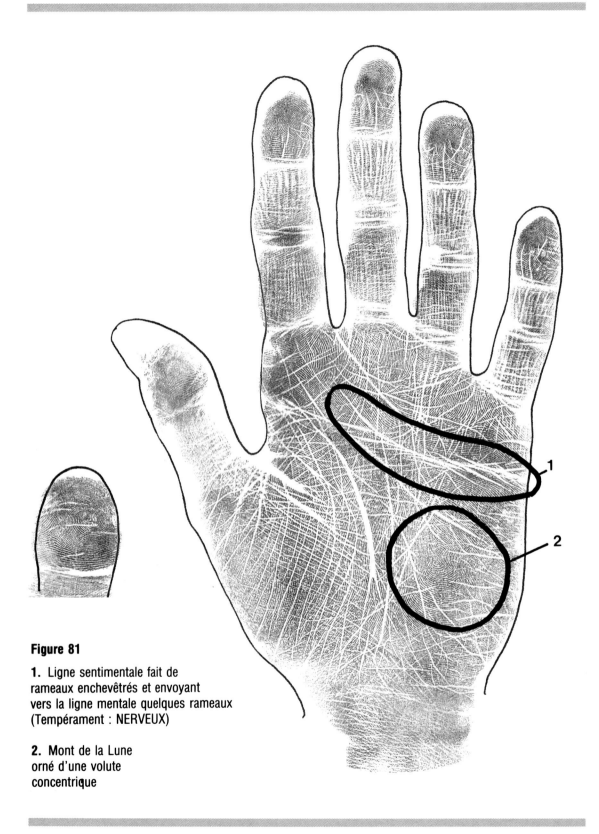

Figure 81

1. Ligne sentimentale fait de
rameaux enchevêtrés et envoyant
vers la ligne mentale quelques rameaux
(Tempérament : NERVEUX)

2. Mont de la Lune
orné d'une volute
concentrique

tête. L'admiration se trouve alors le moteur essentiel de sa sentimentalité. Le désaxement des doigts par rapport à la paume confirme l'idéalisme du tempérament, cet idéalisme relègue le quotidien au « bassement matériel » et cherche à garder en exergue les moments importants, l'exceptionnel du destin *(voir figure 81 page 194)*.

Lignes sentimentale et mentale confondues

Il arrive que l'espace entre ces deux lignes soit réduit au point qu'elles se confondent sur une grande partie de leur parcours et de former un sillon unique *(voir figure 74 page 183)*. Cette disposition ne représente pas obligatoirement — croyance très enracinée — le « pli simien » observé chez les mongoliens ou dans certains cas pathologiques car il se voit associé alors à d'autres signes récessifs. En fait les chirologues le rencontrent chez des sujets normaux, il leur confère cependant une originalité de caractère. Il suffit pour le constater de se référer à la signification de chacune de ces lignes pour comprendre l'interaction plus étroite entre les deux polarités représentées. En effet cette configuration de lignes signale une tension psychique intense conférant un comportement caractériel vibrant, toujours en éveil, allant de pair avec une conjugaison du cœur et de la raison. Cette exaltation de la pensée et des sentiments rend le caractère excessif... Pour pousser davantage l'interprétation il faut regarder si la *ligne sentimentale* est particulièrement basse ou, en revanche, la *ligne mentale* spécialement haute. Dans le premier cas la *mentale,* se trouvant sur son territoire, contrôle la *sentimentale.* Les sentiments se plient aux desiderata de la pensée, la quiétude émotionnelle dépend de l'équilibre psychique et mental. Dans ce cas le psychosomatique s'avère général, en l'occurrence « physico-mentalo (sans jeu de

mots !) -sentimental », si la *mentale* et la *vitale* se joignent à leur départ. Le *mental* contrôle certes le *vital* et le *sentimental,* mais de sa force et de son efficience dépend l'équilibre de l'édifice, parfois d'ailleurs la prudence paralyse l'élan vital comme l'élan sentimental.

Dans le second cas de figure, la *ligne sentimentale* se trouve à sa place habituelle mais la *ligne mentale,* tel un fleuve ne suivant pas son cours, emprunte le lit, pourtant non délaissé, de la *ligne sentimentale* qui y fait la loi. Résultat : « Le cœur a ses raisons que la raison ne connaît pas. » Le cœur, maître chez lui, a raison de la raison ! Toutes les décisions se teintent d'affectivité, plus encore si la *ligne vitale* possède une courbe accompagnant la courbure du mont de Vénus lui-même proéminent. Il convient pourtant, par esprit de synthèse primordial dans ce style d'approche de la personnalité humaine, de garder en tête l'interprétation tempéramentale susceptible d'exacerber ou de modérer les remarques précédentes. L'interprétation de ce type de configuration se voit confirmée par le jugement final s'il s'agit d'un tempérament **sanguin,** celui des personnes émotives et affectives par nature. Leur équilibre émotionnel rejaillit sur la qualité et l'efficience de leur raisonnement.

Malgré ces nombreuses lignes accordées à l'explication de ce cas, il se rencontre chez 1 % des individus, pas davantage. Mais il fallait gommer les multiples aberrations dites ou écrites sur ce sujet. Bêtises marquant pour longtemps les esprits car l'intelligence, par manque de connaissance, ne peut réfuter les insanités de ces interprétations traditionnelles justifiées uniquement par leur appartenance (amusante gymnastique intellectuelle) à la sacro-sainte tradition ! Enfin aujourd'hui les voilà jetées avec violence (au moins verbale) dans le dépotoir des idées reçues.

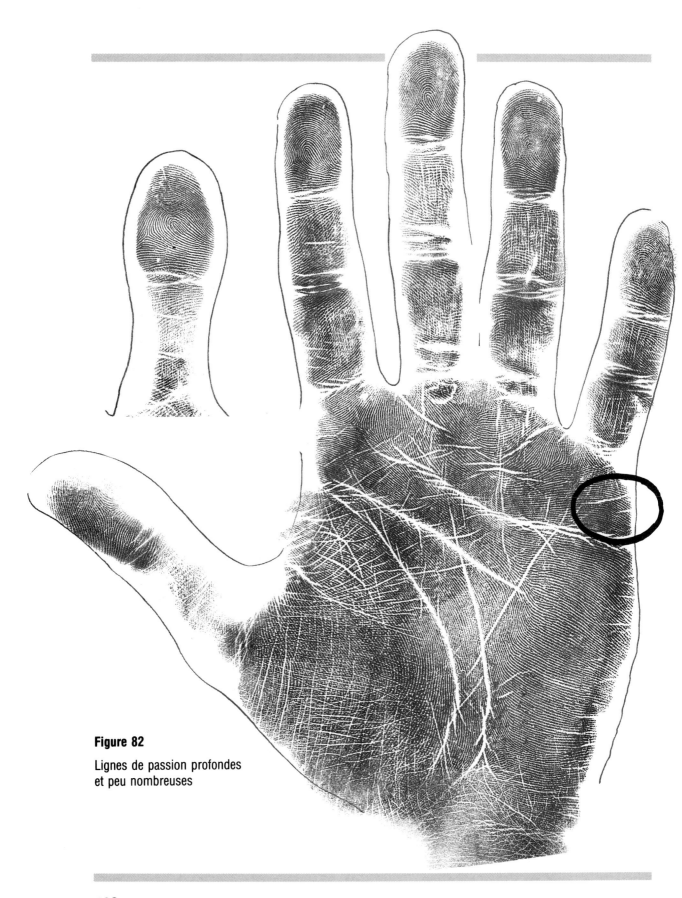

Figure 82

Lignes de passion profondes
et peu nombreuses

Rupture de trace, brisures

Là aussi il sied de mettre de la clarté dans les esprits une fois pour toutes : une rupture du tracé de la *ligne sentimentale* ne correspond pas de manière indubitable à une rupture sentimentale ! Une brisure dans le tracé de la *ligne vitale* ne signifie pas non plus pour l'individu possédant ce signe dans la paume une disparition, à une date précise, de mort brutale, lors d'un accident par exemple. Cette marque s'interprète comme une rupture d'énergie — dans la *ligne sentimentale* — affective. Cette discontinuité dans le courant affectif risque de retentir sur le psychisme au point d'engendrer pour un temps un comportement sentimental inhabituel : quelqu'un d'expansif deviendra réservé ou l'inverse, etc.

TERMINAISON DE LA LIGNE SENTIMENTALE

En fourche

Ouverture sur les autres, besoin de se sentir utile, don de soi *(voir figure 81 page 194)*.

LES LIGNES DE PASSION

Appartenant aux lignes dites mineures, il convient d'aborder ici, dans la continuité de la *ligne sentimentale,* les *lignes de la passion (voir figures 82 page ci-contre et 83 page 198)* nommées à tort « lignes de mariage » ou « lignes d'enfants » par les chiromanciens. Un commentaire a déjà été fait à ce sujet plus haut au sujet de l'impact d'un acte, tel le mariage, sur le réseau linéaire de la main. Si les *lignes de passion* correspondaient à des mariages, nombre de gens signeraient devant monsieur le maire, pour le meilleur et pour le pire, une bonne dizaine de fois ! Dans l'histoire de la chirologie n'existe aucun cas de main ne possédant pas au moins une de ces lignes, aussi, selon l'hypothèse des « lignes de mariage », la race des célibataires devrait-elle avoir disparu depuis longtemps !

L'attribution du nombre de ces lignes à la capacité réelle ou potentielle d'engendrer un nombre précis d'enfants s'effondre par simple bon sens. D'abord les deux protagonistes d'un couple possèdent rarement le même nombre de ces lignes... Imaginez Madame reprochant à Monsieur de faire des enfants à d'autres sous le fallacieux prétexte d'une présence en ses mains de « lignes d'enfants » non répertoriées par rapport au cheptel existant et aux siennes ! Ensuite, une gestation de neuf mois laissant des traces dans le comportement physiologique du corps de la mère, il paraît logique — pourtant aucune recherche officielle ne le mentionne — que les paumes féminines soient révélatrices, pendant et après la grossesse, des changements survenus. Voilà un axe de la chiroscopie médicale à développer en complément des examens traditionnels, à l'instar du diagnostic fourni par

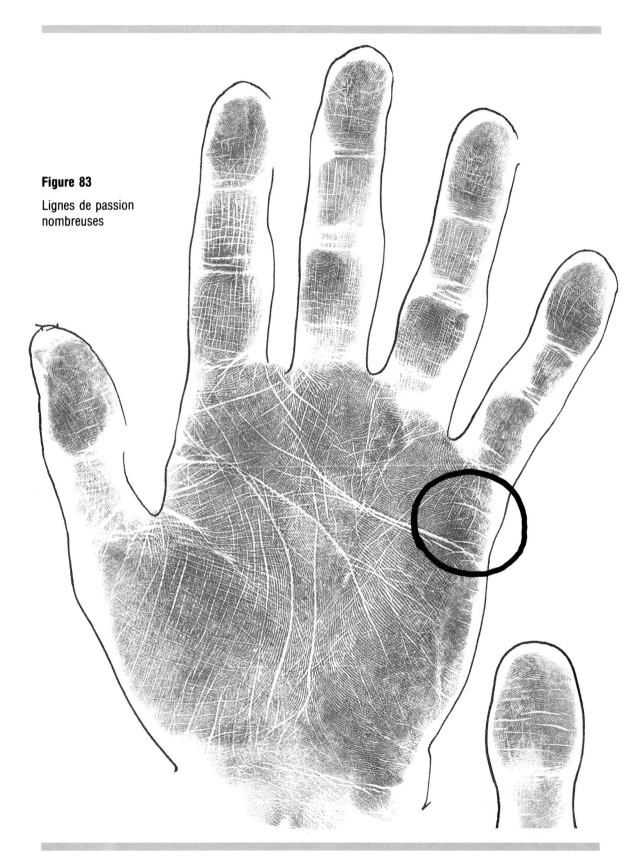

Figure 83

Lignes de passion
nombreuses

l'étude de l'iris (iridologie). Toujours selon l'hypothèse des « lignes d'enfants », les mains masculines n'en posséderaient pas puisque (pour l'instant du moins !) les hommes n'accouchent pas, or l'observation infirme cette idée. L'interprétation des *lignes de passion,* ainsi intitulées parce que donnant la qualité du comportement passionnel, complément de celle de la *ligne sentimentale,* se conçoit en qualité, non en quantité. Le nombre de ces lignes portées par une main n'indique pas les passions passées, présentes ou futures de son possesseur, la qualité seule du tracé s'interprète, en relation directe cependant avec le nombre en question. En effet la vertu, l'implication de la ou des passions dépendent de la qualité de ces lignes à la profondeur inversement proportionnelle à leur quantité.

Lignes de passion nombreuses et superficielles

Comportement sentimental de type « conquistador » *(voir figure 83 page ci-contre).* La personne séduit mais ne va pas au-delà afin de préserver sa liberté, par peur de s'impliquer et d'assumer la suite des opérations... Puis, pour s'assurer de l'efficacité de sa séduction, elle recommence le même processus ; s'instaure alors le jeu de la séduction enfermant le protagoniste dans une attitude de plus en plus stéréotypée, presque pavlovienne, de non-implication malgré elle.

Lignes de passion peu nombreuses et profondes

Implication complète dans la passion. Le flirt n'existe pas pour ce genre de lignes et ce, souvent, par idéalisme *(voir figure 82 page 196).*

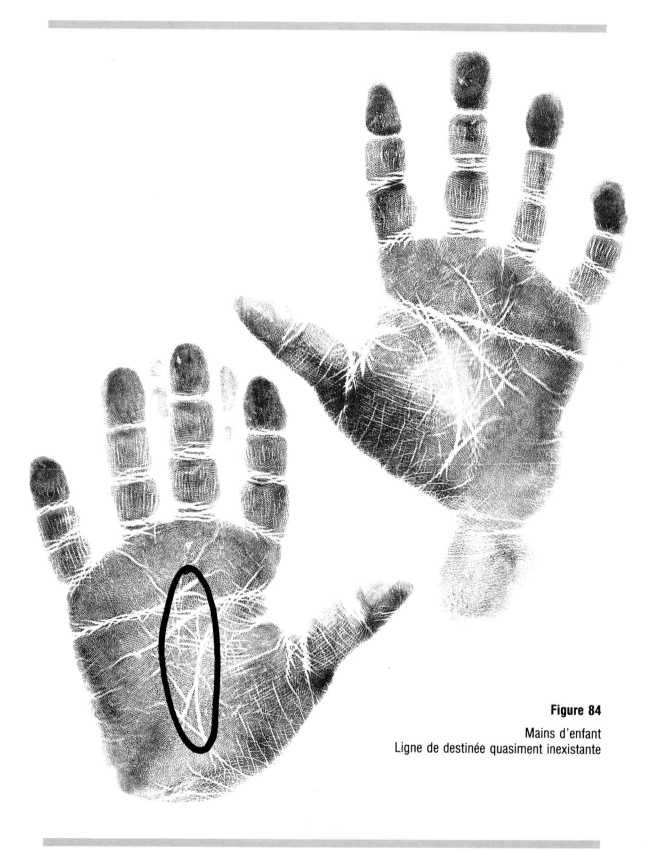

Figure 84

Mains d'enfant
Ligne de destinée quasiment inexistante

LES LIGNES SECONDAIRES ET LEUR INTERPRÉTATION

Jusqu'ici seules furent étudiées les lignes fondamentales — mises à part les lignes de passion par symbiose avec la *ligne sentimentale* — car elles ne manquent jamais et représentent les « trois modes de l'Etre » prônés par Aristote : le *Corpus,* le *Spiritus* et l'*Animus.*

Les trois lignes principales respectent un schéma type propre à l'être humain, traduction de trois systèmes :

● *Ligne vitale* : système végétatif-moteur engendrant les instincts.
● *Ligne mentale* : système réflexif-idéatif présidant aux facultés intellectuelles et volitives.
● *Ligne sentimentale* : système émotif-affectif réglant la vie affective et passionnelle.

La ligne de destinée

FORME ET TRACÉ

Ligne de destinée inexistante

Prédestination quasi inexistante, mais la non-prédestination se conçoit comme une sorte de prédestination ! Liberté de choix d'accomplissement laissée à l'individu. Ce trop-plein de liberté ramène au mythe de Sisyphe ceux qui n'ont pas la force de tempérament ou de caractère leur permettant l'utilisation constructive de cette liberté pour la montée au sommet. La vraie liberté ne consiste pas en l'absence de barrières mais en un choix judicieux et personnel des barrières susceptibles de parfaire l'évolution intérieure *(voir figure 84 page ci-contre).*

Ligne de destinée au tracé net

A l'image de cette ligne, un chemin paraît tracé, chemin à l'existence réelle ; la personne possédant ce genre de ligne doit le trouver pour se réaliser, prendre conscience — si ce n'est déjà fait — d'avoir à œuvrer dans un domaine particulier. Présence d'une tâche à remplir même si l'analyse chirologique ne précise pas laquelle. Elle ne définit pas le but mais évalue les moyens dont la Nature a pourvu l'individu pour l'atteindre, permet de mieux l'approcher voire de le découvrir. A l'instar des outils représentatifs des métiers pour lesquels ils se montrent

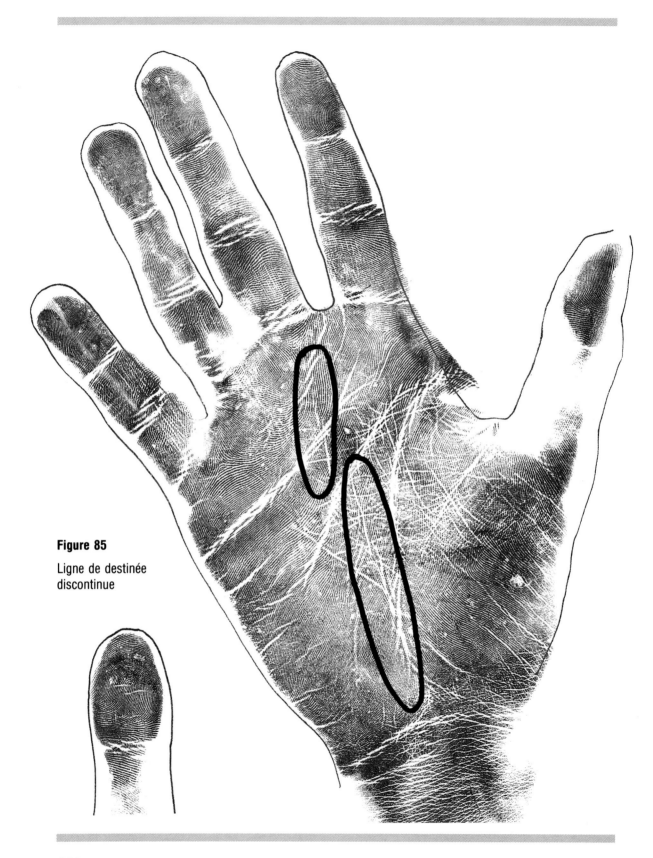

Figure 85

Ligne de destinée
discontinue

indispensables, l'étude des facultés indique le style d'activité supposé « cadrer » avec la destinée.

Discontinuité de la ligne de destinée

Cette ligne (d'ailleurs presque jamais continue) exprime la nécessité impérative de revoir une trajectoire, de l'adapter à l'évolution du milieu ambiant en fonction des nouvelles données du « jeu », comme un joueur de cartes affine sa stratégie au fur et à mesure de la découverte des cartes de son adversaire *(voir figure 85 page ci-contre)*.

L'individu doit tenir encore plus compte de l'environnement si les redémarrages de la ligne viennent du bord cubital. Cette discontinuité exprime aussi la nécessité d'une pluralité successive d'activités : par besoin d'anti-routine, l'être cherche à s'impliquer dans des activités neuves, tel un défricheur ou un catalyseur d'initiatives. Lorsque son rôle de novateur s'atrophie

dans la facilité d'un engrenage bien en place et bien huilé, il s'en va à la recherche d'un secteur où sa compétence insufflera un peu de fraîcheur.

Ligne de destinée continue

Cette ligne correspond la plupart du temps à une destinée dont l'évolution semble suivre un fil conducteur. Elle se trouve habituellement dans une main caractéristique d'un comportement « jusqu'auboutiste » plutôt bulldozer traçant sa route sans « faire dans la dentelle » !... Cela passe ou cela casse ! Cette logique de continuité n'exclut d'ailleurs pas la diversité. Un réalisateur de cinéma évolue sa vie durant dans le même domaine (pas tous, certes, mais la plupart) et s'implique à chaque fois corps et âme (et parfois argent !...) lors de la réalisation de son film, ce à chaque nouvelle réalisation : changement dans la continuité !

DÉPART DE LA LIGNE DE DESTINÉE

Cette ligne démarre en principe au poignet pour finir à la base du majeur. Elle parcourt rarement la paume sur toute sa longueur, existant le plus souvent sur un tiers ou sur les deux tiers de ce tracé théorique.

Ligne de destinée longue et tracée dès le départ théorique de la ligne

Il peut s'agir d'un personne ayant peu vécu son enfance ou son adolescence à cause d'une confrontation trop rapide avec les exigences et les réalités du monde adulte. Autre interprétation compatible cependant

avec la première : même si la personne en question se réalise assez tardivement, elle possède très tôt la conviction d'avoir à accomplir une tâche importante dans la sphère de son entourage ou même à l'échelle du pays, voire à celle de la planète. Cas, par exemple, de Gaston Bachelard : il demeura près de vingt ans employé des PTT avant de s'affranchir pour s'adonner à la philosophie. Extrême rentabilité de la longueur de la gestation de la période « chenille » afin de permettre au « papillon » de s'épanouir plus encore *(voir figure 86 page 204)* !

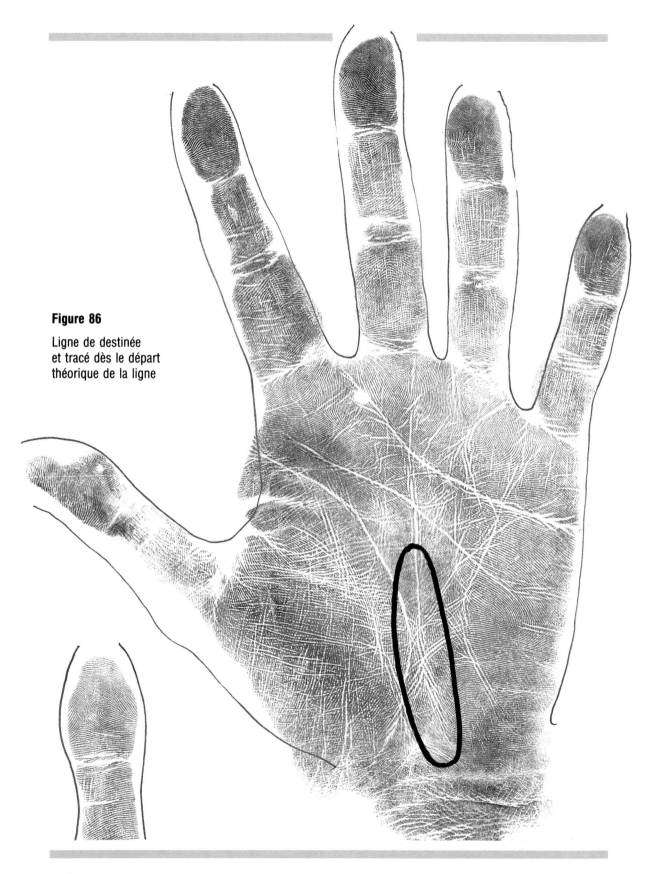

Figure 86

Ligne de destinée
et tracé dès le départ
théorique de la ligne

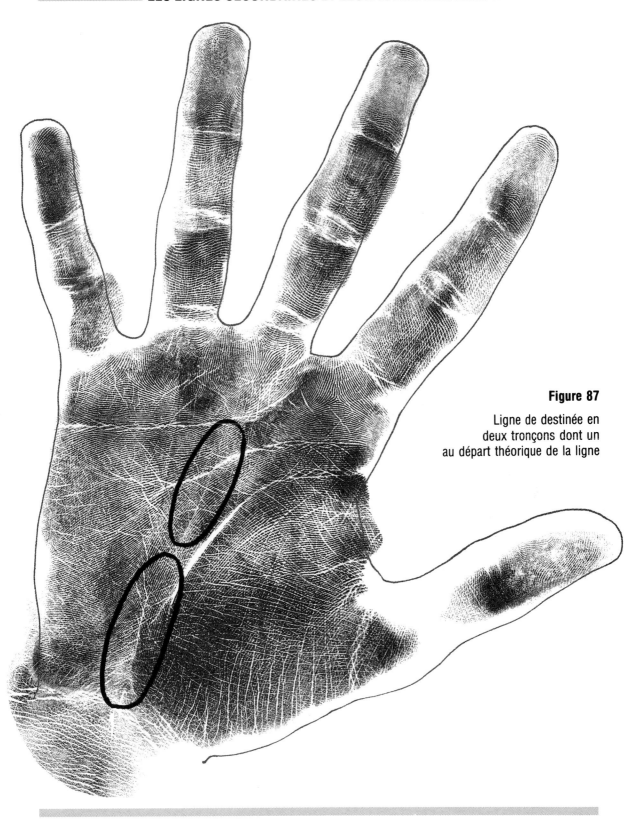

Figure 87

Ligne de destinée en
deux tronçons dont un
au départ théorique de la ligne

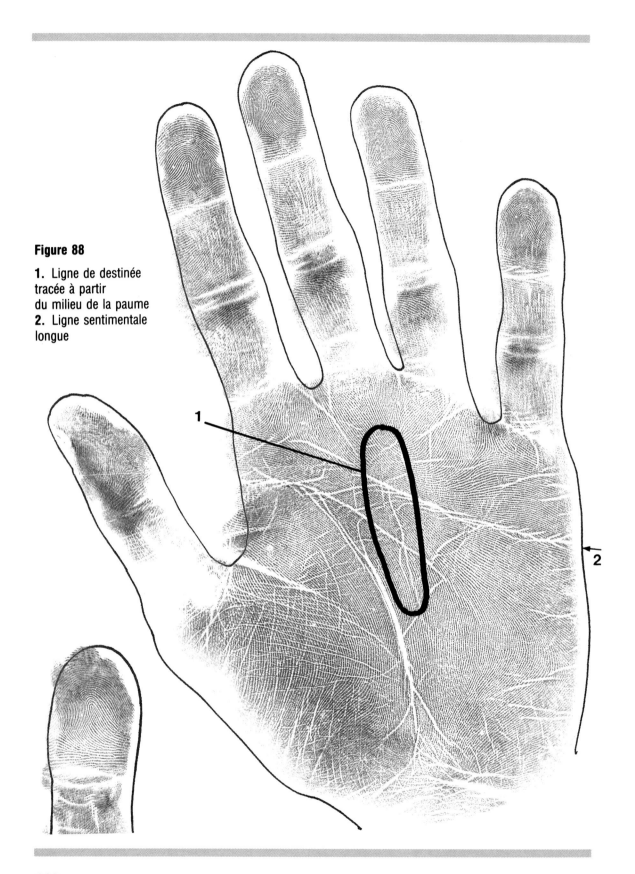

Figure 88

1. Ligne de destinée tracée à partir du milieu de la paume
2. Ligne sentimentale longue

Ligne de destinée tracée
à partir du milieu de la paume

L'achèvement de l'être passe par une période d'incertitude, parfois d'errance expérimentale débouchant souvent sur la voie de la réalisation optimale. (voir figure 88 page ci-contre)

Ligne de destinée tracée
seulement au départ théorique

Le début de la destinée paraît réglé. La trajectoire de départ figure un chemin sinuant dans un canyon dont les parois abruptes interdisent d'abord tout changement de direction. Puis, suivant l'avancée, les parois s'écartent et finissent par disparaître, laissant enfin apercevoir la plaine de la liberté *(voir figure 87 page 205)*.

Après l'interprétation de la latitude du point de départ de la *ligne de destinée* vient celle de sa longitude. Il se situe soit sur la fin de la *ligne vitale*, soit sur le mont de la Lune. Souvent la position intermédiaire participe des deux explications ci-après :

PROVENANCE

Ligne de destinée provenant
de la ligne vitale

Ce point de départ montre combien la réalisation de l'être humain dépend de son dynamisme vital, de l'énergie mise en action sur le plan personnel. Il souligne un point : l'individu porteur de ce signe doit compter sur lui-même pour se réaliser. Il tient la barre de son navire, si le bateau coule il ne saurait accuser autrui ou la fatalité *(voir figure 89 page 208)* !

Cette autonomie de réalisation s'avère un cadeau ou un boulet selon la force du tempérament (voir page 213) et de la volonté (voir chapitre sur les digitaloglyphes).

Ligne de destinée provenant
du mont de la Lune

Le mont de la Lune reflète (dans la paume) le lieu du rêve et de l'imaginaire. Le sujet préfère laisser agir les ressources de l'imagination pour s'adapter aux aléas de la vie et s'en remettre à eux ; il ne prend aucune responsabilité. Cette « déresponsabilisation » dérive d'une attitude providentialiste engendrant le réflexe d'attendre l'occasion d'agir au lieu de la provoquer. Mais, côté positif, cela favorise la capacité d'adaptation à toutes les situations, des plus normales aux plus extraordinaires *(voir figure 90 page 209)*.

ORIENTATION

L'orientation de la trajectoire de la *ligne de destinée* détermine par sa direction vers un pôle d'attraction la mentalité et l'éthique présidant à l'optimisation de cette destinée.

Axe de la ligne de destinée
dirigé vers l'index

L'index signale le comportement social et professionnel, alors pôle d'attraction de la

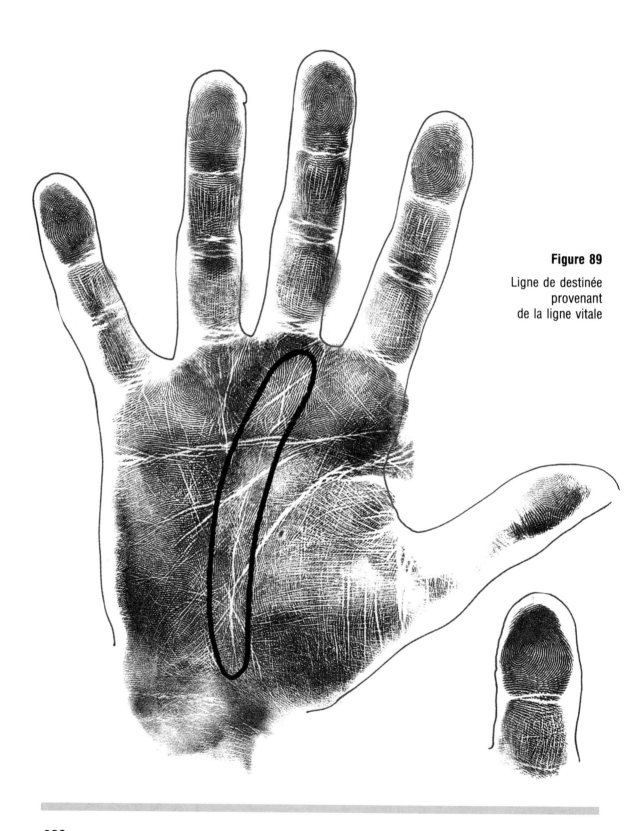

Figure 89

Ligne de destinée
provenant
de la ligne vitale

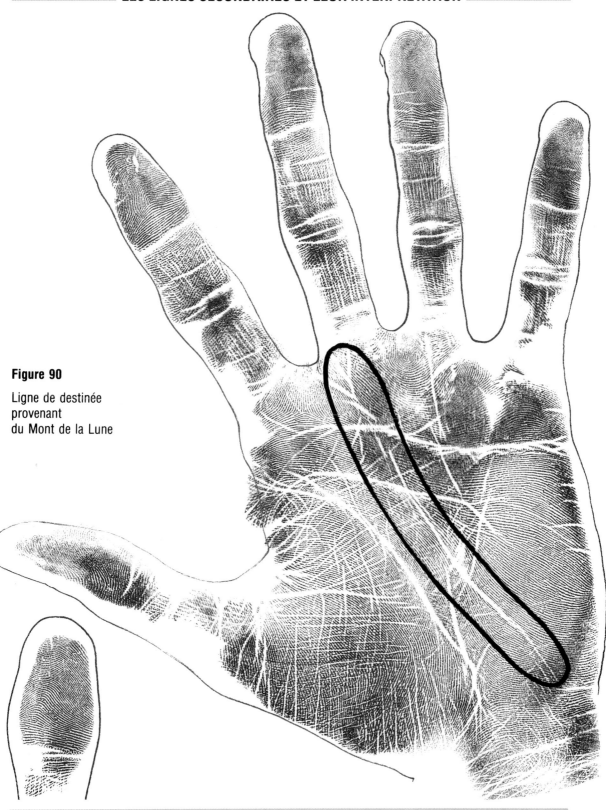

Figure 90

Ligne de destinée
provenant
du Mont de la Lune

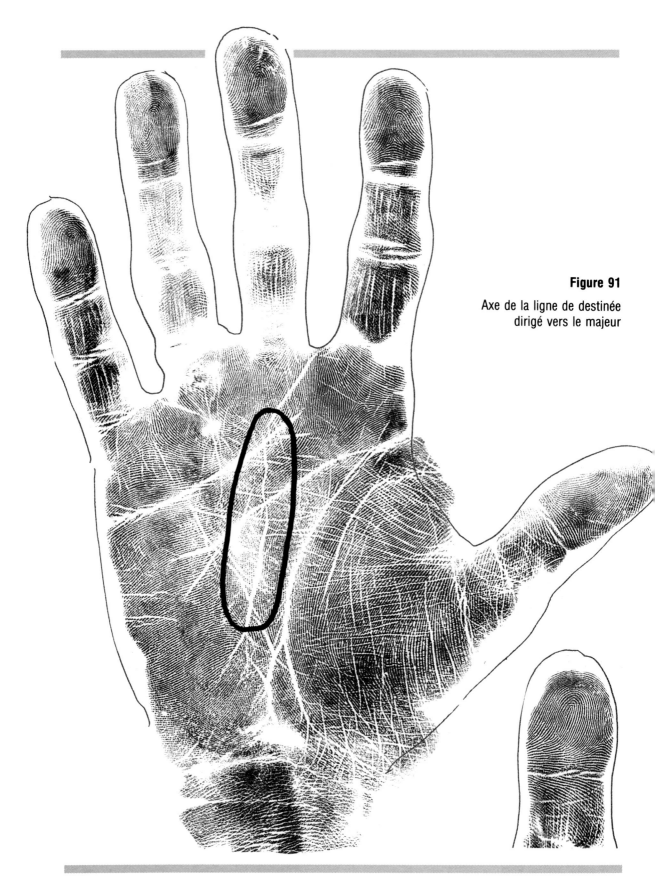

Figure 91

Axe de la ligne de destinée
dirigé vers le majeur

destinée. L'individu nanti d'une telle ligne désire jouer un rôle social et professionnel important. Son ambition devient une force, l'atout majeur d'une optimisation. L'énergie du personnage est bandée comme la corde d'un arc dont la tension se concentre sur un seul point : la penne de la flèche à décocher dans le mille, en vue de la réalisation d'un seul et unique but : satisfaire sa forte et déterminée ambition. Cependant l'ambition allant souvent de pair avec la capacité d'assumer de lourdes responsabilités, elle dynamise, indispensable.

Axe de la ligne de destinée dirigé vers l'annulaire

Doigt de l'idéal et de l'altruisme, le pôle d'attraction de la destinée se dirige vers l'altruisme, le don de soi, l'aide aux autres... Les porteurs de ce genre de ligne se rencontrent dans les organismes d'aide humanitaire si leur tempérament les porte à l'action concrète, sinon ils dénoncent à travers les médias les injustices et les infamies sans oublier d'apporter un message d'espoir.

Axe de la ligne de destinée vers le majeur

Position théorique de cette ligne, elle exprime l'essai de conciliation entre les impératifs de l'ambition et de l'idéal, la recherche de l'harmonie entre la réalisation du « moi » matériel (argent, sécurité...) et social (titres, décorum...), et l'évolution du « moi » intérieur ; entre l'individu responsable, contribuable, électeur... et l'individu porteur d'aspirations intangibles, idéalistes voire philosophiques. Cette interprétation, sortant du cadre alors trop restreint de la caractérologie, part du postulat d'existence d'une force d'âme alimentant cette potentialité d'aspiration de l'idéal et d'évolution intérieure, sans négliger une composante importante : un tempérament fort et trop cartésien risque de jouer les « étouffoirs » et de ramener les désirs de l'Etre au matérialisme de l'humain (*voir figure 91 page ci-contre*).

CAS PARTICULIER

Ligne de destinée double, triple ou plus

Parfois la *ligne de destinée,* double ou triple sur tout son tracé, forme ainsi deux ou trois lignes parallèles bien séparées dont l'une vient de la *ligne vitale,* l'autre (ou les autres) du *mont de la Lune.* Cette personne-là ne met pas tous ses œufs dans le même panier ! et s'investit en plusieurs domaines où elle évolue avec plus ou moins de maîtrise. Il s'agit alors — comme dans le cas précédent, le diagnostic du tempérament joue — d'un personnage attiré par de multiples domaines, incapable de se décider. Il se laisse vivre dans l'attente d'une décision prise pour lui par le destin, la providence ou une immanence (*voir figure 92 page 212*) !

Datation

La ligne double ou triple sur une partie seulement du parcours signifie la diversification des activités pendant une période déterminée de la destinée. Dater le début et la fin de cette période ne se peut. Il faut s'élever en faux, haut et fort, contre les

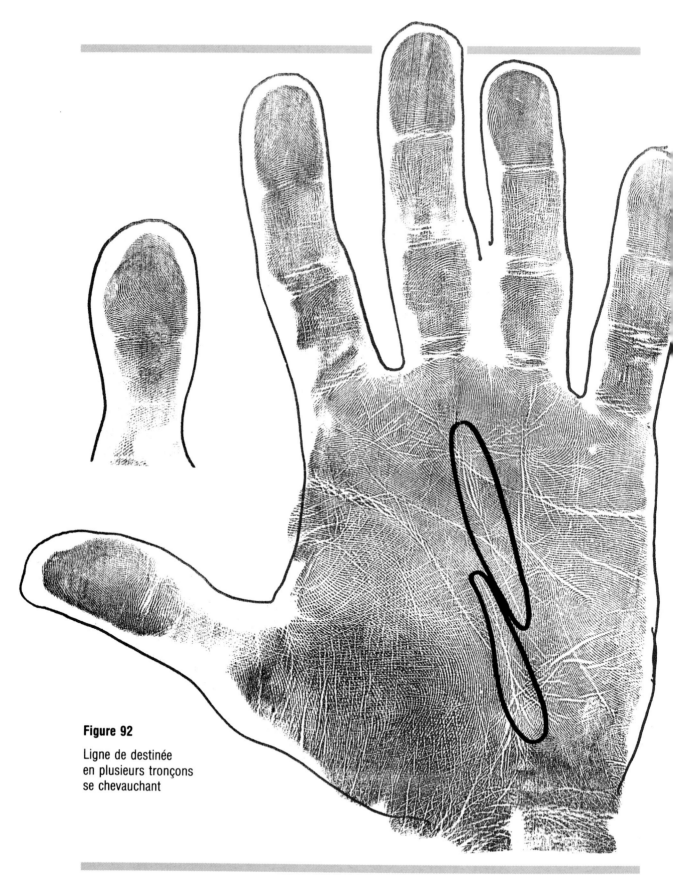

Figure 92

Ligne de destinée
en plusieurs tronçons
se chevauchant

théories s'affirmant capables de compartimenter dans le temps, à bon escient, de façon préréglée et par périodes équidistantes (par exemple 1/10 de la ligne correspondrait à dix ans) la *ligne de destinée* — de même d'ailleurs que pour les autres lignes. Chaque individu, en effet, se conçoit comme un cas particulier au vécu particulier, aussi la datation des lignes doit-elle, dans une main particulière, être abordée particulièrement ! A signaler cependant une constante : le croisement de la *ligne de destinée* et de la *ligne mentale* correspond à peu près, suivant les individus et la hauteur de cette dernière

dans la paume à trente, quarante ans d'existence. Le carrefour *ligne de destinée-ligne sentimentale* situe l'époque de la destinée concernée aux alentours de quarante-cinq, soixante ans. Mais là encore l'appréciation de la latitude de la *ligne sentimentale* s'avère indispensable dans ce découpage *approximatif* (à souligner et ressouligner !) de la destinée en trois périodes : *la jeunesse* (partie de la ligne précédant le croisement avec la *ligne mentale), l'âge adulte* (partie comprise entre la *ligne mentale* et la *ligne sentimentale)* et *le reste de l'existence* (partie au-delà de la *ligne sentimentale).*

INTERPRÉTATION TEMPÉRAMENTALE

Davantage encore que pour une autre ligne, la négligence de l'importance du tempérament prend une tournure catastrophique et rend caduque l'interprétation de la *ligne de destinée.*

Bilieux

La *ligne de destinée* à l'empreinte nette, droite et continue illustre comment le **bilieux** entend « tracer son chemin » dans la vie et son désir de laisser une tangibilité derrière lui. Le départ de la ligne se trouve le plus souvent sur la *ligne vitale* car il lui faut investir son énergie entière dans la réalisation de son être social et professionnel.

Sanguin

Plutôt absente dans une main de ce tempérament, la *ligne de destinée,* présente, revêt une signification de poids : l'individu pourra, malgré son trop-plein d'énergie, en canaliser une partie de façon constructive et

de manière à profiter des fruits des actions qu'il génère. Sinon il risque de jouer un simple rôle de dynamiseur des autres — naturellement et non volontairement —, heureux de se savoir utile. Il ira jusqu'à épuisement de son stock.

Nerveux

Le tracé caractéristique de la *ligne de destinée* — une fois parvenu à la déceler dans l'encombrement du réseau linéaire typique des paumes de ce tempérament — revêt l'apparence (et la réalité) d'une ligne fine, superficielle, faite de multiples tronçons imageant la destinée « papillon » de ceux s'investissant partout où ils passent, en surface et momentanément pour alimenter sans cesse leur besoin de nouveauté. La *ligne de destinée* continue assagira la trajectoire de son possesseur, mais le départ de la ligne sur le *mont de la Lune* fort probable indique que le contexte canalise la destinée de l'individu et non lui-même par sa volonté.

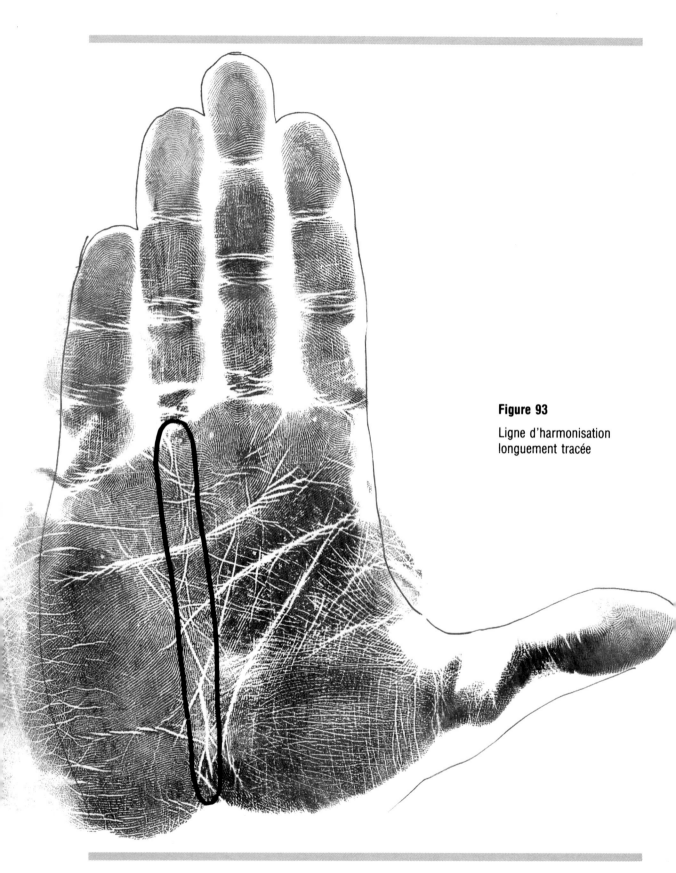

Figure 93

Ligne d'harmonisation
longuement tracée

DEUXIÈME PARTIE : CARACTÉRISTIQUES GÉNÉRALES

Lymphatique

Paradoxalement, l'existence d'une *ligne de destinée* bien marquée ou son absence dans la main type du tempérament **lymphatique** se rejoignent dans leurs significations respectives : dans le premier cas l'individu se meut dans la vie sur les rails prétracés de sa trajectoire préréglée sans risque d'en dévier... ; dans le second il accroche son wagon, sans locomotive, au train d'un autre par manque de puissance pour se lancer seul dans la vie. *Ligne de destinée* en général courte car le lymphatique éprouve le besoin vers la fin de son existence de se reposer, c'est-à-dire d'être maître de son inactivité à défaut de l'avoir été de son activité !

La ligne d'harmonisation

Elle prend son départ n'importe où dans la paume, se dirige vers le mont situé à la base de l'annulaire, nommé *mont du Soleil*, d'où l'appellation *ligne solaire* attribuée aussi — cette fois à juste titre — à la *ligne d'harmonisation*. A juste titre car la qualité de cette ligne reflète le degré d'ensoleillement intérieur engendré par l'harmonisation de l'être avec sa destinée et visible sur les visages rayonnant de joie !...

Hélas ! l'étroitesse du raisonnement de certains leur donne à penser à tort que le summum réside en la célébrité, d'où l'attribution, par la chiromancie, de la *ligne solaire* à la célébrité. La présence de cette ligne implique, en toute logique, que son possesseur va briller, devenir un astre, point de convergence des regards admiratifs voire aveuglés ! Cette conception peut faire rêver mais occasionne souvent un « dés-astre » (!) dans la vie de ceux qui y adhèrent par trop et se croient destinés à un « brillant avenir ». Ce brillant avenir, par son obsédante permanence en la tête du futur candidat à la célébrité, risque de le pousser à marcher dans les sentiers sinueux de la vie les yeux rivés vers un horizon à l'apparence prometteuse, certes, mais reculant, véritable mirage, au fur et à mesure de son avancée. Le malheureux postulant bute alors lamentablement sur le premier obstacle, vivant ainsi à plein la juste pensée de Saint-Exupéry : « Le bonheur n'est pas le but d'un voyage mais la manière de voyager. »

La *ligne d'harmonisation* ressemble à un baromètre avec son tracé rarement net et uniforme au début de l'existence. Ainsi l'harmonisation de l'individu avec sa destinée permettra à cette ligne, souvent faite de rameaux irréguliers et discontinus, de se simplifier et de se dessiner avec harmonie précisément (ce en général vers la fin de la vie) ! Aussi fluctuante, tantôt en hausse, tantôt en baisse, l'évolution de la *ligne d'harmonisation* se fera ou dans le sens d'une amélioration ou dans le sens d'un retour à l'errance...

L'interprétation des différentes positions de cette ligne se formule en parallèle avec celle de la *ligne de destinée*. La longitude du départ de la ligne permet de comprendre le degré d'influence du contexte sur l'harmonisation de l'individu *(voir figure 93 page ci-contre).*

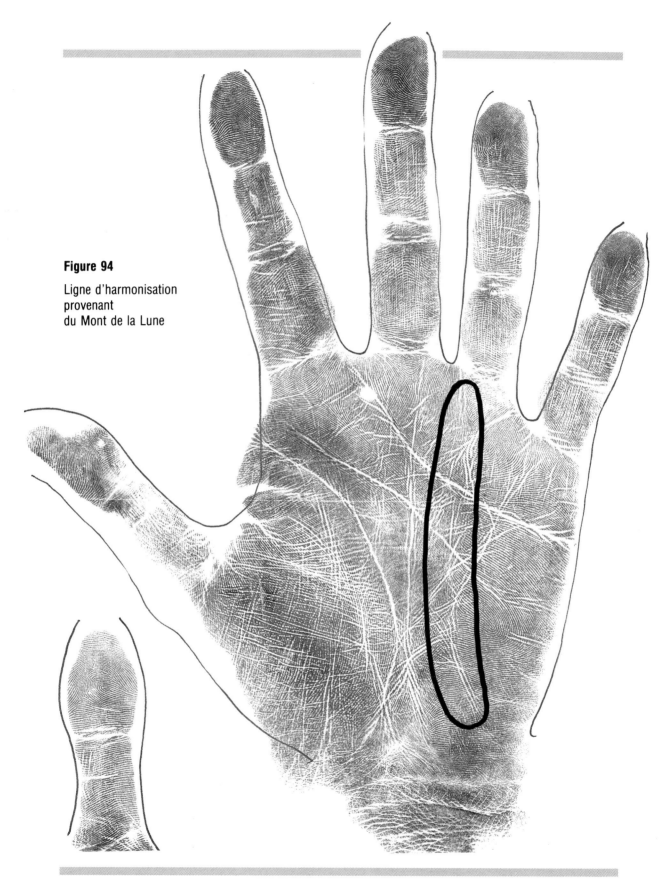

Figure 94

Ligne d'harmonisation
provenant
du Mont de la Lune

PROVENANCE

Départ de la ligne d'harmonisation confondu avec la ligne de destinée

L'évolution de l'individu vers l'harmonisation s'avère moins fonction de la volonté du contexte ou de l'entourage à le pousser à acquérir cette harmonie que de sa volonté propre à acquérir la paix intérieure engendrant cette harmonisation.

Autre hypothèse : son activité principale participe en majeure partie à l'harmonisation de cette personne, en revanche pour d'autres les activités annexes les aident davantage à devenir elles-mêmes, la ligne possède alors un tracé différent :

Ligne d'harmonisation provenant du mont de la Lune

Première interprétation : par l'importance du rêve et de l'imaginaire dans sa vie (si l'explication générale le confirme), l'individu se crée une vision du monde autre, un univers à part où il se sent bien, se plaît à évoluer. Il module lui-même son état d'esprit pour arriver, parfois sans le savoir d'ailleurs, à considérer non plus la réalité des choses mais une image due à sa propre construction. De cette distorsion — involontaire mais réelle, elle ! — naît l'harmonisation avec, en définitive, non pas « le » mais « son » monde ! Là réside l'essentiel pour lui.

Deuxième interprétation (compatible avec la précédente) : l'état d'esprit providentialiste de la personne compte aussi sur les surprises de la Providence pour alimenter la curiosité nécessaire à son plaisir de vivre *(voir figure 94 page ci-contre)*.

TERMINAISON

La *ligne d'harmonisation* termine toujours sa course dans la paume, à la base de l'annulaire. La fin de cette ligne se dirige soit vers le majeur, soit vers l'auriculaire.

Terme de la ligne d'harmonisation vers le majeur

Si cette ligne oblique du côté du *mont de Saturne,* l'idée de bonheur se voit liée à celle de devoir. En référence à la devise « Noblesse oblige » indiquant — il semble aujourd'hui, hélas ! utile de le préciser — que la noblesse possède, à l'origine de son existence, non pas des droits mais des devoirs. Celui (un noble ne saurait porter cet appellation s'il n'était habité par une « noblesse d'âme ») de ne pas montrer de médiocrité. Bonheur oblige alors car la paix intérieure de l'individu détenteur de ce style de *ligne d'harmonisation* découle de la satisfaction procurée par les occasions — provoquées par lui si elles tardent à se présenter — de justifier ses actions par le sens du devoir. La présence ou l'absence d'ostentation accompagnant parfois ce genre d'attitude dépend du tempérament et de l'éducation.

Dans l'hypothèse d'une aggravation caricaturale du « sens du devoir » — il s'agit alors de cas très isolés —, la solitude se vit comme un devoir ou, du moins, se justifie par ce biais. Solitude volontaire et para-doxale de ceux qui, négligeant leur famille et leurs proches, secourent la veuve et l'orphelin, estimant plus gratifiant de s'occu-per de gens inconnus ou lointains ; ils oublient leur choix initial, délibéré, au profit d'une cause nouvelle.

Terme de la ligne d'harmonisation vers l'auriculaire

Si la ligne se dirige, au contraire, vers le *mont de Mercure* (explication valable aussi, minimisée, si la ligne lance un rameau dans cette direction), l'individu va plutôt tirer sa satisfaction de l'admiration, de l'étonne-ment suscités dans son entourage par ses exploits artistiques, scientifiques ou même économiques.

Pourtant bien des hommes et des femmes à la réussite radieuse et certaine aux yeux du monde ne possèdent pas cette ligne. Il s'agit de perfectionnistes (la courbure du pouce et certains dermatoglyphes le confir-meront) rarement safisfaits de leurs résul-tats, ne parvenant jamais à matérialiser leurs aspirations.

3

EXEMPLES CÉLÈBRES

CHARLES AZNAVOUR

CHANTEUR-ACTEUR

GAUCHER CONTRARIÉ
CARACTÉRISTIQUES DE SES MAINS

Chaudes et sèches, dures et musclées.
Lignes profondes et marquées. Peau rouge et épaisse.

Tempérament dominant : BILIEUX

Entreprenant même s'il ne se prend pas au sérieux, Charles Aznavour considère qu'une existence s'organise, se construit, se gère. Il supporte mal l'inefficacité : la sienne ou celle des autres. Il se voit obligé de concilier sa recherche d'autonomie, d'invulnérabilité avec son besoin d'expression et de contacts humains.

Fondamentalement cérébral mais aussi actif, M. Aznavour possède un esprit joueur et conceptif à l'axe précis : bien remplir sa vie.

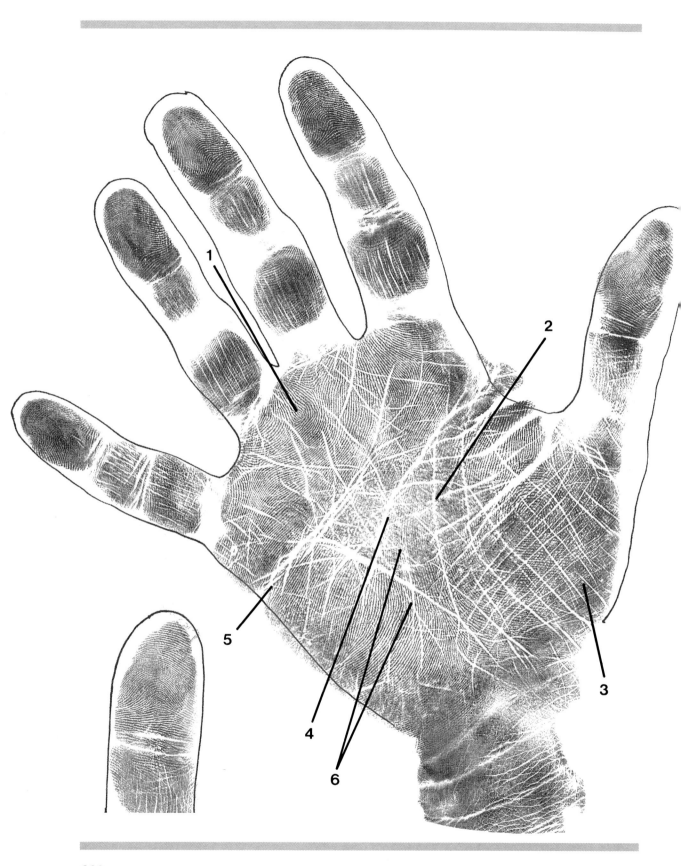

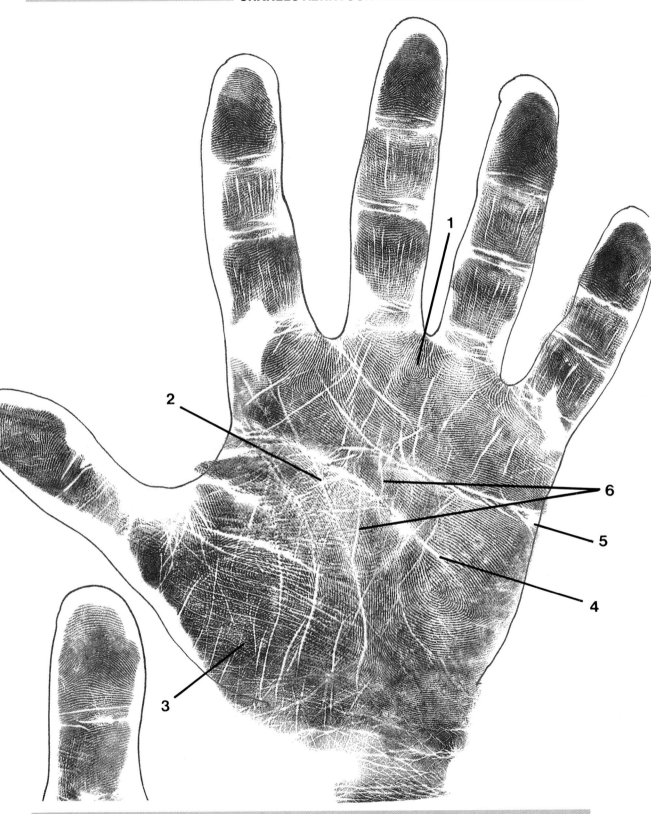

LES DOIGTS

Pouces gauche et droit : arc

Volonté intellectuelle, efficace si la tête se délecte. La volonté du chanteur se motive si elle élabore des plans pour une volonté de réalisation dont elle connaît précisément la compétence.

Largement écarté : désir d'aller toujours plus loin, capacité de se remettre en question.

Index gauche et droit : arc

Association paradoxale d'un tempérament organisateur quasi autoritaire avec un comportement individualiste garantissant sa liberté. Charles préfère aux responsabilités humaines les responsabilités intellectuelles, au statut de commandeur celui d'amuseur public numéro un !

Majeurs gauche et droit : arc

Doué d'un esprit curieux doublé d'un sens de l'observation aigu, Charles Aznavour pousse l'analyse jusqu'au plus infime détail mais conserve, grâce à son tempérament, une vue d'ensemble et un juste maniement de la synthèse.

Penché vers l'annulaire, il signale une fidélité en Aznavour : il accorde (presque) plus d'importance à sa vie amicale qu'à sa vie professionnelle.

Annulaires gauche et droit : arc

Charles Aznavour choisit ses amis selon les critères suivants : originalité, agilité mentale, passion, fidélité. Il ne tolère pas les gens à la compréhension lente, sans humour.

Auriculaire gauche : boucle, droit : arc

La boucle, élément réceptif, radar du raisonnement, fournit à l'arc de la main droite, lieu de l'éloquence, la matière nécessaire pour rendre fondées les remarques de Charles malgré leur ton badin.

Auriculaire écarté surtout dans la main gauche : marque l'esprit d'indépendance animant ses aspirations et sa conception de la vie, mais il doit parfois le faire taire lorsqu'il quitte le domaine de l'abstraction.

Boucle inter-majeur annulaire [1]

Concrétisation de l'efficacité, joker dont Charles Aznavour se sert dans un but précis, défini à l'avance.

CARACTÈRE

Ligne de vitalité [2]

Forte, bien tracée, dessinant une large courbe autour du mont de Vénus, liée en son départ avec la ligne mentale.

La curiosité et l'ouverture sur le monde du chanteur-comédien trouvent dans son amour de la vie l'énergie nécessaire à l'envergure et à la longévité de ses projets.

A la moindre contrariété, si Charles n'avait pas le sens de l'humour, il en ressentirait les effets nocifs sur sa santé.

Mont de Vénus [3]

Strié de lignes peu nombreuses, profondes. Sensibilité et fragilité de notre Sinatra national ! Pour conserver l'invulnérabilité nécessaire à l'efficacité (toujours l'efficacité !) de ses entreprises où sa sensibilité créatrice prend une large part, Aznavour, « émetteur » par nature, se résout à montrer une extraversion sélective, accessible à de rares privilégiés.

Tourbillon sur le mont de Vénus : ce motif pourrait se rapporter au sens du rythme (à vérifier).

Ligne mentale [4]

Arrondie, plutôt longue, partant de la *ligne vitale,* irrégulière.

Intelligence fondée sur la réflexion. Réflexion avant action. La prudence du caractère de Charles Aznavour s'avère en accord avec la recherche d'efficience de son tempérament. Une nécessité en lui : canaliser, optimiser le trop-plein d'énergie dont la nature l'a doté. Intuitif (pouce droit sur gauche chez un gaucher pourtant contrarié !), il utilise la vivacité de son intelligence pour quantifier ses impressions. Il n'analyse pas car il manque de concentration. Son goût du jeu s'explique certes par son sens de l'humour, mais aussi par la réminiscence de son âme d'enfant (la ligne mentale plonge dans la boucle sur le mont de la Lune).

Ligne sentimentale [5]

Longue, enchevêtrée en son début, nette et arrondie dans le troisième tiers.

Une fois le sentimentalisme intellectuel jugulé, la passion intériorisée éclate et s'exprime en faveur de ceux, en dehors des contingences spatio-temporelles, capables de venir à lui de loin, à toute heure du jour et de la nuit. Pour ces fidèles Charles Aznavour devient alors accessible, tolérant... presque vulnérable. De cet élitisme intellectuel et sentimental dépend sa sérénité, donc sa survie !

Ligne de destinée

Séparée de la *vitale* dans la main gauche, en plusieurs tronçons dans la main droite.

Destinée liée au contexte avec différents stades successifs d'implication dans des domaines divers.

BILAN DE LA PERSONNALITÉ

Charles Aznavour incarne un rarissime équilibre : il a su associer une âme d'enfant à une personnalité forte de réalisateur. Il reçoit la juste récompense de cette incroyable gageure puisqu'il parvient à se divertir en rentabilisant son propre divertissement et en divertissant le public !

AMBIANCE DE PERSONNAGE

Le Nova-Park-Elysées, on aime ou on n'aime pas ! Peut-être, pour se décider à cet égard, Charles Aznavour a-t-il élu là domicile lors d'un de ses passages-éclairs dans la capitale française ? Homme pressé — car chargé de curiosités à satisfaire, d'amis à célébrer — et efficace, le chanteur-comédien-voyageur nous accorde, comme prévu, une heure et demie d'entretien : pas plus, certes, mais pas moins non plus !

Un de ses compagnons — sûrement un de ses préférés — le « chaperonne ». Les deux amis ne cessent, le climat ne s'en alourdit pas, au contraire, d'envoyer des flèches (elles vont droit au but), d'élaborer des calembours. Nos fronts se plissent à la recherche du « truc ». Jean de Bony en conçoit aussitôt une curiosité profession-nelle : les deux complices possèdent-ils, en accord avec une commune forme d'humour, des empreintes digitales semblables ? Vérification faite, réponse positive. Pas de hasard mais des arcs au bout de leurs doigts, sans doute pour mieux envoyer leurs flèches !... L'être humain s'avère décidément une ingénieuse mécanique et le monsieur de là-haut un fort habile horloger.

Voltaire, vous appréciez, monsieur Aznavour ?

ÉDITH PIAF

CHANTEUSE

DROITIÈRE
CARACTÉRISTIQUES DE SES MAINS

**Mains chaudes et sèches. [1] Peau épaisse et ferme. [1]
Lignes nettement tracées et peu nombreuses.**

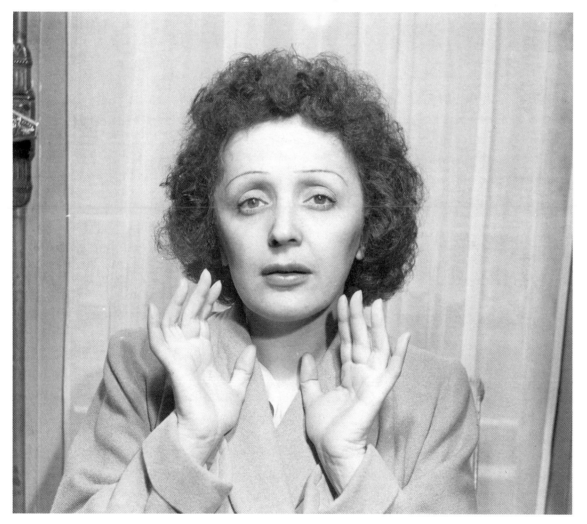

Roger-Viollet

---

1. Renseignements obtenus auprès de l'association Les Amis d'Edith Piaf, 5, rue Crespin-du-Gast, 75011 Paris.

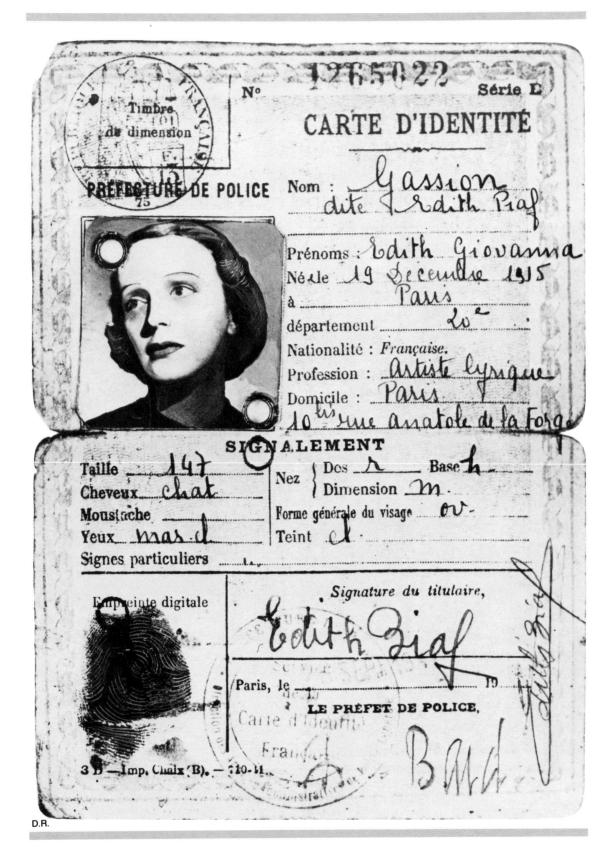

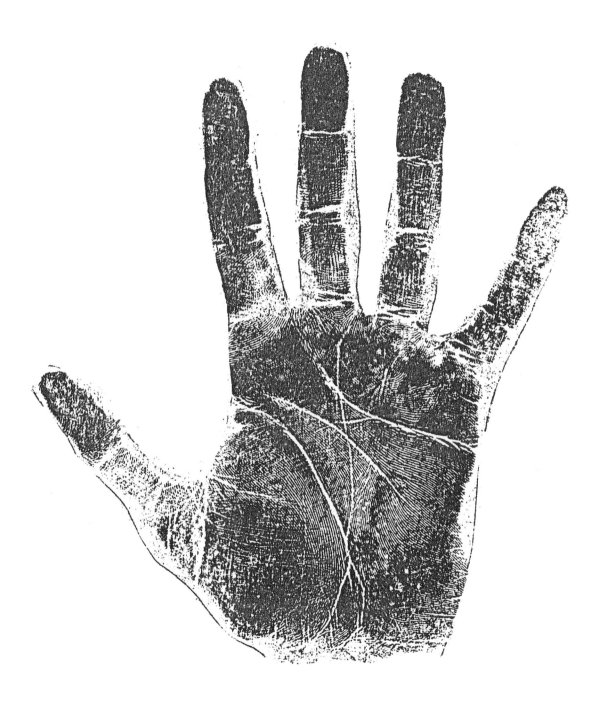

Avertissement : l'empreinte de la main gauche confirmerait ou infirmerait certains aspects de cette étude, elle ne se trouve, hélas ! pas en notre possession.

Tempérament dominant : SANGUIN
AVEC UNE COMPOSANTE BILIEUSE

En conformité avec son tempérament *sanguin,* Edith Piaf, avant tout habitée par la passion, ne conçoit pas de limites, ne s'arrête pas, toujours poussée à avancer, conquérir, séduire. Jouisseuse, elle croque la vie à pleines dents, avec une propension à brûler la chandelle par les deux bouts (elle se brûlera elle-même).

La composante bilieuse de son tempé-rament renforce son attitude de petite guerrière ; il ne s'agit plus seulement de séduire mais de posséder... de façon quasi paternaliste. Elle envisage chacun de *ses* hommes comme sa propriété, sa chose, et se comporte en « pygma-lionne » (mot des auteurs !). Cette composante bilieuse ampli-fie la volonté de feu caractérisant la Piaf.

LES DOIGTS

L'index gauche : tourbillon
(voir carte d'identité)

L'index droit : tourbillon
(à peine identifiable sur l'empreinte [1]...)

Détentrice de l'énergie de sa volonté de conquête, il suffit à la petite Edith de vouloir pour agir : elle porte en elle la force de sa motivation... et cette force est sa faiblesse, son talon d'Achille !

En effet, avec une telle volonté, Edith Piaf ne cultive jamais les fleurs et les fruits de l'adaptation, au contraire elle force (toujours la force !) ceux qui entrent dans son univers à s'adapter à ses exigences. Une fois éteinte sa flamme intérieure, rien ni personne ne parvient à la motiver à nou-veau ; sauf un nouvel amant !

CARACTÈRE

Ligne vitale [1]

Profonde et longue, reflet exact de la force de la vitalité de Piaf.

Tracé revenant vers la base du pouce : paradoxe d'une personne très casanière, préférant laisser autrui accéder à son monde que pénétrer, elle, dans le sien. Besoin net d'un lieu, le sien, où elle domine, par ailleurs pourtant flambeuse, peu conserva-trice, conquérante.

---

1. L'ancienneté du procédé de prise d'empreintes et les multiples photocopies dont résulte l'empreinte présentée ici ne permettent pas de déceler les autres digitaloglyphes, aussi ne pouvons-nous pas pousser plus avant l'analyse du tempérament de la chanteuse. Seul s'avère identifiable facilement et sans risque d'erreur le digitaloglyphe de l'index gauche révélé par la carte d'identité. A signaler : depuis 1977, à l'initiative du prince Michel Poniatowski, alors mi-nistre de l'Intérieur, les cartes d'identité ne compor-tent plus ce procédé d'identification.

Ligne mentale [2]

Longue, profonde, plongeant vers le mont de la Lune, le rêve et l'imaginaire jouent un grand rôle dans la vie d'Edith Piaf.

Séparée de la ligne vitale : l'impulsivité chez elle découle d'abord de son tempérament *sanguin* impulsif et expérimentaliste par essence, confirmé ensuite puis exacerbé par son caractère. Si la chanteuse prend le temps et la patience (doublet rarissime) de constater le résultat de ses élans, voici comment il s'avère : une espérance chasse la précédente (un homme l'autre), peu (sinon aucun) de moments de repos, une fuite en avant (en arrière ?) ! Cette fuite permet à Edith d'éviter les éventuelles disputes inhérentes à la confrontation avec la sienne de diverses mais fortes personnalités rencontrées au cours de son existence ; en effet, ses prises de position, issues de caprices, non de raisonnements profonds sur des données objectives, lui vaudraient, à la longue, de perdre la face. Or, si elle n'apprécie pas d'avoir tort, la môme Piaf n'aime pas pour autant l'affrontement.

Ligne sentimentale [3]

Vibrante mais profondément tracée, droite puis arrondie et jointe à la ligne mentale. Passionnée, Edith Piaf se montre d'abord intransigeante, voire possessive pour se protéger par cette apparence de force, mais très vite son hypersensibilité refait surface et la dévoile : touchante et attachante.

Son comportement passionnel s'intensifie dans le domaine sentimental car pour Edith Piaf (comme pour tous les *sanguins*) le cœur est le moteur. Tout passe par les sentiments pour la fragile Edith, émotive, idéaliste et subjective. Elle idéalise ceux qu'elle s'apprête à aimer, aussi la réalité la laisse-t-elle souvent dépitée, triste, la poussant à séduire encore et toujours, brave petit soldat !

Elle conçoit chacune de ses idylles avec la sincérité des *sanguins,* les ressent chacune comme unique et éternelle... Paradoxale, Edith ne peut vivre sans homme ni rester trop longtemps avec un homme (son indépendance l'en empêche, cf. son auriculaire fort écarté). Ce désir d'autonomie relève du côté *bilieux* de la personnalité de Piaf, il explique aussi son comportement possessif, intransigeant et le besoin de « foncer » pour acquérir une invulnérabilité d'ailleurs trompeuse.

Ligne de destinée

Provenant de la ligne vitale, nettement et profondément tracée presque jusqu'au majeur : par l'unicité de son tracé cette ligne traduit celui de la vie d'Edith Piaf centrée autour d'un point fixe : la chanson. Il s'agit pour elle de ne pas disperser ses forces mais au contraire de les concentrer dans la voie choisie.

Le départ situé sur le *mont de Vénus* peut être en rapport avec l'importance du contexte de départ familial et culturel : son père « contorsionniste », sa mère « chanteuse réaliste » sous le nom de Line Marsa.

CONCLUSION

Le choix de carrière d'Edith Piaf ne saurait en aucun cas se justifier au travers de données révélées par une seule empreinte, de qualité moyenne au demeurant. Et, de toute façon, la chirologie permet d'apprécier seule la part humaine, génétique, de l'être humain.

En revanche le comportement quotidien, face à la vie en général et à l'amour en particulier, de la « môme Piaf » se révèle conforme aux données caractérologiques décelées dans sa main droite.

Ainsi, comme le raconte André Larue dans son livre *Edith Piaf, l'amour toujours,* malgré ses cris déchirants, ses serments, elle ne peut vivre sans « eux », et se succèdent, se croisent, se doublent les hommes : Yves Montand, Eddie Constantine, Gilbert Bécaud, Georges Moustaki, Jacques Pills et... Charles Aznavour.

EDITH PIAF ET CHARLES AZNAVOUR

La confrontation de leur analyse chirologique respective permet en partie de comprendre pourquoi Aznavour réussit ce miracle : tenir huit ans (de 1946 à 1954) dans le sillage de Piaf, record de durée !

Charles Aznavour joue le rôle de l'homme à tout faire (ou presque...) de Piaf. Oui : il ne jouera pas celui de l'amant, sans doute faut-il voir là la raison de cette remarquable durée ? Efficace, organisé et gestionnaire, il a, auprès de la chanteuse, l'occasion d'expérimenter ses compétences naturelles de *bilieux* : « Je faisais tout chez Piaf : les comptes, les économies, les éclairages, le micro, les rideaux de scène. Je conduisais la voiture. Je portais les valises. J'étais son monsieur de compagnie. »

Etonnement : un *bilieux* épris de liberté et d'autonomie dépend des caprices de l'oiseau Piaf ! Deux raisons principales présiment à cette apparente antinomie : l'admiration et la timidité. En effet, par admiration, un *bilieux,* si jaloux soit-il de sa liberté et de son autonomie protectrices, parvient à les délaisser tant que dure le sentiment d'admiration. De plus, si la période de dépendance lui profite sur le plan de l'expérience, le *bilieux* n'hésite pas à apprendre, son efficacité augmentera. Or Charles Aznavour, comme beaucoup de joyeux lurons, cache derrière son humour un terrible poids : la timidité. Il n'ose s'affirmer. D'ailleurs Edith Piaf le baptise « mon petit génie con ». Génie car il fait tout ce qu'elle lui demande (et il sait tout faire)..., con car, timide, il ne s'impose pas.

Leur voyage ensemble dure le temps d'exorciser la timidité du petit Charles... Délivré en partie d'elle, il assumera alors la prodigieuse carrière que l'on connaît.

SONIA RYKIEL

STYLISTE

DROITIÈRE
CARACTÉRISTIQUES DE SES MAINS

**Mains froides et grandes.
Peau fine et sèche. Lignes nombreuses et fines.**

Tempérament dominant : NERVEUX

Sonia Rykiel dispose, par son tempérament, d'un dynamisme découlant non pas de l'énergie (qu'elle ne possède pas) mais d'une forte capacité d'action de source intellectuelle. Sonia se plaît à agir seule... dans un groupe respectant son individualisme.

Très idéaliste, elle s'intéresse aux domaines exprimant sa subjectivité et sa sensibilité, alors elle se sent à son aise.

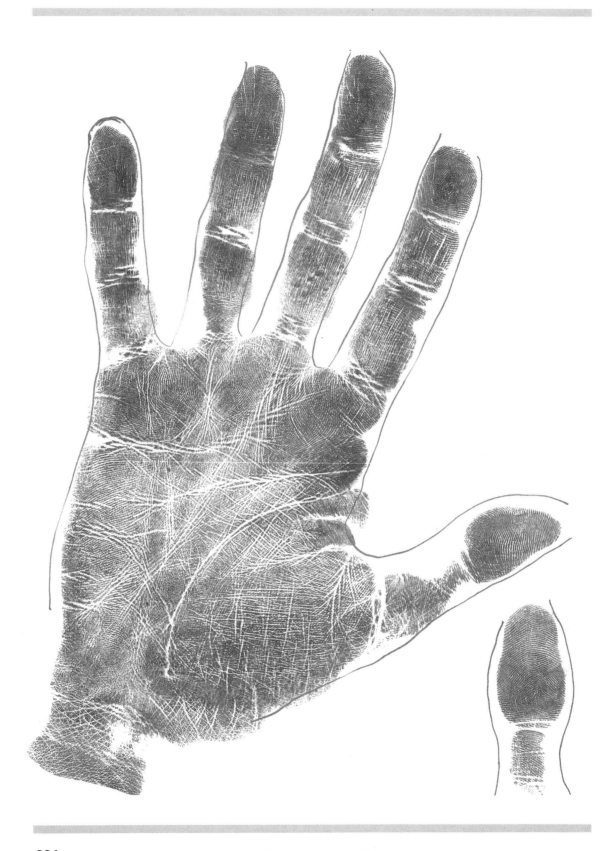

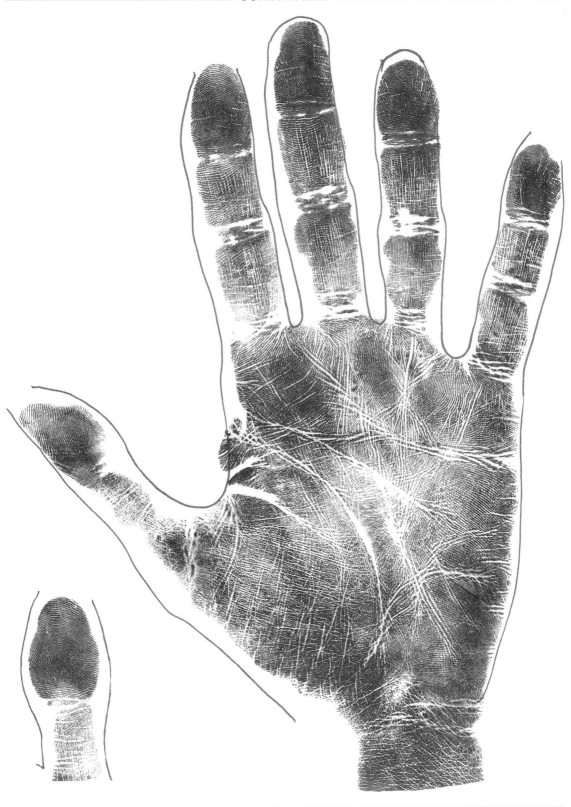

LES DOIGTS

Pouce gauche :
petite boucle dans un arc

Pouce droit : boucle

Volonté conceptive moins dynamique et impulsive que la volonté réalisatrice. Cette dernière, pour être efficace, nécessite la rapidité d'exécution, un contexte stimulant de relations humaines avec un brin d'improvisation favorisé par l'impulsivité (voir lignes *vitale* et *mentale*).

Volonté conceptive plutôt prévoyante, prudente, voire parfois inhibée par la peur de mal faire, c'est-à-dire de trop s'éloigner de la perfection inlassablement visée par Sonia Rykiel. Cette contradiction entre le mode de conception et le mode d'action rend les réactions de notre intéressant sujet assez surprenantes ; en effet elle semble danser un pied sur la défensive, un pied sur la bienveillance, alternative déroutante !

Pouces ouverts vers l'extérieur : la recherche de la perfection motive Sonia Rykiel, jamais satisfaite de l'acquis, toujours à vouloir pousser plus loin ses limites.

Index gauche : boucle

Index droit : tourbillon

Créatrice du fait de son tempérament *nerveux*, Sonia parvient seulement à s'épanouir dans un contexte collectif (boucle) où elle puise l'énergie de son ambition (tourbillon). Elle n'admet aucune ingérence dans la réalisation de ses idées mais, paradoxale, ressent le besoin de s'enquérir de l'avis et d'obtenir l'assentiment de son entourage. Elle apprécie les situations mouvantes, mobiles, passionnées si elles se voient compensées par la rigueur et l'efficacité de l'action.

Majeurs gauche et droit : boucle

Besoin de s'intéresser à des domaines différents, de se former une culture générale pour jouir d'une ouverture sur la vie.

Annulaires gauche et droit :
petit tourbillon dans une boucle

Sonia Rykiel demande à ceux qui l'entourent dans sa vie privée et professionnelle de respecter son individualisme, comportement normal inhérent à son tempérament *nerveux*. Pour appartenir au sérail

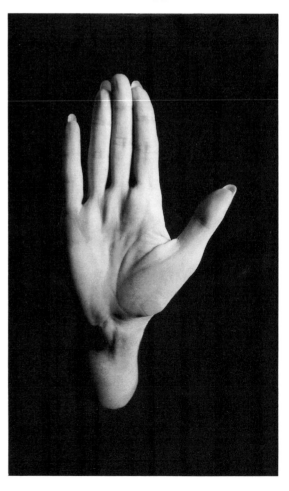

restreint de ses amis, il faut détenir une sensibilité capable de comprendre, de respecter son hypersensibilité. Indispensable aussi de montrer une intelligence incitant à s'interroger sur le sens de la vie et de l'étonner par vivacité et alacrité d'esprit, de savoir également se passionner...

Très paternaliste, Sonia préfère se voir chargée de responsabilités plutôt intellectuelles qu'humaines.

Auriculaires gauche et droit : boucle

Réceptive car sensible, Sonia Rykiel accorde du crédit à ses intuitions si elle parvient à se les expliquer par la raison. Comme l'atteste la prédominance du pouce droit dans la façon dont elle croise les doigts.

Ecart annulaire-auriculaire

Traduit l'indépendance d'esprit si importante chez elle.

Ecart index-majeur-annulaire

Le majeur de la main droite, penché vers l'index, signale l'ambition animant Sonia Rykiel, la large part accordée à sa vie professionnelle.

Dans la main gauche, l'équilibre des forces idéal-ambition s'opère avec logique comme le souligne la position du majeur en équidistance des deux autres doigts.

CARACTÈRE

Ligne vitale

Longue et enchevêtrée : pour Sonia Rykiel comme pour tous les *nerveux*, l'énergie vient, agissant. Entreprenant à long terme des projets, elle saura les mener à bien si demeure la passion.

Courbe large : curiosité, ouverture sur le monde. Sonia Rykiel, très casanière, éprouve constamment un besoin de contact, de se mettre au courant des nouveautés.

Ligne mentale

Séparée de la ligne vitale en leur départ : paradoxe de la prévoyance, de la prudence tempéramentale et de l'impulsivité caractérielle. Cette dernière dynamise Sonia Rykiel, elle prend (alors) des risques... calculés !

Droite puis arrondie dans la main gauche, arrondie puis droite dans la main droite : paradoxe encore d'un comportement dirigiste se voulant inflexible mais lâchant souvent du lest ! Sonia Rykiel s'efforce à la souplesse mais agit en fin de compte selon son bon plaisir !

Ligne vibrante et enchevêtrée : Sonia Rykiel, fertile en idées et créations, éprouve en revanche des difficultés de concentration — inconvénient normal pour son tempérament — et laisserait son imagination lui cacher la réalité si elle n'avait la sagesse de s'entourer d'assistantes la ramenant, au moins par leur présence, au concret.

Ligne sentimentale

Longue, arrondie, enchevêtrée, faite de petits tronçons et reliée (dans la main droite) à la ligne mentale : Sonia Rykiel, intransigeante intellectuellement, se montre fragile et favorable à la douceur dans le domaine sentimental à cause de son hypersensibilité (mont de Vénus strié de nombreuses lignes très fines trahissant son introversion). Elle ne se contente pas de rester dans sa coquille mais s'intéresse aux autres et donne le change, par son parternalisme, à son besoin de se protéger et de demeurer secrète. Cette sensibilité exacerbée ne l'empêche en aucune façon d'être une femme au sentimentalisme très cérébralisé : dans la logique de son tempérament *nerveux,* il faut étonner sa tête pour avoir accès à son cœur.

Ligne de destinée

Provenant du mont de la Lune, en plusieurs tronçons.

Correspond à une destinée dans la logique du tempérament, à l'apparence dissolue, sans but réel, au gré du vent et des occasions. Cependant Sonia Rykiel, habitée par la détermination de maîtriser sa trajectoire, se montre capable d'une étonnante efficacité (boucle inter-majeur-annulaire dans la main gauche) s'il le faut. Elle parvient à considérer un imprévu, voire un échec, comme une expérience constructive (boucle de la philosophie positiviste dans les deux mains).

CONCLUSION

Sonia Rykiel n'était, par sa dominante tempéramentale, pas prédisposée à une brillante carrière de chef d'entreprise. En revanche, sa faculté créatrice (les *nerveux* appartiennent au tempérament le plus potentiellement créateur) ne surprend pas.

La raison de sa trajectoire ? L'impératif besoin et la détermination d'une rousse de trouver son autonomie (tourbillon sur l'index droit) pour affirmer sa différence, donc d'en créer les conditions optimum. Sans cela, Sonia Rykiel s'annexerait sans doute à ces innombrables cas de créateurs voués aux incertitudes de la vie d'artiste et dépendant d'un « monsieur 20 % » (sinon davantage !)

AMBIANCE DE PERSONNAGE

La petite femme rousse vêtue de noir s'agite en tous sens ; les ordres fusent, modulés par une voix haut perchée. Elle ne s'assied pas et lit, une main posée bien à plat sur la table, l'autre oiseau porteur d'un stylo à bille, les pages d'un prochain livre ou article à une secrétaire à l'oreille avertie, au cœur d'avance ému. Les phrases se déroulent, pleines de couleurs dont Sonia Rykiel parle avec amour et savoir ; elle les déploie au fur et à mesure que s'élabore sa pensée, elles courent les pages : violettes, fuchsia, jaunes, vivantes, chaleureuses, animales. La *secrétaire part munie de son précieux butin et la styliste se tourne vers nous : « Alors, vous voulez voir mes mains ? Je suis à vous. »*

Nous la conserverons deux pleines heures durant, fascinés par le dynamisme de cette femme sûre d'elle et en même temps un peu brisée ; au fond d'elle gît en effet une note fêlée, fragile, perceptible seule aux plus sensibles, signal d'un idéalisme jamais atteint.

Mais revient vite la rousseur, le feu de la Sonia flamme et ardeur.

Ouf, quelle rencontre !...

PACO RABANNE

COUTURIER

DROITIER
CARACTÉRISTIQUES DE SES MAINS

**Potelées et épaisses.
Peau chaude et sèche, souple mais ferme.
Lignes assez nombreuses.**

Tempérament dominant : SANGUIN

Mais aussi un peu *bilieux-nerveux*.

Paco Rabanne possède par son tempérament *sanguin* l'énergie de son ambition et de sa combativité. La composante *bilieuse-nerveuse* essaie de canaliser de façon constructive un trop-plein d'énergie exacerbé en plus par une hyperémotivité et aboutit à créer les conditions d'une autonomie permettant à Paco Rabanne d'improviser en assumant son goût du risque.

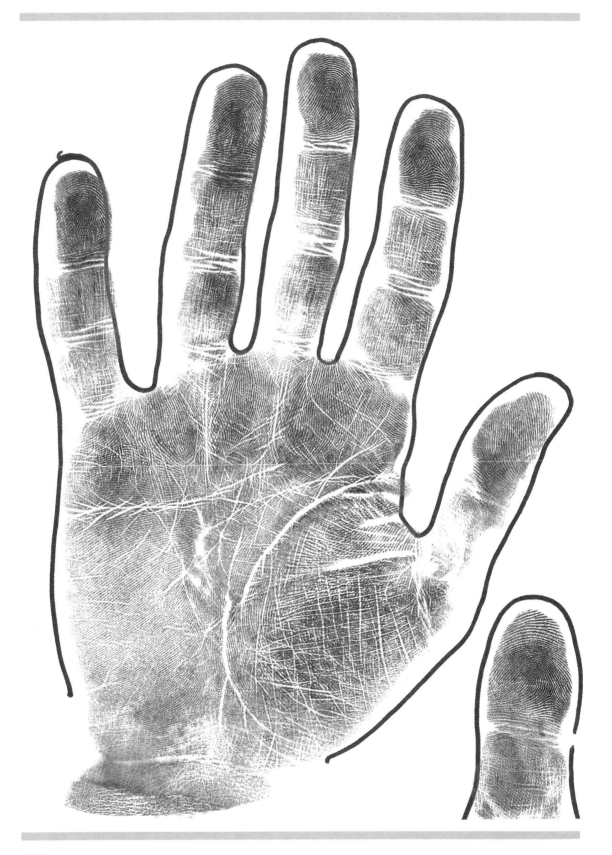

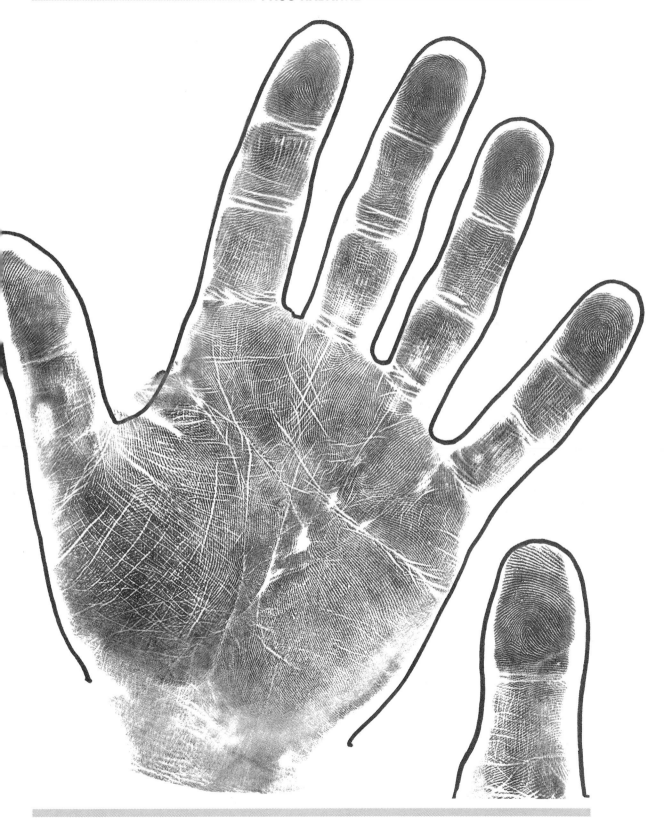

LES DOIGTS

Pouces gauche et droit : tourbillon

Volontaire, fervent du coup par coup, le couturier possède une volonté dans la logique de son tempérament *sanguin* : efficacité en courant alternatif dépendant de la rapidité d'exécution de l'action, besoin d'improviser dans un contexte le motivant. Force fragile de sa volonté. Le positionnement de son pouce plus écarté dans la main dextre que dans la senestre traduit une position à l'apparente contradiction de Paco Rabanne : conservateur car attaché à la tradition, notamment à la tradition ésotérique, et excentrique car se voulant hors des sentiers battus. La réalité dépasse d'ailleurs parfois en réalisation la fiction de ses conceptions !

Index gauche : petite boucle dans un arc, droit : boucle

L'association arc-boucle signale le paradoxe d'un comportement à la fois individualiste et collectiviste. Il se plaît à travailler seul *(arc)* dans le groupe qu'il dynamise et dirige avec fermeté *(bilieux)* et beaucoup d'humanité *(sanguin)*. Il se doit de régler vite les problèmes et apprécie le risque (même s'il sait très bien « où il met les pieds » !). Doué d'un esprit de recherche très aiguisé il pousse fort loin le processus de conception, ne laisse rien au hasard, proche parfois de la manie ! Cela crée certaines difficultés quant à la réalisation car il éprouve du mal à déléguer, ressentant l'impérieux besoin de tout superviser.

Majeurs gauche et droit : boucle

Esprit de recherche souple capable de s'intéresser à de multiples sujets... avec le risque d'avoir un avis sur tous sans prendre le temps de les approfondir.

Annulaires gauche et droit : petite boucle dans un arc

La qualité de cœur (dans la conception de Paco Rabanne celle de l'âme) est le critère primordial présidant à ses relations amicales. Viennent ensuite la finesse de l'intelligence, le couturier désire en effet ne se livrer qu'à une élite empreinte de spiritualité. Autres critères, et non des moindres : la fidélité, la sincérité et l'intégrité. Il ne supporte pas les gens aux humeurs et aux goûts inconstants et considère que la véritable amitié traverse, victorieuse, l'épreuve du temps et de l'éloignement.

Auriculaires gauche et droit : boucle

Boucle confirmant la réceptivité d'un être très sensible, voire hypersensible.

Écart annulaire-auriculaire

Esprit d'indépendance, désir de se situer hors des conventions artistiques mais aussi politiques. Issu de deux générations de révolutionnaires espagnols, Paco Rabanne pourrait se situer à gauche comme l'atteste l'action sociale qu'il mène par exemple dans le domaine de la musique... mais se comporte comme un homme de droite, en chef d'entreprise et en capitaliste. A ces étiquettes d'ailleurs pour lui inadéquates, il préfère celle de symboliste.

Écart index-majeur-annulaire

Le majeur penché (et même un peu courbé) vers l'annulaire : très jaloux de son indépendance mais aussi du secret de sa vie privée, Paco Rabanne expose ses créations, non sa personne (à l'opposé de la plupart des couturiers). Ainsi, adepte de la marche, curieux de la foule, il peut se promener incognito au milieu d'elle.

Boucle inter-annulaire-auriculaire

Compte tenu du mysticisme de Paco Rabanne, cette boucle de la philosophie optimiste prend une dimension supérieure et exprime alors non seulement la capacité

de concevoir un événement désagréable comme un obstacle nécessaire, mais aussi la volonté d'affronter chaque problème avec l'idée qu'il ne subit pas son destin mais, au contraire, l'assume.

Boucle sur le versant radial du mont de Vénus de la main droite

Signale, en principe, une forte sensibilité. Peut aussi entretenir une relation avec l'attrait pour la musique rythmée.

CARACTÈRE

Ligne vitale

Longue et bien tracée, en deux parties dans la main gauche et en plusieurs tronçons dans la main droite : cyclothymique, Paco Rabanne ne compte guère sur une régularité de sa vitalité, il bénéficie de cette énergie « coup de poing » nécessaire pour régler avec rapidité un problème, puis il vaque à autre chose pour revenir ensuite au problème précédent vérifier le bon déroulement de son programme : variante du changement dans la continuité !...

Arrondie et revenant vers la base du pouce : très casanier, Paco Rabanne voyage par curiosité ou pour affaires mais non à cause d'un impératif besoin de bouger.

Ligne mentale

Courte : esprit de synthèse complétant l'esprit d'analyse révélé par le digitaloglyphe ornant l'index gauche.

Arrondie : Paco Rabanne détient, par sa stature physique et sociale, la faculté d'imposer ses idées à ses interlocuteurs, mais il préfère les suggérer par la diplomatie, même si son discours revêt parfois un aspect paternaliste. Sensibilisés à ses opinions, ses amis et son entourage professionnel pourraient inciter à croire à son adhésion inconditionnelle s'il ne prenait soin de respecter l'avis des autres, autant d'ailleurs qu'il s'attend à les voir respecter le sien !

Départ conjoint avec la ligne vitale : réfléchi et prudent, Paco Rabanne prend des risques calculés, il pense même ses attitudes, d'où un certain psychosomatisme. Pour rester en bonne santé, il s'attache à entretenir de saines et apaisantes pensées et à garder la maîtrise de lui-même.

Ligne sentimentale

Enchevêtrée, proche de la ligne mentale : passionné, Paco contrôle par la raison les élans de sa sensibilité. Il se plaît à rendre service, à aider autrui comme le confirme son groupe sanguin O, donneur universel.

Ligne de destinée

Provenant principalement de la ligne vitale : elle montre combien Paco Rabanne entend déterminer — en partie du moins — le cours de sa destinée en saisissant les perches tendues par elle.

Aboutissant dans un quadrilatère dans la main gauche : configuration de lignes se retrouvant dans les mains des personnes bénéficiaires d'une « bonne étoile ».

CONCLUSION

Optimisation quasi complète des potentialités du tempérament, du caractère et des aspirations. *Sanguin-bilieux,* Paco Rabanne s'affirme comme un *réalisateur* allant de l'avant, mû par la conviction et la force de la passion.

Sanguin-nerveux, créateur et théoricien, il exprime avec l'impact et la liberté conférés par la réussite, à l'aide de matières et d'idées, l'originalité de son être, dépassant ainsi ce qu'il déteste : la médiocrité, la banalité et la sottise.

AMBIANCE DE PERSONNAGE

Paco Rabanne l'annonce aussitôt : son imposant bureau sombre, parmi les miroirs et l'acier, se propose d'impressionner les Japonais : le commerce avant tout !... Nécessite-t-il d'ailleurs cet adjuvant, M. Rabanne, avec sa stature imposante d'empereur romain, sa moustache fournie et son regard scrutateur ?

Ample personnage à la vision intrinsèque, il subjugue vite, entraîne son interlocuteur dans les régions peu connues de la magie et du mysticisme. Paco Rabanne s'intéresse aux diverses formes de vie, se plonge entier dans le sujet qui attire l'espace d'un instant (ou davantage) son attention. Ainsi aidera-t-il Jean de Bony à bien presser sa main sur la feuille de papier pour la mieux marquer, lui apprendra-t-il la signification de ses gestes effectués, affirme le couturier, avec préméditation, en connaissance de cause...

Esprit ouvert, à la fois néophyte et prosélyte, il détient un certain don d'ubiquité, en lui masculinité et féminité composent une entité cohérente, intangible et indispensable. Voilà enfin quelqu'un en accord avec lui-même, une forme de reposoir !

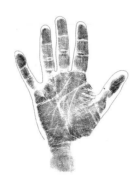

CHARLOTTE RAMPLING

ACTRICE

DROITIÈRE
CARACTÉRISTIQUES DE SES MAINS

**Paume rectangle en hauteur. Peau sèche, fine et plutôt froide.
Lignes fines et nombreuses. Ongles plus longs que larges.**

Tempérament dominant : NERVEUX

Charlotte Rampling doit puiser son énergie chez les autres, elle ne peut travailler seule, a besoin d'être stimulée conjointement par un attrait intellectuel et par une structure, un groupe. Elle a cependant un comportement individualiste dans le groupe parce qu'elle n'est pas collectiviste. Elle n'aime ni commander ni être commandée, conçoit la vie comme une relation d'échange non hiérarchisée, n'est pas prête à faire de concessions à ce sujet. Son esprit d'indépendance n'a d'égal que son indépendance d'esprit [1], condition nécessaire au bon fonctionnement de son esprit critique.

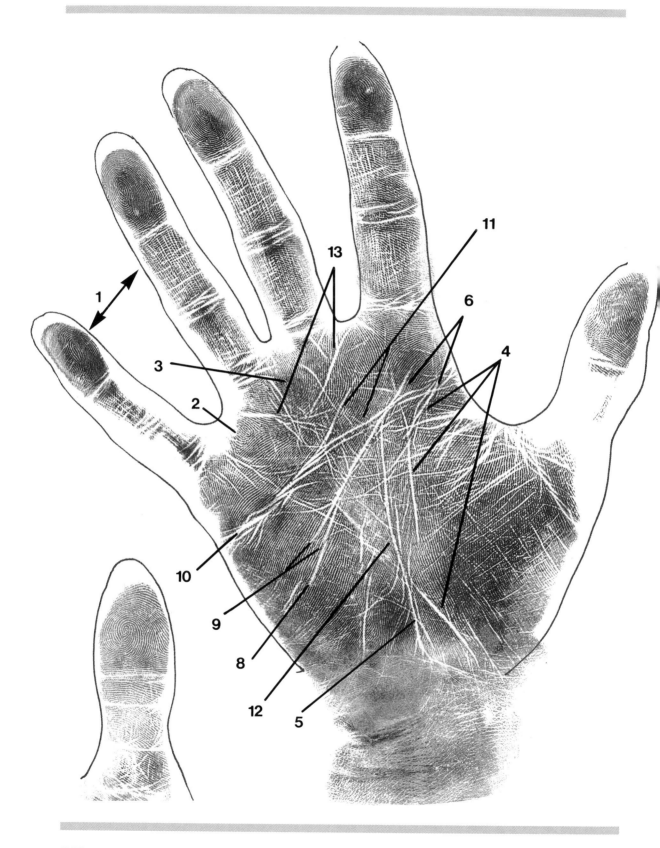

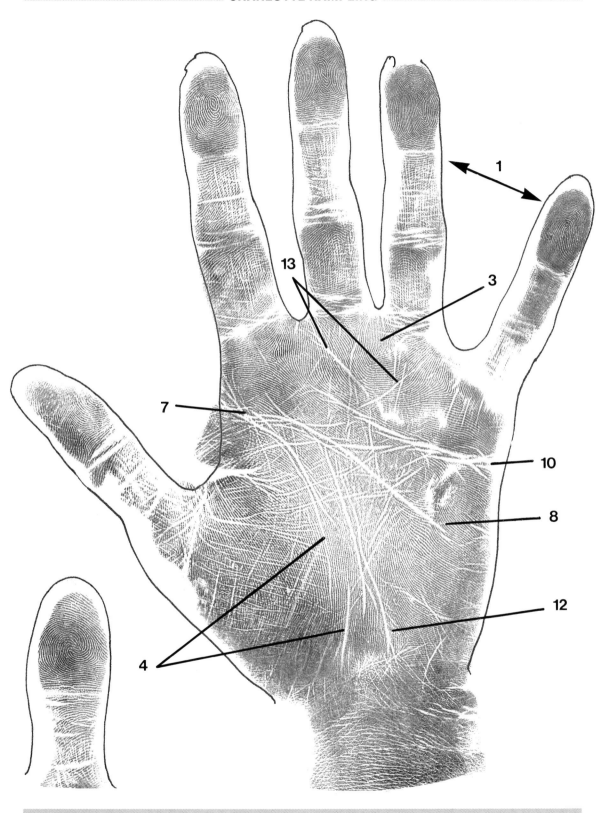

LES DOIGTS

Pouce gauche : tourbillon

Autonomie de la volonté de décision, Charlotte motive elle-même sa volonté conceptive.

Pouce droit : double boucle

La volonté d'action de Miss Rampling est moins efficace et moins directe que sa volonté conceptive parce que inhibée par un certain perfectionnisme. Cette volonté nécessite pour s'affirmer un contexte mouvant, passionné, actif.

Index, gauche et droit : tourbillon

Cette jeune femme désire une autonomie mais aussi laisser un message derrière elle. Sa capacité d'adaptation s'avère assez réduite, elle s'adapte en effet si elle y trouve un attrait intellectuel et seulement dans ce cas.

Majeurs gauche et droit : tourbillon

Tordu et penché vers l'annulaire, révèle l'ambition de Charlotte. Son idéal n'est pas lésé par son ambition : elle veut se réaliser professionnellement et personnellement.

Ses *tourbillons* signalent un besoin de se protéger, d'enfermer sa sensibilité tourmentée dans une tour d'ivoire (ou même de diamant !) pour ne pas l'exposer à la vulnérabilité. Ils signalent aussi l'intégrité de Charlotte Rampling, son sens de la justice.

Annulaires, gauche et droit : tourbillon

Tourbillons bouclés, Charlotte, à la fois paternaliste et dépendante, a un besoin d'amitiés qualitatives solides mais aussi étonnantes, attrayantes intellectuellement, susceptibles de respecter son besoin de secret, de vie intérieure. Son idéal : pouvoir être fière d'elle et se regarder dans la glace !

L'auriculaire : boucle

Réceptivité et agilité mentale de notre délicieuse Anglaise !

Boucle inter-annulaire-auriculaire [2]

Charlotte possède une philosophie de l'optimisme, la capacité de voir la bouteille à moitié pleine, non à moitié vide.

Boucle inter-majeur-auriculaire [3]

La Rampling se met en marche lorsqu'il est impératif que son but soit atteint : attention, danger !

CARACTÈRE

Ligne de vitalité

Perturbée, en plusieurs tronçons, dénote une vitalité faible, utilisable en courant alternatif. Il n'y a pas de continuité de l'énergie, notre artiste a des difficultés à construire à long terme.

Proche du pouce, cette ligne signale le côté casanier important de Charlotte Rampling, la nécessité d'un lieu privilégié où recharger ses accus et se protéger des agressions du vaste monde ! Elle compense alors, préférant l'évasion par la pensée, la lecture, les documentaires, le cinéma [5]...

Ligne mentale [6]

Séparée de la *vitale* dans la main gauche [A] et liée avec elle dans la main droite [B]. A) : impulsivité de Charlotte, enthousiasme pour la conception, pour l'idée, ces caractéristiques dynamisant la prudence et la prévoyance inhérentes à son tempérament nerveux. B) : prudence inhibée dans l'action, ici non dynamisée. La *ligne mentale courbe* puis *droite* révèle un problème de concentration une fois encore, toujours le papillon léger ! Charlotte parvient à fixer son attention sur un problème à résoudre après un laps de temps d'adaptation.

La ligne mentale descendant vers le mont de la Lune [8] dénote l'aspiration vers l'imaginaire. La créativité de Charlotte Rampling se voit stimulée, non annihilée par les contraintes.

La ligne mentale est dédoublée dans la main gauche [9] : double personnalité, deux « moi » en Charlotte (tant mieux pour ses fans !...).

Ligne sentimentale [10]

Arrondie : tolérance, adaptation, souplesse. *Enchevêtrée* : forte sensibilité, émotivité, emballement.

La ligne sentimentale se termine en fourche : besoin de se sentir utile, ouverture sur les autres (confirmée par le groupe sanguin O, « donneur universel »).

Ligne de destinée [12]

En plusieurs morceaux montre une destinée « papillon », anti-routine.

Anneau de Vénus [13]

Sensibilité créatrice exprimée.

BILAN DE LA PERSONNALITÉ

L'anneau de Vénus, la ligne mentale plongeant vers le mont de la Lune, le mont de Vénus strié et le désaxement des doigts confirment l'idéalisme et la créativité nécessaires à une vie placée sous le signe des arts. Mariage réussi entre Charlotte Rampling et sa vie profonde, même si elle est toujours en quête d'elle-même.

AMBIANCE DE PERSONNAGE

Charlotte Rampling, avec simplicité, a bien voulu se rendre jusqu'à chez moi pour une consultation chirologique. Elle ne porte aucun maquillage : ni du visage ni de l'âme. Après s'être prêtée sans rechigner à la séance de photographie, la énième de sa vie d'actrice et de femme à la plastique si originale, unique, elle s'installe dans le canapé de cuir fauve, féline elle-même et se laisse, cette fois, *noircir les mains mais certes point le cœur !*

Le regard vert suit avec intérêt le travail de Jean de Bony ; la voix au contralto bas pose des questions précises et même se raconte. La cérémonie devient passionnante. Il est midi, les tasses de thé virevoltent, notre invitée est une pure Anglaise, tea time à tout moment !

Le temps passe, l'intérêt de Charlotte

s'accroît. S'explique peu à peu, au fur et à mesure que sa personnalité se dessine devant nous, le choix de ses rôles au cinéma souvent difficiles, voire périlleux, complexes toujours. Charlotte Rampling n'est ni simple ni claire ; même si son eau est belle, elle s'avère trouble à certaines profondeurs : un lac, une immensité. Tant mieux pour les autres mais lourd fardeau pour elle !

DAYLE HADDON

ACTRICE

DROITIÈRE
CARACTÉRISTIQUES DE SES MAINS
**Froides et sèches. Peau fine et souple.
Lignes nombreuses et peu profondes. Paume étroite.**

Tempérament dominant : NERVEUX

Dayle Haddon ne dispose pas de la *vitalité* de sa capacité d'*action...*, aussi doit-elle puiser dans le contexte l'énergie apte à la dynamiser.

Cependant, si elle a besoin du groupe, Dayle n'est pas collectiviste, individualiste plutôt, voire même intimiste. Elle ne peut ni commander ni être commandée.

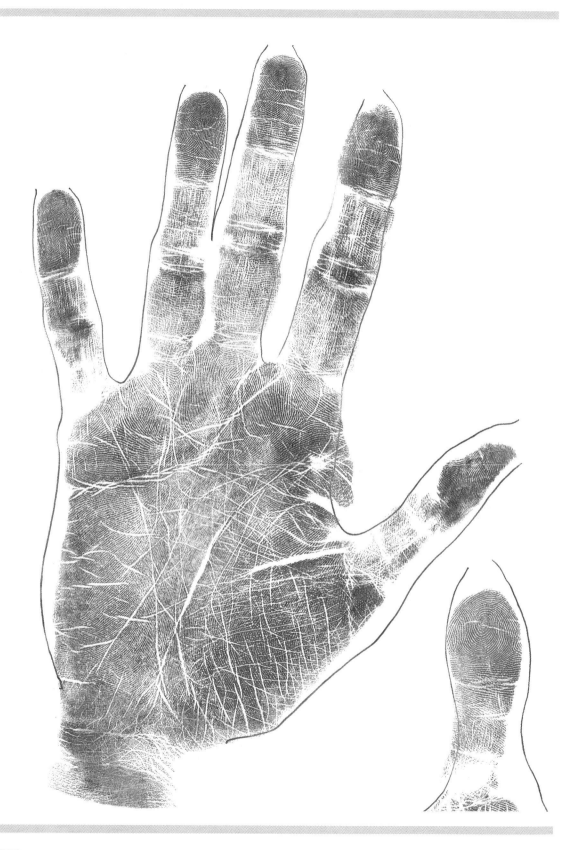

TROISIÈME PARTIE : EXEMPLES CÉLÈBRES

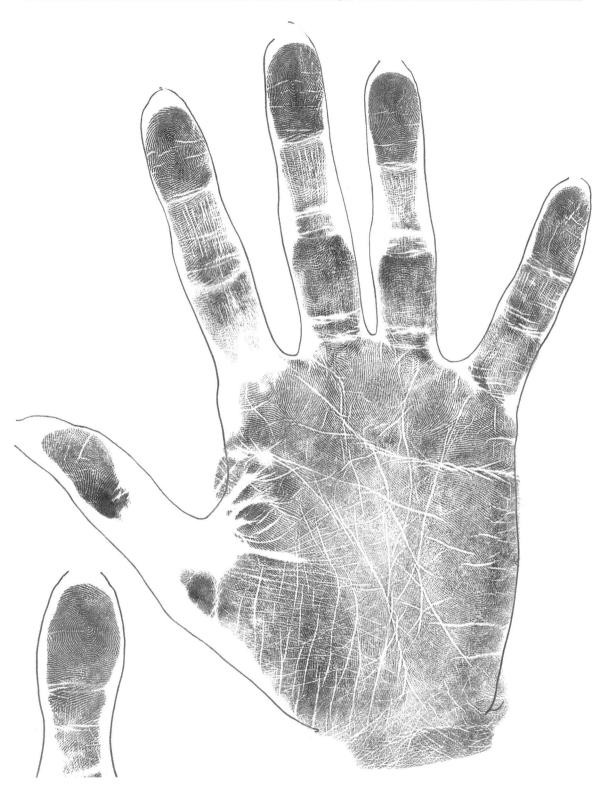

LES DOIGTS

Pouce gauche : tourbillon, droit : tourbillon

Forte volonté, tenace, obstinée, tirant ses motivations non du contexte mais d'elle, parvenant presque à l'autonomie... hélas ! il ne suffit pas de vouloir, encore faut-il avoir l'énergie de sa volonté, or cela fait défaut au tempérament *nerveux*.

Aussi l'efficience de cette volonté dépend-elle d'une aide de l'environnement quant à l'énergie.

Index gauche et droit : tourbillon concentrique

Contradictoires, le tourbillon et la volute concentrique peuvent pourtant s'unir et révéler de concert l'impérieux besoin de rigueur et de programmation de la vie du sujet ; ici, il s'agit de la vie professionnelle où Dayle doit concilier dépendance et autonomie. Il faut que son entourage détermine avec précision sa compétence et qu'ensuite elle sente l'entière confiance de cet entourage en son efficacité.

Majeur gauche : boucle, droit : tourbillon

Son mental toujours en éveil pousse la jeune actrice à s'intéresser à mille choses, mais une fois dans l'action elle discipline son esprit en canalisant son attention sur le but à atteindre.

Annulaire gauche : boucle, droit : petit tourbillon dans une boucle

Adorant les contacts et les relations humaines, Dayle Haddon aime côtoyer les gens les plus divers, alimentant ainsi sa curiosité et son besoin de s'étonner, d'admirer. Cependant, elle tient à ne se livrer qu'à un nombre restreint d'amis et toujours en petit comité.

Auriculaire, gauche et droit : boucle

Les boucles favorisent la réceptivité de Dayle ; plus réceptrice qu'émettrice, elle préfère écouter et s'informer à discourir. Intuitive, elle croit à l'intuition de son hémisphère cérébral droit si le gauche y trouve son compte : prédominance du pouce droit et tempérament *nerveux* obligent !

Écart annulaire-auriculaire

Cet écart, plus important dans la main droite, main de l'action, exprime la liberté d'esprit et d'action caractérisant l'expression de Dayle Haddon... une fois la cible bien définie !

Écart index-majeur-annulaire

Le majeur penche vers l'annulaire : prédominance donnée à la réalisation de l'idéal sur l'ambition. Reflet aussi de l'impératif besoin de protéger sa vie privée.

Boucle inter-annulaire-auriculaire

Cette boucle de l'optimisme confère à Dayle une attitude très positive : elle ne prend aucun problème au tragique, et dans le cas contraire et rare s'attache à n'en rien laisser paraître. Cela favorise l'image de sociabilité laissée par elle chez tous ceux qu'elle côtoie.

Boucle sur le mont de la Lune

Cette boucle de la mémoire émotionnelle engendre l'innocence et la candeur confirmées par le visage un peu enfantin de Dayle. Elle reflète une nette tendance à l'imaginaire et au rêve.

CARACTÈRE

Ligne vitale

Longue, fine, enchevêtrée et rejointe par une multitude de petits rameaux.

Dayle Haddon par son tempérament possède une capacité d'action supérieure à son potentiel de *vitalité* ; elle doit puiser son énergie dans le contexte et dans son entourage pour l'action, aussi n'est-ce pas en se reposant qu'elle acquiert et économise de l'énergie mais en agissant ! Elle peut ensuite entreprendre à long terme, du moins si sa fidélité envers l'action débutée demeure ! Sinon le côté papillon *nerveux* reprend le dessus.

Ligne finissant en fourche : tiraillée entre la force casanière et la force exploratrice, Dayle donne libre cours alternativement à l'une ou à l'autre. Elle aime voyager, découvrir, rassasier sa curiosité, mais éprouve parallèlement un besoin de racines, de se ressourcer, de se protéger.

Ligne mentale

Longue et fine : sens du détail et de l'analyse très poussé, sens de l'analyse complétant d'ailleurs le sens de la synthèse (tourbillon sur l'index).

Départ conjoint avec la ligne vitale : prudente et prévoyante, Dayle Haddon met ses actions sous le contrôle de son mental, de sa raison pour savoir où elle s'engage. Ce départ conjoint signale aussi son psychosomatisme. Dans la *main gauche,* ligne arrondie et plongeant vers le mont de la Lune ; dans la *main droite,* ligne droite et se terminant au-dessus du mont de la Lune.

Créatrice en pensée mais non en action, l'actrice canadienne saura conseiller en matière artistique si on lui fait confiance et lui laisse un minimum d'autonomie (voir tourbillon sur l'index). Très conciliante parce que détestant les rapports de force, Dayle cherche d'abord à régler ses conflits avec autrui. Lorsqu'ils sont inévitables, elle les aborde avec diplomatie et douceur, sans pour autant cesser d'avoir de la suite dans les idées ! Son obstination se manifeste alors dans l'action et la concrétisation de ses aspirations.

Ligne sentimentale

Longue, arrondie et enchevêtrée : passionnée, l'actrice a pourtant plus besoin d'être séduite que de séduire (la femme aussi !). Assez platonique, elle préfère rêver sa vie sentimentale plutôt que se confronter aux réalités problématiques du quotidien.

Finissant en fourche, comme beaucoup de gens secrets, Dayle Haddon apprécie de rendre service, d'aider les autres pour mieux garder son intimité.

Son sentimentalisme intellectuel et son côté récepteur traduisent une dure exigence (!) : il faut séduire et sa tête et son cœur ! Le chemin de son cœur passe par sa tête.

Ligne de destinée

En plusieurs tronçons et provenant dans la *main gauche* du mont de la Lune, dans la *main droite* de la *ligne vitale* et du mont de la Lune.

Correspond à une destinée où hasard et providence interviennent. Cependant, par manque du sens de l'adaptation, Dayle ne saisit pas toujours les perches tendues par la vie. Elle réussit pourtant à ne pas être seulement un papillon et grâce à sa volonté (tourbillon sur le pouce) concrétise dans une certaine mesure sa potentialité de destinée.

Ligne de Soleil

Présente dans la main droite, main de la réalisation, la *ligne du Soleil* montre la satisfaction que Dayle semble tirer de sa trajectoire dans la vie (ou du moins ce qu'elle en extériorise !). Sans doute sa mentalité optimiste y est-elle pour quelque chose…

Ligne d'intuition

Nette et bien tracée, elle signale l'importance de l'intuition chez Dayle Haddon.

CONCLUSION

Mains typiques de l'artiste, pas de celui qui crée mais de celui qui est créé, interprète d'une création. Assez fragile par manque d'agressivité et par candeur, Dayle Haddon trace tout de même sa route grâce à sa ténacité.

AMBIANCE DE PERSONNAGE

Dayle Haddon, Canadienne au regard transparent, ressemble à un petit animal farouche.

L'idée de montrer ses mains l'attirait et l'inquiétait à la fois. Et puis, ancien mannequin devenue actrice à la force de ses fins poignets, elle ne supportait pas de se présenter lasse, le teint trop pâle. Mais son teint rosit au fur et à mesure de la montée de son intérêt pour les propos du chirologue et, apprivoisée, elle se mit à multiplier sourires et questions, oublia sa lassitude due à de fréquentes tournées.

Sa fascination pour les domaines touchant aux relations humaines la rend loquace, place en sa tête et en ses paroles des myriades d'étoiles. Elle donne l'impression d'une ondée fraîche, semblable à une couleur claire nimbée par des boucles brunes et folâtres !

Dayle Haddon, c'est la vie et du champagne...

MARCEL MARCEAU

MIME

GAUCHER
CARACTÉRISTIQUES DE SES MAINS
Sèches et tièdes.
Peau fine et lisse. Lignes fines et nombreuses.

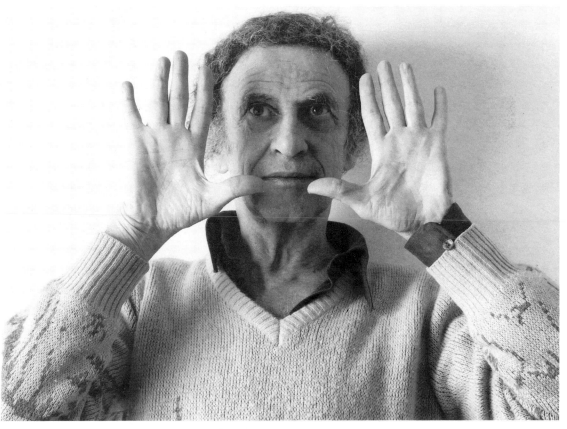

Tempérament dominant : NERVEUX

Tempérament de l'artiste par excellence, forme d'esprit attiré par le rêve et l'imaginaire. Grâce à une subjectivité intellectuelle, bagage psychologique impératif pour créer, Marcel Marceau s'accomplit.

Très individualiste, il ne se résout ni à commander ni à l'être : aussi conseille-t-il, suggère-t-il... Or sa passion, sa conviction, son expérience convainquent fort bien et plus encore ! Tempérament des gens secrets, afin de se protéger ils communiquent par médias ou art interposés.

Ainsi le mime s'expose-t-il, et Marcel Marceau, lui, se cache, demeure insaisissable donc invulnérable, non par la force mais — ô paradoxe — par la faiblesse !

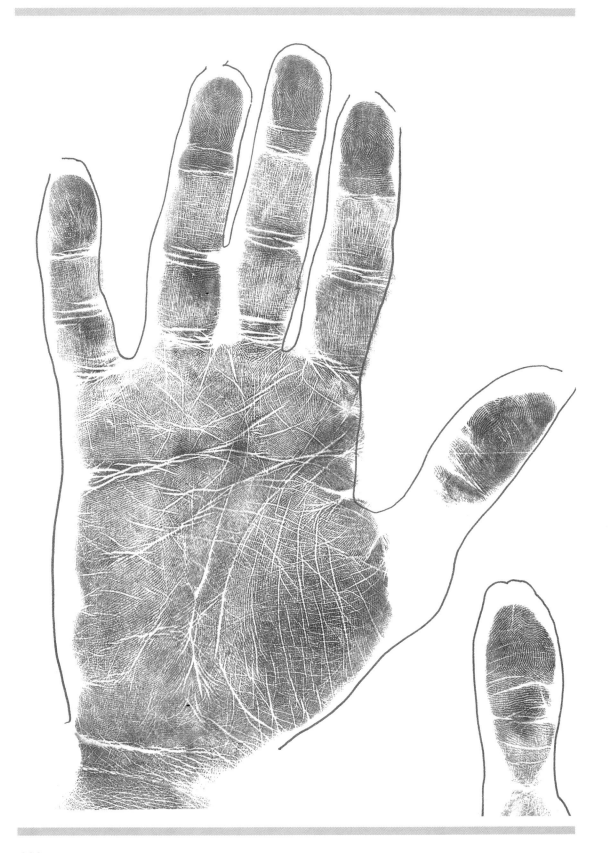

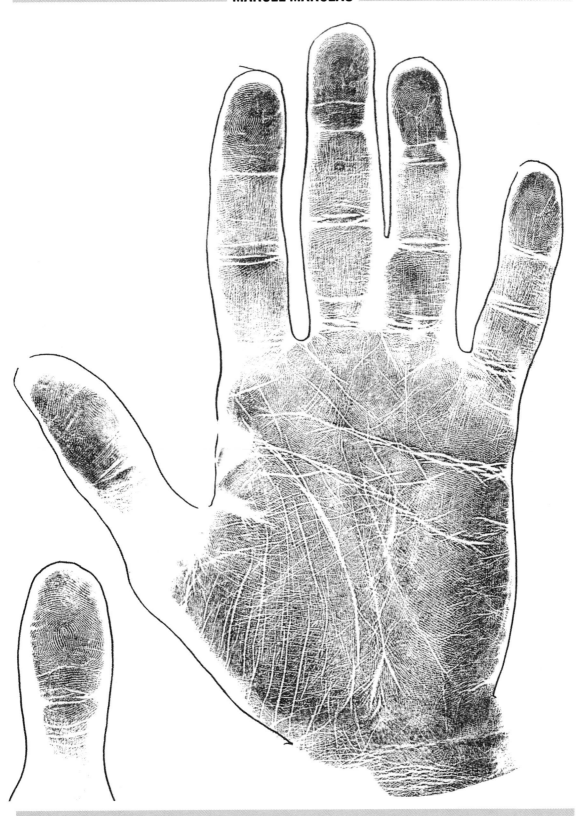

LES DOIGTS

Pouces gauche et droit :
double boucle dans un tourbillon

Volonté forte sous-tendue par la ténacité, voire l'obstination (tourbillon) et le perfectionnisme (double boucle) permettant à Marcel Marceau de transcender les limites de son tempérament *nerveux*.

Marcel Marceau, plus seulement un artiste, décide d'adopter un comportement *bilieux,* donc réalisateur, afin de créer les conditions idéales à son autonomie et à son existence pour mieux se vivre.

Index gauche :
tourbillon dans une volute concentrique,
Index droit : tourbillon dans une boucle

Comportement social et professionnel assez compliqué et contradictoire signalé par la complexité des dermatoglyphes ornant les index. La volute concentrique indique une certaine quête de la tranquillité, de l'assurance d'un chemin précis, cependant ce chemin, Marcel Marceau le détermine lui-même (tourbillon), il n'admet en effet aucune ingérence dans sa conception des choses. La continuité de son tracé le rassurant, il laisse alors vagabonder son esprit fertile à la poursuite d'idées nouvelles allant dans le sens de son perfectionnisme.

D'autre part, la boucle dénote un net besoin de contacts humains avec ceux dignes d'alimenter sa curiosité et de l'étonner, tempérament *nerveux* oblige ! Il s'adapte en ce cas à l'environnement et à son ou ses interlocuteurs car il le désire (boucle tournée vers le pouce).

Par l'enseignement de son art, Marcel Marceau concilie une nécessité de relations humaines avec celle de se protéger. Il livre un savoir, une expérience, cette extraver-sion intellectuelle le laisse libre de rester un introverti émotionnel. Son émotion passe lorsqu'il incarne non l'homme Marcel Marceau mais le mime Marceau, gestes et gestuelle à l'appui !

Majeur gauche : double boucle,
Majeur droit : tourbillon

Le tourbillon souligne un fait : Marcel Marceau veut pousser jusqu'au bout son esprit de recherche dans son domaine privilégié, sa spécialisation-spécialité. La double boucle reflète à cet égard l'insatisfaction propre au perfectionniste l'encourageant à explorer tous les coins et recoins de son univers particulier et de l'univers terrestre pour mieux comprendre les réactions de la nature humaine face à sa quête.

A remarquer la position centrale du majeur entre l'index et l'annulaire.

Marcel Marceau essaie de concilier sa vie sociale et professionnelle avec les exigences de sa vie personnelle. Il semble y parvenir : exprimer sa nature d'artiste sur le plan public par le mime, sa nature secrète par la peinture pratiquée pour son plaisir.

Annulaire gauche : double boucle,
droit : volute concentrique

La volute concentrique insiste sur la recherche du calme et de l'intimité contrastant avec les activités professionnelles du célèbre mime. Ce calme doit cependant revêtir un aspect éphémère, peu durable lors de courtes périodes, sinon Marcel Marceau, plutôt mobile, avide de connaissances, s'ennuierait.

La double boucle le rend exigeant dans ses amitiés. Il demande à ses amis de correspondre à l'image d'eux forgée par son idéalisme. De même il s'efforce de se trouver au diapason de leurs ambitions pour lui et il les préfère hautes, très hautes !

Auriculaires gauche et droit : boucle

La boucle favorisant la réceptivité confirme l'intuition. Cependant, Marcel Marceau ne se contente pas de ressentir, il lui faut intellectualiser et comprendre.

L'écart du petit doigt dans les deux mains annonce l'esprit d'indépendance du mime.

CARACTÈRE

Ligne vitale

Fine, longue et irrégulière, la *ligne vitale* de Marcel Marceau ressemble à un torrent impétueux, signale une propension à une agitation un peu fébrile émanant de son tempérament *nerveux.* Agitation qui n'est pas la conséquence du besoin de dépenser un trop-plein d'énergie mais cause de sa capacité d'agir et de réaliser. En effet, pour reprendre l'image de la voiture, Marcel Marceau part dans la vie avec un moteur (capacité d'action) sans essence (énergie) ; au fur et à mesure de son avancée le réservoir s'alimente en carburant. Pour entreprendre un projet à long terme, Marcel Marceau doit se reposer par périodes, son esprit — sans complaisance pour la routine — se ressource alors.

La *ligne vitale* prend naissance sur le mont de Jupiter, lieu de l'expansion et du domaine social et professionnel : le mime s'investit en totalité (corps et âme) dans sa vocation.

Ligne mentale

Le tracé de la *ligne mentale* vient renforcer le commentaire sur le pouce. Sa longueur et sa droiture montrent une ténacité et une obstination issues (cela se voit là) d'une attitude mentale.

La longueur de cette ligne souligne l'esprit d'analyse propre au tempérament *nerveux.* Ainsi s'explique sans doute l'im-portance accordée par Marcel Marceau aux détails, cette minutie lui ôtant le sens de la globalité.

A remarquer la ligne plus arrondie au début de son parcours dans la main gauche (main de la concrétisation chez ce gaucher) née d'une réalité : Marcel Marceau doit faire certaines concessions à la planification idéaliste de son action. Cela lui permet, en compensation, de développer sa diplomatie, fort utile pour un personnage s'efforçant d'éviter l'affrontement et de séduire les technocrates du bien-fondé de ses projets culturels et internationaux. Projets passion-nés et passionnants, fruits de son esprit toujours en alerte (tracé enchevêtré). Marcel Marceau met au point ces projets après maintes vérifications et rectifications, avec prudence et prévoyance (lignes *mentale* et *vitale* liées à leur départ). Ethique plutôt fatigante, voire éprouvante, car le mime, psychosomatique, voit la moindre anxiété ou contradiction se répercuter sur sa santé.

Ligne sentimentale

Vibrante et longue. Marcel Marceau, animé par la passion, l'exacerbe du fait de sa vivacité d'esprit intervenant pour une large part dans l'emballement de sa vie sentimen-tale. En effet ce sentimentalisme intellectuel produit des engouements se déroulant plus dans sa tête imaginative que dans la plate réalité ; point démystifiés, ils durent alors longtemps.

Ligne de destinée

Double dans la dextre, presque unique dans la senestre, elle insiste par son tracé détonnant, car étonnamment rectiligne et régulier pour un tempérament *nerveux,* accompagnée en général par une ligne brisée, sur le choix volontaire de Marcel Marceau de ne pas se disperser en dépit de ses multiples dons artistiques afin d'agir en conformité avec une *ligne* de conduite (pas de chapitre consacré à celle-là !) précise. La spécialisation dans le domaine du mimodrame (d'après lui le plus mal défendu et le plus délaissé) revêt un caractère logique puisque le *nerveux* adore la position de franc-tireur. Marcel Marceau s'implique entièrement dans sa destinée de défricheur.

Boucle inter-annulaire-auriculaire

Très anxieux, Marcel Marceau parvient cependant à passer des larmes au rire grâce à sa propension à l'optimisme. Il nécessite certes un certain recul mais aperçoit ainsi le côté à moitié plein de la bouteille, s'émerveille même tant son âme d'enfant transparaît alors.

CONCLUSION

Cas typique d'un tempérament artiste mais papillon, prêt à batifoler au gré de ses humeurs, canalisé, dirigé et géré par un caractère fort et décidé dans le but reconnu de créer les conditions les meilleures pour, en toute liberté, parvenir à l'autonomie indispensable à son équilibre.

AMBIANCE DE PERSONNAGE

Marcel Marceau se cache, se réfugie, s'affiche, virevolte derrière un personnage au langage international : le mime.

Il ne s'intéresse en effet pas à lui-même, seul le passionnent son art et son message. Difficile de détecter derrière la fébrilité de l'artiste l'homme, de rencontrer derrière les boucles de cheveux gris la sagesse de l'âme. Le mime Marcel Marceau s'épingle sur le mur, papillon de nuit, pour laisser le photographe le saisir. Mais de qui s'agit-il alors en réalité : du mime ou de Marcel ? Mariage inextricable, symbiose totale : il est l'un et l'autre à jamais et pour toujours.

Au loin les silhouettes mouvantes de ses disciples-élèves se dessinent sur la scène du théâtre. Silence : mais on ne tourne pas, on mime !

ALEJO VIDAL-QUADRAS

PORTRAITISTE

DROITIER
CARACTÉRISTIQUES DE SES MAINS

**Chaudes et sèches. Peau souple et lisse.
Lignes nombreuses. Couleur rosée.**

Tempéraments dominants : NERVEUX-SANGUIN-BILIEUX

Simplicité apparente mais complexe (paradoxe quasi wildien !) d'un être chez qui ces trois tempéraments coexistent en presque égalité.

Deux des tempéraments sont subjectifs et idéalistes : le *nerveux* par la tête et le *sanguin* par le cœur. Deux tempéraments énergiques (mains chaudes), mais l'impulsivité sanguine se voit canalisée et dirigée par la rigueur et la ténacité bilieuses. Cependant la pensée prime sur l'action par la suprématie — deux contre un — des tempéraments intellectuels *bilieux-nerveux* (mains sèches).

Ainsi chaque qualité (ou défaut, affaire de point de vue !...) émanant d'un tempérament trouve son opposé dans l'un des deux autres... et loin de s'annuler ces contradictions apparentes forment d'intéressantes complémentarités.

Cela donne à Alejo Vidal-Quadras une capacité de compréhension et de tolérance par rapport au moins à trois des quatre catégories de gens : il se révélera *bilieux* avec les *bilieux, nerveux* avec les *nerveux* et *sanguin* avec les *sanguins.*

Bon à tout (donc à rien !), Alejo aurait pu, comme les individus représentatifs de cette configuration tempéramentale, passer son temps à essayer d'élaborer un millier de projets sans jamais en terminer un seul, mais là intervient la force de son caractère fixant une ligne de conduite. Puisque le véhicule détient la capacité de se frayer une voie sur tout terrain, le conducteur décide du choix d'un itinéraire en particulier afin d'optimiser l'action et de vivre à plein les performances de sa voiture. Il ne changera pas de route (cf. *ligne mentale*).

LES DOIGTS

Pouce gauche : boucle, droit : tourbillon

Les difficultés motivent Alejo Vidal-Quadras, actif, mais sa volonté de mise en action possède certaines défaillances : elle s'exerce sous l'influence (et seulement alors) d'une forte motivation d'ordre intellectuel et relationnel. Un paradoxe gît en lui : son besoin de contacts humains pour démarrer et ensuite son besoin d'interdire toute interférence extérieure sur le cours de son action.

Index gauche : boucle, Index droit : petit arc dans une boucle

Pour se réaliser sur le plan professionnel, Alejo Vidal-Quadras doit satisfaire à plusieurs impératifs :
● il aime les relations avec autrui, prend plaisir aux rencontres, se réjouit de découvrir la personnalité du personnage qu'il va portraiturer ou de bavarder avec une nouvelle connaissance, mais protège cependant sa vie privée afin de ménager, pour sa sensibilité, le cocon douillet des réunions en comité restreint ;
● il tente d'éviter la routine, d'où la

nécessité pour lui de frayer avec des gens divers ;
● il doit embellir ; sa technique demeure, certes, mais son art touche alors à l'improvisation.

Majeurs gauche et droit : boucle

La boucle reflète ici l'ouverture d'esprit du peintre, il cherche à étendre sa culture générale. Le mental ne se fige pas, en perpétuelle quête d'idées neuves.

Majeur accolé à son voisin l'annulaire : s'il en fut toujours ainsi, Alejo possède un fond dénué d'ambition, il accepte sa célébrité comme consécration de son art — carte de visite lui permettant de « croquer » les « plus grands » —, mais passent en premier l'harmonie et le bonheur de sa vie personnelle. Dans le cas contraire, si le majeur fut dans la jeunesse de l'artiste plus rapproché de l'index (impossible à déterminer, quant à A.V.-Q., il ne le sait pas non plus), l'ambition fonctionne comme force majeure de son optimisation puis, ce contact avec lui-même et avec l'existence réalisé, le majeur entame progressivement son rapprochement vers l'annulaire ; il fallait mentionner cette hypothèse car dans de nombreux cas cette élaboration se révèle non pas théorie mais réalité.

Annulaire gauche : boucle, Annulaire droit : tourbillon

Les impératifs contradictoires de ces deux signes lui font rechercher la compagnie de gens, en général, et d'amis, en particulier, passionnés, dynamiques, touchants et attachants (boucle) mais dotés (!) d'une lacune ou d'un défaut permettant l'expression de son paternalisme, et pourtant Alejo demeure élitiste (tourbillon) : compliqué !

Il s'occupe des autres, les nombrilise sur eux et reste ainsi secret.

Son idéal exige harmonie familiale et respect de son caractère intimiste. Il accorde, par ailleurs, plus de crédit à l'être qu'à l'action.

Auriculaire gauche : tourbillon dans une boucle, droit : boucle

Très intuitif (croisement du pouce gauche sur le droit) et très réceptif (boucle), Vidal-Quadras n'en cherche pas moins à comprendre et quantifie ses sensations. Il pourrait s'affirmer un orateur hors pair s'il n'avait horreur de discourir en public.

L'écart du « petit doigt » exprime bien (dans les deux mains) son esprit d'indépendance ; s'y ajoute et surenchérit l'individualisme engendré par deux des trois tempéraments le caractérisant : *nerveux, bilieux.*

Boucle inter-majeur-annulaire

Recherche de l'efficacité. Capacité de régler vite un problème si A.V.-Q. se sent motivé.

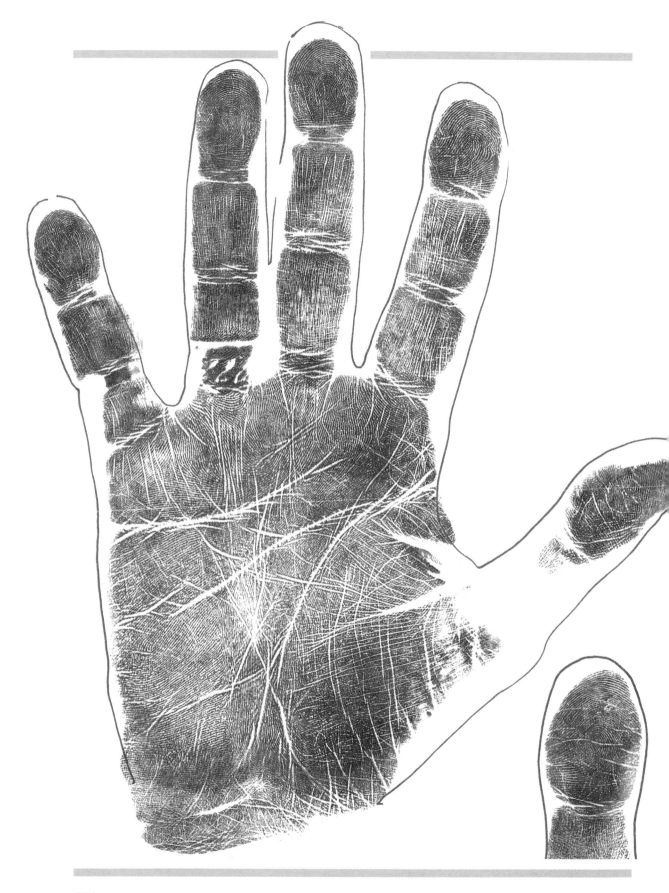

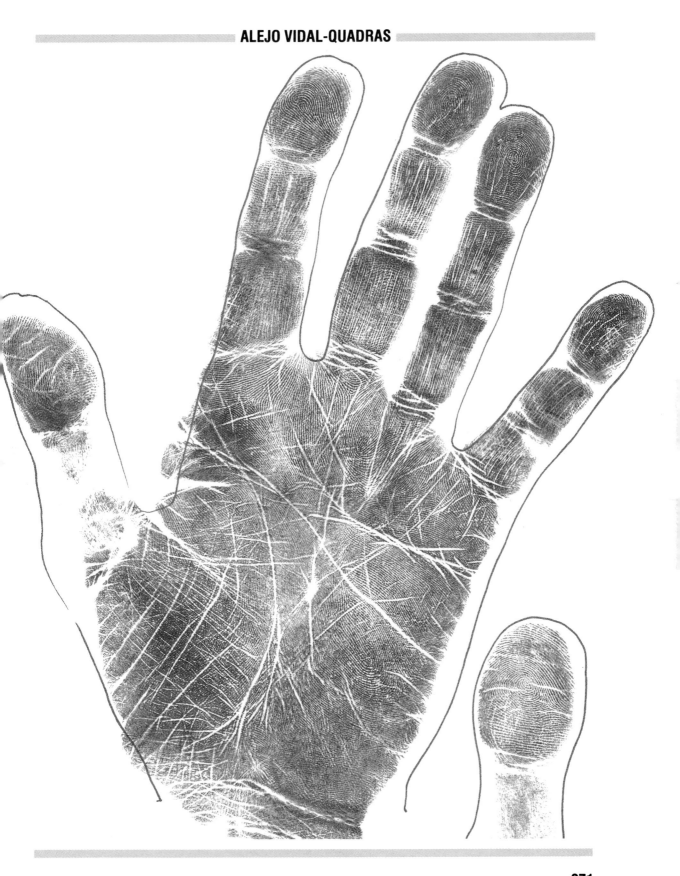

CARACTÈRE

Ligne de vitalité

Tracée avec force mais coupée par endroits, avec une courbe au retour rapide vers le pouce. Alejo expédie ses affaires courantes ! il craint en effet l'irrégularité de sa forme vitale malmenée en plus par le psychosomatisme (*lignes vitale et mentale liées en leurs départs*).

Très casanier, il sort pourtant de sa tanière par curiosité... ou par nécessité professionnelle ; mais il rentre aussitôt après chez lui pour créer dans son univers indispensable à sa survie intellectuelle et émotionnelle.

Mont de Vénus de la main gauche

Strié de lignes horizontales très fines, très peu nombreuses et groupées.

Mont de Vénus de la main droite

Strié de lignes horizontales très fines, peu nombreuses, disséminées sur la surface du mont.

La finesse des lignes et leur nombre restreint traduisent l'hypersensibilité, le poussant parfois à l'introversion, d'Alejo Vidal-Quadras ; il possède néanmoins une extraversion sélective. Par besoin de communiquer, il s'ouvre aux rares élus méritant sa confiance, tout à fait clos par ailleurs.

Ligne mentale

Profonde, longue, presque rectiligne. La longueur de cette ligne donne la prédominance à l'analyse dans le tandem analyse-synthèse inhérent à la dominante tempéramentale. Vidal-Quadras possède un sens affiné du détail mais frappe surtout — alors qu'il montre le contraire — par sa ténacité, voire son obstination. Très conciliant (ligne courbée au départ), il ne démord par d'une idée s'il s'en trouve une nichée dans un coin de son cerveau..., ayant mesuré au préalable (prudence : *lignes mentale et vitale* liées à leur départ) les risques de son entêtement. Son goût du risque — intellectuel, non réel — correspond au fameux risque calculé souvent rencontré (annulaire plus long que l'index dans la main droite).

Plutôt concret dans la réalisation de sa destinée, Alejo Vidal-Quadras n'en demeure pas moins idéaliste au fond de lui. Idéalisme conservé intact et favorisé par son âme d'enfant et sa capacité d'émerveillement. (Les monts de la Lune des deux mains s'ornent chacun d'une boucle ; seule celle de la main gauche se révèle en connexion directe avec la *ligne mentale.*)

Ligne de destinée

En plusieurs tronçons, elle provient en partie du *mont de la Lune.* Tracé typique d'une ligne de tempérament *nerveux.* Si son tempérament *bilieux* ne venait canaliser ses velléités d'écart des sentiers battus, Alejo mènerait la vie d'un papillon !

Peu épris de routine, il exécute chaque portrait comme s'il représentait un chemin différent sur la route de son existence. La *ligne de destinée* provenant du *mont de la Lune* signale combien sa trajectoire dans le monde de la célébrité ne dépend pas seulement de sa volonté mais aussi d'un contexte favorable. La progression de son navire sur l'océan de la vie, parmi les écueils de la notoriété, ne découle pas de sa maîtrise de la barre mais de son habileté à sentir d'où vient le vent...

Ligne d'intuition

Plus marquée et plus nette dans la main gauche, elle indique alors la prédominance de l'intuition conceptive sur l'intuition active. L'intuition d'Alejo se montre plus performante lorsqu'il est au repos que lorsqu'il est actif du fait de sa grande réceptivité (main gauche, boucle).

Lignes d'amitié

Longues et parallèles (leur absence dans une main ne signifie pas absence d'amitiés. Leur nombre et leurs tracés aident à les qualifier).

La longueur de ces lignes augure de la fidélité de l'amitié de Vidal-Quadras. Il se lie peu souvent, mais s'il le fait c'est complètement et pour longtemps.

Le parallélisme rend compte de sa volonté de voir s'accorder ses amis. Il recherche l'harmonie (groupe sanguin « harmonique » A) et, en particulier, la bonne entente de ses proches.

Ligne sentimentale

Courbe, enchevêtrée, lançant des rameaux vers la *ligne mentale*. Autant la raison d'Alejo Vidal-Quadras le pousse à la rigueur et à l'intransigeance — pour lui et pour les autres —, autant son cœur tend à « arrondir les angles », à chercher la conciliation. Ses emballements s'avèrent plus intérieurs qu'extérieurs car son sentimentalisme est d'ordre intellectuel. Il faut étonner son cœur et sa tête. A.V.-Q. ressent le besoin d'admirer pour apprécier. Se terminant en fourche, la *ligne sentimentale* exprime sa nécessité de se sentir utile, exigence d'ailleurs satisfaite par le paternalisme du peintre.

CONCLUSION

Une telle main favorise de façon incontestable l'intérêt pour un domaine artistique, en témoignant l'idéalisme (désaxement des doigts de la main gauche), l'attrait pour le rêve et l'imaginaire, une certaine candeur (boucle sur le mont de la Lune).

A.V.-Q. aurait pu aussi endosser le rôle d'un homme d'affaires dans ce même domaine, mais en franc-tireur à cause de son individualisme. L'état actuel des recherches chirologiques ne permet pas de confirmer le choix de la peinture et du dessein à l'exclusion de toute autre forme d'art. Cependant l'attirance pour le portrait se justifie dans l'association boucle-arc de l'index droit : la boucle dénotant le besoin de contacts humains, l'arc le rapport individuel et intimiste indispensable à Alejo et autorisé par la pose de la personne à peindre.

AMBIANCE DE PERSONNAGE

Portraitiste privilégié des grands de ce monde, Alejo Vidal-Quadras possède une aura de douceur étonnante. Elle séduit rois et reines (de Jordanie, dont il vient de réaliser les pastels, d'Espagne,...) et princesses (de Monaco), duchesses (de Kent), actrices (Au-

drey Hepburn, Marilyn Monroe)... et bien d'autres.

La gravité de sa voix incite au calme et — il faut bien le reconnaître — à une certaine volupté ! son atelier frais (blancheur des bougies, des fleurs et des murs, vert des arbres visibles à l'extérieur) à la pureté et au dépouillement des fioritures matérielles. L'essentiel seul requiert ici audience et soins.

Au-delà de son talent de peintre, A.V.-Q. jouit d'un autre don : le sens de l'humanisme et de l'humanitarisme. Le rencontrer équivaut à une visite au cœur de l'univers de la beauté extérieure, certes, mais aussi de celle, infiniment plus rare, de l'âme. Sous son influence un misanthrope deviendrait philanthrope !

ALEXANDRE

COIFFEUR

DROITIER
CARACTÉRISTIQUES DE SES MAINS

**Peau fine et ferme. Chaudes et sèches.
Lignes profondes et nombreuses.**

Tempérament dominant : BILIEUX

Alexandre s'avère entreprenant et responsable. Il jouit d'une appréciation synthétique des problèmes, donc rapide.

Il possède aussi le sens des réalités.
Secret, il montre au monde extérieur le moins de vulnérabilité possible.

LES DOIGTS

Pouces, gauche et droit : boucle

La volonté d'Alexandre s'exerce avec plus d'efficacité s'il peut combiner passion, rapidité et contacts humains. D'où pour lui l'impérative nécessité de s'impliquer dans un domaine l'intéressant, satisfaisant les désirs de son tempérament *bilieux* : responsabilité et plaisir intellectuel.

Index, gauche et droit : tourbillon

Avec un tel digitaloglyphe en complément et venant surenchérir le tempérament, Alexandre devait monter sa propre affaire. L'autonomie est chez lui un impératif à satisfaire absolument. Nanti d'un esprit de synthèse, il sait superviser, organiser, régir et commander tout en restant très humain et très sensible.

Majeurs, gauche et droit : boucle

La boucle apparaît ici, à l'instar de sa présence sur les pouces et les auriculaires, comme un contre-pouvoir vis-à-vis des tourbillons et du tempérament *bilieux*. Elles confèrent au célèbre coiffeur l'adaptation aux autres et aux idées nouvelles.

Annulaires, gauche et droit : tourbillon

Quoique doué d'affabilité et de sociabilité, les amitiés véritables d'Alexandre se révèlent inversement proportionnelles en nombre à la masse de ses connaissances et relations. Son élitisme lui permet de protéger sa sensibilité. Il concilie son introversion et son besoin de se montrer civil en s'occupant des autres, en s'intéressant à leurs préoccupations.

Auriculaires, gauche et droit : boucle

La présence de cette boucle confirme la sensibilité d'Alexandre et sa réceptivité.

Ecart des doigts

Ecart grand dans la main gauche, la position des doigts traduit alors un désir supérieur à la réalité de l'expression : désir de la liberté plutôt que la liberté elle-même.

Ecart annulaire-auriculaire

Très important, cet écart dans la main gauche signale l'indépendance d'esprit qu'Alexandre doit pourtant bâillonner lors de la concrétisation.

Ecart index-majeur-annulaire

Penché vers l'index dans les deux mains le majeur, par sa position, confirme l'importance de la vie professionnelle.

Ecart du pouce

Proche de la paume et tourné vers l'extérieur à la dernière phalange (surtout dans la main gauche), il annonce l'ambiguïté d'un comportement à la fois conservateur et innovateur perfectionniste !

CARACTÈRE

Ligne vitale

Longue et enchevêtrée : Alexandre dispose de l'énergie de son ambition, mais le contexte le dynamise aussi. Les contacts humains le motivent ; sans eux son énergie reste statique, avec eux elle devient active..., et, dans ces conditions, ses réserves ne se voient plus limitées, il peut travailler des heures durant sans ressentir de fatigue.

Arrondie et revenant rapidement vers la base du pouce : très casanier, se plaisant à évoluer en pays conquis (c'est-à-dire le sien), Alexandre préfère la venue des gens à lui et non l'inverse, d'où la cohérence de sa profession avec ses goûts. Les gens pénètrent dans son univers, mais il ne se livre pas pour autant et masque son hypersensibilité (mont de Vénus strié de lignes très fines et très nombreuses), la cèle derrière sa bienveillance et son humour.

Ligne mentale

A gauche : droite, pas arrondie ; à droite : droite et longue, s'achevant en une fourche à deux rameaux dont le rameau supérieur est le plus long

Alexandre n'apprécie pas les conflits mais suit pourtant avec obstination ses idées ; si elles ne reçoivent pas d'adhésion il use alors de diplomatie.

La fourche, par ses deux rameaux, traduit les deux facettes de son activité : créateur pour exprimer son talent et pragmatique pour satisfaire son côté réalisateur. Ce dernier prime et, en définitive, lui assure autonomie et indépendance.

Départ conjoint avec la ligne vitale : en bon stratège, Alexandre s'avance en territoire ami ; prudent et prévoyant, il réfléchit avant d'agir, et chaque action est pensée et pré-organisée, d'autant qu'il recherche l'efficacité (boucle inter-majeur-annulaire). Alexandre s'avère psychosomatique en période de soucis.

Ligne sentimentale

Arrondie et enchevêtrée : au plus profond du cœur d'Alexandre réside son talon d'Achille. Intransigeant intellectuellement, il se montre charmant et adaptable une fois sa sensibilité touchée. Les rameaux émaillant cette ligne reflètent et confirment son besoin de contacts humains.

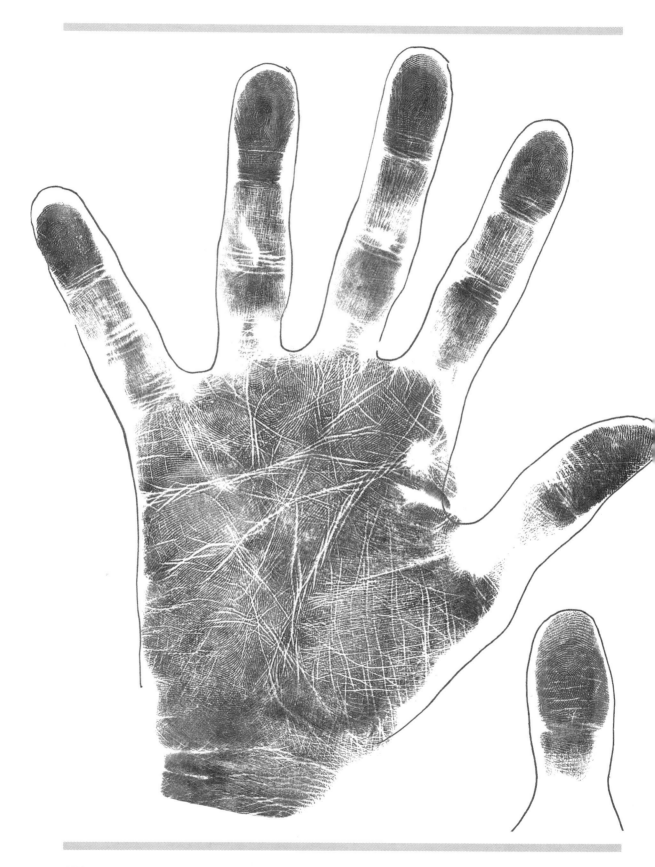

ALEXANDRE

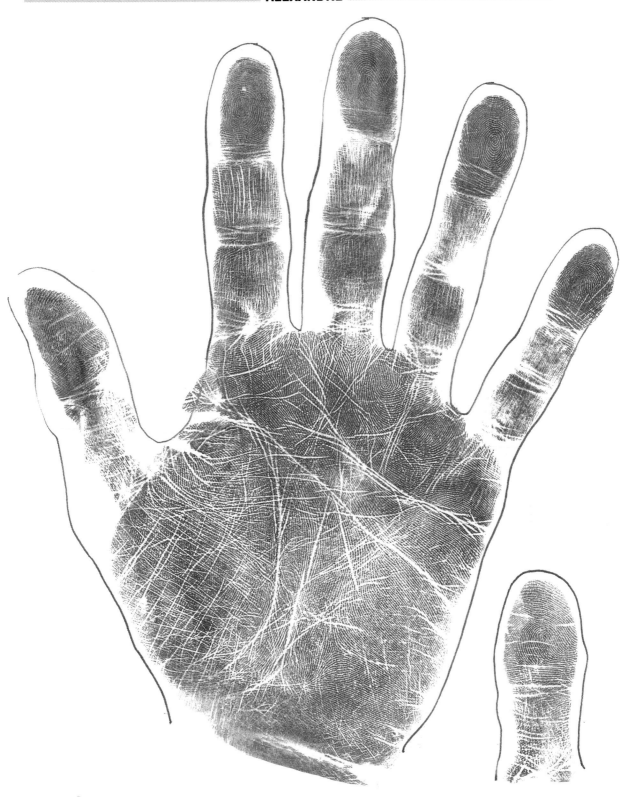

Ligne de destinée

Main gauche : double ligne ; main droite : ligne unique et profonde en deux tronçons.

Destinée où interviennent le hasard en général et la chance en particulier, mais dont l'individu contrôle les conséquences.

CONCLUSION

Compte tenu de sa dominante tempéramentale *bilieuse,* Alexandre eût été un chef d'entreprise efficace, organisé, responsable s'il n'était habité par une âme de créateur. Sans son tempérament protecteur, il aurait rejoint les cohortes d'artistes rendus par leur idéalisme dépendants d'imprésarios, d'hommes d'affaires (*bilieux, sanguins* ou les deux à la fois) qui, le plus souvent, les exploitent. Or, Alexandre applique à la lettre le proverbe fort connu : « On n'est jamais si bien servi que par soi-même »... surtout quand on possède les moyens, la capacité tempéramentale d'exploiter son talent, cas du célèbre coiffeur.

AMBIANCE DE PERSONNAGE

A écouter et considérer Alexandre, Figaro à la renommée internationale, il apparaît avec clarté pourquoi ce petit homme sémillant séduit : sa chaleur, sa générosité surgissent dès son abord. A ces qualités s'ajoute une connaissance de la vie lui octroyant une certaine sagesse ; il élabore des pensées susceptibles de s'ériger en préceptes telle celle-ci : « A un moment donné le succès ne vous appartient plus, il appartient aux autres. »

Et puis ses yeux virent beaucoup, son intelligence sut déduire. Né à Saint-Tropez, il se souvient de son enfance : « Nous étions des paysans, des pêcheurs, les artistes nous envahirent d'un nuage de culture. » Le gamin se transforma en un page, il prit une place privilégiée auprès des grandes dames de ce monde nul doute que ses doigts de fée n'auraient pu suffire à le rendre indispensable, son esprit aussi possède une magie. Il la dispense dans le monde entier, ambassadeur unique. Passent les régimes, il demeure !...

MAURICE HERZOG

ANCIEN MINISTRE FRANÇAIS DE LA JEUNESSE ET DES SPORTS

DROITIER
CARACTÉRISTIQUES DE SES MAINS

**Peau fine et ferme. Chaudes et sèches. De couleur rosée.
Lignes profondes moyennement nombreuses.**

Tempérament dominant : BILIEUX

Par son tempérament, Maurice Herzog dispose sans problème de l'énergie de son dynamisme. Dynamisme né de sa forte capacité d'action le poussant à la conquête de bastions extérieurs visibles (les sommets montagneux à une certaine époque, le monde des affaires aujourd'hui) et intérieurs invisibles (les limites de sa force d'âme).

Vigoureux, entreprenant, il se réalise comme chef d'entreprise, conjugue ainsi son besoin de responsabilités humaines et intellectuelles. L'intérêt intellectuel constituant un de ses impératifs primordiaux pour s'épanouir dans une activité professionnelle, Maurice Herzog excelle dans les domaines du conseil, là où il faut vendre de l'abstrait, des idées, plutôt que du concret, du matériel.

Responsable, doué d'un sens aigu du commandement, le ministre s'avère aussi humain, voire chaleureux. Il attache autant d'importance à l'action (pragmatisme du *bilieux*) qu'à l'Etre (sensibilité à la personnalité par son groupe sanguin A).

Contemplatif, il sait apprécier, au-delà de la froide efficience, la sensibilité d'une personne ou la beauté d'un objet.

L'étude de ses digitaloglyphes ne peut se faire puisque Maurice Herzog a perdu ses doigts lors de sa célèbre ascension de l'Annapurna.

Parmi eux devaient figurer des tourbillons sur les pouces, signes de la ténacité et de la force de volonté du sujet.

CARACTÈRE

Ligne vitale

Longue et nettement tracée : forte vitalité canalisée, optimisée pour mener à terme l'action entreprise.

Se terminant en fourche : malgré son besoin de se surpasser, dans l'aventure exploratrice en particulier, Maurice Herzog reste un homme très casanier. Il nécessite un « jardin secret » pour se ressourcer et relâcher la protection de sa sensibilité à fleur de peau.

Mont de Vénus strié de moins de lignes dans la main gauche, main de l'intériorité : M. Herzog s'extravertit seulement par l'action.

Ligne mentale

Liée en son départ avec la ligne vitale : réfléchi, Maurice Herzog se doit d'affronter périodiquement un obstacle pour exister à ses propres yeux. L'association de ces deux tendances le dote d'un goût du risque... calculé !

Ligne courte : le ministre possède la faculté de rassembler les faits afin de jouir d'une vision d'ensemble : esprit de synthèse.

Non rectiligne mais formée de tronçons rectilignes : démarche intellectuelle où se mêlent intransigeance et diplomatie. Maurice Herzog préfère s'affronter lui-même pour tester les limites de son être, et adopte avec autrui une attitude moins intransigeante, cherchant plutôt à persuader par la douceur et la séduction..., allant jusqu'à donner l'impression de laisser un choix quand, en réalité, tout se déroule comme il en a décidé !

Ligne sentimentale

Longue et reliée à la ligne mentale : sentimentalisme intellectuel.

En fourche : sens de l'autre et du service.

Formée de deux tronçons droits dans la main droite : comme dans ses rapports intellectuels, Maurice Herzog semble flexible (au moins de temps en temps !) pour donner l'impression à celle qu'il charme qu'elle décide… Intelligent, il tend à conquérir celles dont l'intelligence non seulement l'étonne mais aussi se rebiffe !

L'imaginaire constitue un ingrédient nécessaire à sa vie sentimentale : importance du *mont de la Lune,* orné dans la dextre main d'une boucle (voir chapitre sur la topographie de la paume).

Ligne de destinée

En plusieurs tronçons : le tracé de cette ligne met en évidence les diverses étapes de la vie de Maurice Herzog. De graves événements modifièrent les données du jeu qu'il possédait, l'obligeant à reconsidérer sa trajectoire mais aussi son optique sur les valeurs essentielles de la vie.

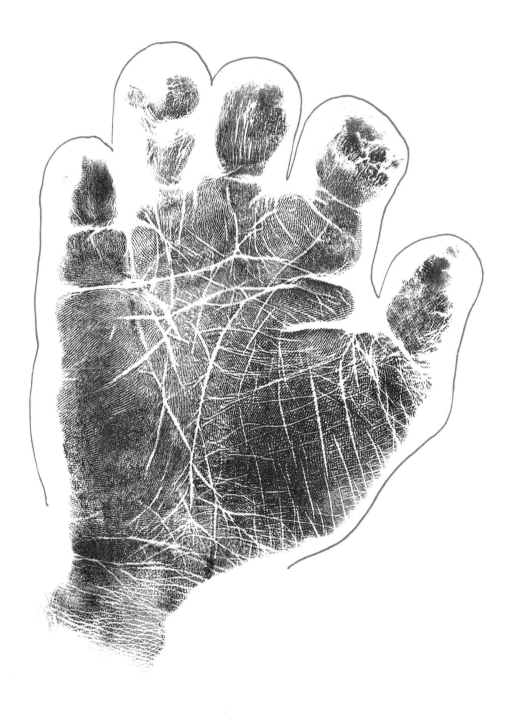

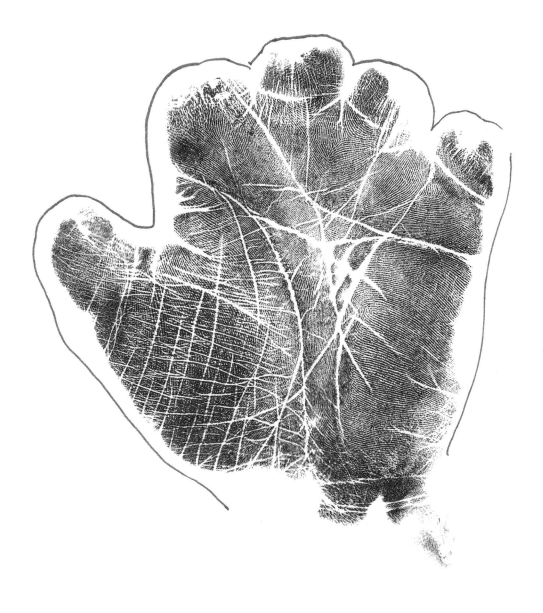

CONCLUSION

Une existence bien remplie pour un homme dont le tempérament le pousse à reculer toujours le seuil de ses limites. Sa destinée l'a obligé à durcir sa carapace, cela ne signifie pas pour autant endurcir son cœur, celui du ministre demeure accessible et bienveillant.

AMBIANCE DE PERSONNAGE

Les yeux d'abord, si bleus, si doux, oublieux des visions tragiques, de la montagne périlleuse. L'homme ensuite, mince, séducteur, droit. Puis sa voix, sûre de ses propos : « Je n'aime pas commander, j'aime diriger. » Et ces photographies dans son bureau, celle de De Gaulle, de Malraux : tout un univers point disparu puisqu'il s'exprime au travers de Maurice Herzog, ministre à moins de quarante ans, auteur d'un livre traduit en vingt-huit langues, édité soixante fois, vainqueur de la Mort ! Il possède une envie de vivre et de réaliser en dehors du commun, à preuve son emploi du temps chargé, ses minutes comptées qu'il sait d'ailleurs offrir soudain lorsqu'un sujet l'intéresse : la chirologie eut cet heur !...

Maurice Herzog : un être double, celui d'avant l'accident de 1950, celui de maintenant ; la jonction impossible réalisée, un pari remporté à force d'âme et de courage, un exemple.

PAUL-LOUP SULITZER
ÉCRIVAIN

DROITIER
CARACTÉRISTIQUES DE SES MAINS

Chaudes et sèches. Fortes et souples. Assez potelées. Lignes plutôt profondes. Peau rose, épaisse et lisse.

Tempéraments dominants : sanguin-bilieux

Intéressante distribution de deux tempéraments : P.L.S. exprime plus son côté sanguin dans sa vie professionnelle, son côté bilieux dans sa vie personnelle. Bien qu'il en tire un réel plaisir intellectuel, P.L.S. s'avère avant tout sensitif dans ses affaires. Confiant en son flair, les coups de cœur guident ses choix. Et puis aujourd'hui, affirme-t-il avec une satisfaction certaine et justifiée, « je peux m'offrir ce luxe, je m'en suis donné les moyens ! » (moyens au demeurant peu moyens !). La passion se révèle pour lui un moteur puissant et, dans sa conception, une de ses plus grandes richesses.

LES DOIGTS

Pouces, gauche et droit : boucle

Le manque d'autonomie de la volonté dépendante d'un contexte, oblige P.L.S. à acquérir le sens de l'adaptation permettant l'improvisation.

Index, gauche et droit : double boucle

Le perfectionnisme caractérise la démarche professionnelle de P.L.S. (fait confirmé par l'écartement du pouce). Ce perfectionnisme équivaut à la prudence que la part cérébrale de l'écrivain impose à l'impulsivité de son tempérament. Les contacts humains entrent pour beaucoup dans la satisfaction que lui apportent ses activités.

Majeurs, gauche et droit : boucle

Ne voulant pas cesser de penser, tel le spécialiste, parce qu'il sait, P.L.S. cherche toujours à démonter le mécanisme des choses, à orienter son intérêt vers ce qui peut l'étonner.

Penché vers l'annulaire : P.L.S. s'est pleinement investi dans sa réalisation sociale et professionnelle au cours de la première partie de son existence, l'accomplissement de son être intérieur devient impératif et passe maintenant par sa vie familiale.

Annulaire gauche : double boucle
Annulaire droit : tourbillon

Le perfectionnisme et le paternalisme sont les deux critères guidant les choix d'amitié de P.L.S. Il aime protéger, conseiller ou même diriger... et l'on arrive au paradoxe suivant : l'auteur du *Roi Vert* apprécie la compagnie de ceux capables de l'étonner, le charmer, le séduire mais qui, par ailleurs, sentent le besoin d'en référer à lui !

Auriculaire gauche : double boucle
Auriculaire droit : tourbillon

Manifestement P.L.S. aime ouvrir la bouche pour dire des choses percutantes sans avoir à craindre la contradiction ; il n'avance donc rien de réfutable : perfectionnisme et amour-propre obligent !

Écartement de l'auriculaire

L'esprit d'indépendance motive le comportement de P.L.S. ; franc-tireur, il lui faut tirer plus vite que le nombre (avec son ombre il s'entend fort bien) et hors des sentiers battus.

Boucle inter-annulaire auriculaire [1]

La facilité engendrant la médiocrité, mieux vaut avoir un peu d'adversité dans notre destinée, histoire de tester sa capacité de réaction positive. P.L.S., quant à lui, confronté au début de sa vie à certaines réalités difficiles, a su jouer le joker de l'optimisme et gagner ainsi la partie.

CARACTÈRE

Ligne de vitalité [2]

Arrondie, longue et débutant sur le mont de Jupiter [3] : P.L.S. a besoin d'investir son énergie vitale dans le domaine social et professionnel. Cependant, malgré l'aspect passionné du personnage, son énergie s'avère utilisable à long terme, contrairement à l'utilisation habituelle des *sanguins*.

Finissant en fourche, tiraillée entre le mont de la Lune et le mont de Vénus [4] : hypersensible par nature, à cause de son tempérament *sanguin* — cette caractéristique se manifeste aussi dans son comportement (mont de Vénus strié de lignes nombreuses et fines) [5], — P.L.S. éprouve l'impérative nécessité de se ménager un « jardin secret » garantissant l'invulnérabilité réclamée à grands cris par la partie bilieuse de son tempérament. Néanmoins sa curiosité le pousse à partir à la découverte du monde, d'où un perpétuel va-et-vient, une dualité entre l'appel vers l'évasion et l'appel vers les racines.

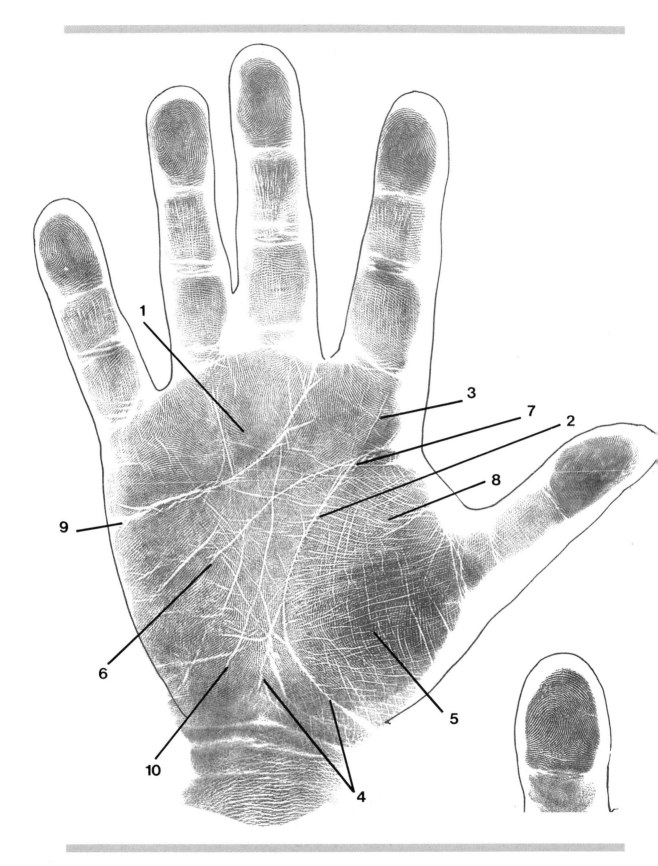

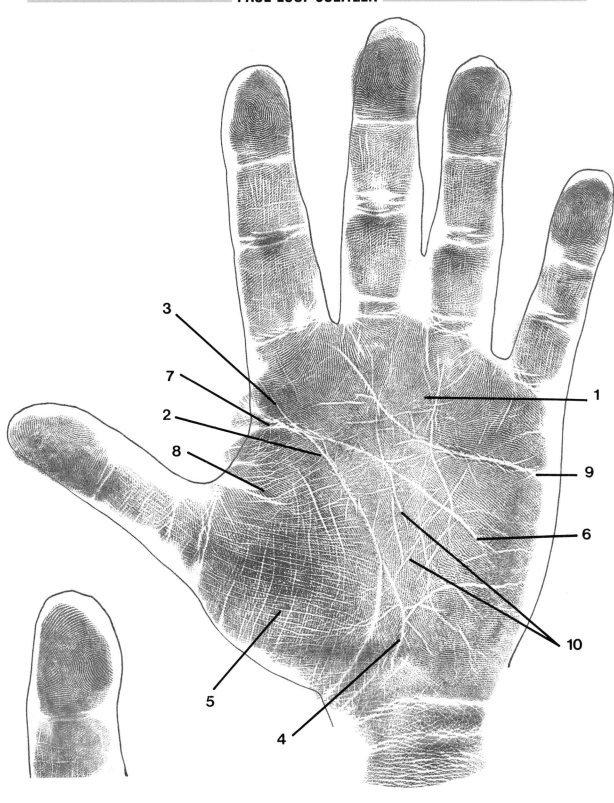

Ligne mentale [6]

Longue, arrondie, plongeant vers le mont de la Lune, départ croisé avec la vitale [7] : P.L.S., épris du risque, se complaît dans le domaine de la haute voltige mais, par prévoyance acquise, place lui-même le filet : goût du risque calculé. Cette prudence favorise l'éclosion du sens de la diplomatie parfois malmenée par les accès de colère du bouillant personnage (mont de Mars [8] peu délimité par rapport au mont de Vénus [5]) ! Capacité de créativité liée au rôle important de son monde imaginaire.

Ligne sentimentale [9]

Longue et arrondie en fin de parcours : toujours dans une logique d'invulnérabilité car le côté passionnel de son tempérament lui vaudrait bien des déboires P.L.S. montre d'abord de l'intransigeance, puis devient souple et tolérant avec ceux qui persévèrent et correspondent à sa sensibilité.

Ligne de destinée [10]

A gauche : continue et provenant du mont de la Lune. *A droite :* en plusieurs tronçons et provenant de la *vitale.* Tracé type d'une destinée commençant sous le signe de la fatalité (les impondérables extérieurs intervenant dans la vie). Cette fatalité une fois transcendée par sa force de caractère, P.L.S. a décidé de se faire lui-même, véritable *self-made man* à la française (des termes anglo-saxons sont souvent nécessaires pour qualifier cet homme aux dimensions parfois américaines).

Destinée en plusieurs tronçons, P.L.S. ne supporte pas la routine : une fois à droite, une fois à gauche, une fois au centre, une fois devant, une fois derrière... et il en invente !

CONCLUSION

Possédant des lignes trop nombreuses et trop fines pour être un pur sensitif et pas assez fines et nombreuses pour être un pur intellectuel, P.L.S., homme d'affaires averti, s'épanouit dans la négociation et éprouve du plaisir à analyser et anticiper, facultés requises par ses acrobaties financières.

AMBIANCE DE PERSONNAGE

Dès l'entrée l'accent est donné : il y a du Romain en ce petit homme, sa harangue — oratoire ou écrite — possède l'ampleur des plaidoiries cicéroniennes ! Durant un long quart d'heure nous restâmes, Jean de Bony et moi-même, debout dans le salon, interdits et circonspects, assistant à un échange téléphonique virulent, aux intérêts financiers sans doute importants, entre P.L.S. et un invisible correspondant. Après cette diatribe le romancier calma pour nous son discours. Son ire devint sourire. L'atmosphère se détendit : plaisanteries et propos mondains fusèrent, le ton s'allégea, les nuages du gros temps et du gros ton disparurent !

P.L.S. expliqua son ascension, dévoila ses aspirations : « Je veux être le Spielberg de la littérature. » Nulle faconde en lui, de la modestie certes non plus, mais une vision lucide, un goût pour la vie et le bonheur. Cela aussi peut s'appeler réussite !

4

RÔLE DE LA CHIROLOGIE
PARMI LES AUTRES SCIENCES

Les néophytes s'intéressant aux sciences humaines n'obtiennent pas une vision juste et claire des différentes compétences de chacune d'elles car entente et harmonie ne règnent guère en ces domaines. Des querelles de chapelles les opposent sans cesse, les tenants de l'une clamant combien leur technique, complète, peut se passer des béquilles dont usent, à leur avis, seuls ceux qui ne possèdent pas assez la maîtrise de leur technique et nécessitant, en conséquence, la confirmation de leur diagnostic par une discipline psychologique annexe.

Ces conflits, dus en partie à une hypertrophie de l'ego, sont stupides : qui songerait en effet à opposer géométrie, algèbre et arithmétique ? Ces trois disciplines représentent trois des différences du monde mathématique.

De même la biorythmie, l'astrologie, la graphologie, la morphopsychologie..., disciplines complémentaires dans l'approche de la nature humaine, ne s'excluent pas les unes les autres car elles considèrent des aspects divers d'un unique objet d'étude : l'homme.

Le biorythme

L'observation des rythmes et des biorythmes ne date pas d'aujourd'hui, même si son essor se voit lié à celui de l'ordinateur permettant la facilité d'exploitation des données et de là une systématisation.

Dès les premières civilisations, l'humanité considère les rythmes de l'homme comme une évidence. La civilisation chinoise, souvent citée pour la précocité de sa maturité en de nombreux domaines, ne l'ignore pas et ses médecins, dans les temps les plus reculés, connaissent la périodicité quotidienne de chaque fonction de l'organisme à l'origine maintenant d'une recherche médicale très poussée : la chronobiologie. Ces médecins chinois soignaient toute maladie en stimulant à des heures précises de la journée les lignes d'énergie liées à un ou aux organes en panne ! Méthode de nos jours pratiquée dans le monde entier sous le nom d'acupuncture.

En Occident, Hippocrate, il y a vingt-cinq siècles, conseillait à ses collègues médecins de noter les bons et les mauvais jours de leurs patients afin d'établir la périodicité de leur rythme biologique.

« Plus près de notre époque, rapporte Philippe Henry Pred'homme dans son livre sur les biorythmes, l'écrivain allemand Goethe, pressentant des rythmes chez l'être humain, consignait sur son journal à la date du 26 mars 1780 : "je dois observer de plus près le cercle des bons et mauvais jours en moi" ».

Au début du XXᵉ siècle, les recherches du médecin et philosophe Hermann Swoboda (1859-1928), professeur en psychologie à l'Université de Vienne, instituent enfin de façon vérifiable dans le champ des connaissances physiopsychologiques les lois de la périodicité chez l'homme et l'existence de cycles de vingt-trois et vingt-huit jours. A la même époque le médecin biologiste berlinois Wilhelm Fliess (1859-1928) arrive à de semblables observations : « L'étonnante précision avec laquelle se maintient l'intervalle de vingt-trois jours ou, suivant les cas, de vingt-huit jours laisse supposer qu'il existe un rapport étroit entre les conditions astronomiques et la création des organismes. »

Ces découvertes n'émanent pas de chercheurs latins mais germains séduits par la rigueur et la régularité des cycles. Aussi, en dehors de l'Allemagne, les perspectives dévoilées par ces découvertes suscitent assez peu d'intérêt. Freud, lui, s'y intéresse ; il noue avec Fliess entre 1887 et 1903 une profonde et respectueuse amitié, une abondante correspondance s'échange entre les deux hommes. Freud ne manque pas de mentionner la directe filiation de son histoire sur la bisexualité (chaque être humain est un composé d'Anima et d'Animus, en proportion différente pour chacun) avec les travaux de Fliess.

En 1920, Alfred Teltscher, docteur en génie mécanique et professeur, complète la théorie des périodes : aux cycles de vingt-trois et vingt-huit jours il ajoute celui de trente-trois jours.

Ces trois cycles correspondent respectivement aux trois niveaux biologiques (évoqués au chapitre sur les lignes) : le *physique*, l'*émotif* et l'*intellectuel*. Une horloge, remontée à vie, égrène, imperturbable, de la naissance à la mort les périodes de force et de faiblesse, de décharge et de charge de l'individu. La section du cordon ombilical donne le top du départ.

Cycle de vingt-trois jours

Désignation : cycle physique ou cycle masculin. *Agencement* : 11 jours et demi de décharge, 11 jours et demi de recharge. *Embryologie* : le mésoderme. *Physiologie* : renouvellement des cellules des tissus osseux et des fibres musculaires (squelettes et muscles). *Influence* : force physique, coordination des gestes, mobilité, résistance aux maladies et récupération en période de guérison.

Cycle de vingt-huit jours

Désignation : cycle émotionnel ou cycle féminin. *Agencement* : 14 jours de décharge, 14 jours de recharge. *Embryologie* : l'endoderme. *Physiologie* : cycle régissant le tube digestif et les organes sexuels. *Influence* : fonctions émotionnelles : optimisme, gaieté, fantaisie, sensibilité. Fonctions digestives (estomac, intestins) et reproductives (organes génitaux). Facultés artistiques et créatrices : intuition, imagination, rêve.

Cycle de trente-trois jours

Désignation : cycle intellectuel ou cycle de la pensée. *Agencement* : 16 jours et demi de décharge, 16 jours et demi de recharge. *Embryologie* : l'ectoderme. *Physiologie* : cycle de la transformation des cellules et neurones commandant le cerveau. Correspond aux sécrétions périodiques des glandes qui agissent sur les cellules du cerveau. *Influence* : facultés intellectuelles. Habileté à comprendre et à apprendre : discernement, analyse, synthèse. Facultés d'assimilation, de concentration, de mémorisation. Esprit d'entreprise : ambition, décision, réactions. Communication : discours, écrits, correspondances. Facultés de l'esprit favorables à l'évolution philosophique et spirituelle.

L'intérêt de la biorythmie réside surtout dans la possibilité de programmation de l'emploi du temps en vue de l'efficience maximum en faisant judicieusement coïncider la date d'une action à entreprendre avec la possession optimum des moyens physiques et/ou intellectuels permettant le meilleur rendement. Connaissant à l'avance ses propres périodes critiques (les jours les plus critiques se situent à la charnière de deux périodes), chacun peut organiser ses projets de façon à placer en période favorable les actes de la vie exigeant une dépense d'énergie particulière : épreuves sportives ou universitaires, intervention chirurgicale ou demande professionnelle importante...

Cependant, si tous les êtres humains, sans exception aucune, s'avèrent soumis à ces cycles biorythmiques, chaque individu, en fonction de sa dominante tempéramentale, cernée par la *chirologie,* ressentira un ou deux de ces trois rythmes de façon prépondérante.

Le cycle physique concerne plutôt les tempéraments *bilieux* et *sanguin* détenteurs de l'énergie, de la vitalité. L'observation de ce cycle leur permet de gérer leur effort en fonction des fluactions du débit de la *vitalité.*

Le cycle émotionnel concerne plutôt le *sanguin,* émotionnel actif, et le *lymphatique,* émotionnel passif. Compte tenu de leur émotivité (leur talon d'Achille), ces deux tempéraments ont avantage à programmer les actions nécessitant la maîtrise et le sang-froid en période de recharge.

Le cycle intellectuel concerne plutôt les tempéraments *nerveux* et *bilieux,* tempéraments cérébraux. L'observation de la courbe intellectuelle est fort précieuse pour le *nerveux* car, à l'inverse du *bilieux,* sa capacité d'action dépend la majeure partie du temps de son système nerveux.

De plus, l'un des deux premiers cycles (vingt-trois et vingt-huit jours) prévaut en fonction de la prédominance d'un hémisphère cérébral sur l'autre :
• *cycle masculin* (de vingt-trois jours) : pour la prédominance du « cerveau » gauche, cerveau masculin (croisement des pouces : droit sur gauche).
• *cycle féminin* (de vingt-huit jours) : pour la prédominance du « cerveau » féminin (croisement des pouces : gauche sur droit).

Actuellement, en France, l'engouement pour les biorythmes semble s'éteindre, preuve : les calculatrices avec biorythme incorporé ne se trouvent plus sur le marché. C'est, à un certain point de vue, préférable : il ne sied pas qu'un domaine aussi sérieux et prometteur fasse l'objet d'une vogue, d'une mode, tel un vulgaire gadget de l'esprit.

Au Japon, où la biorythmie s'aborde avec beaucoup de sérieux, de nombreuses compagnies de transport ferroviaire et routier s'en servent pour améliorer la sécurité. Pour les chauffeurs de ces compagnies, après initiation à la biorythmie, on joint à leur bulletin de salaire le biorythme du mois suivant indiquant les jours critiques et les périodes durant lesquelles ils doivent redoubler d'attention. Les résultats parlent d'eux-mêmes : 35 à 45 % de réduction des accidents.

De même en URSS, les chauffeurs de taxis sont « interdits de volant » un jour donné selon le tracé de leur biorythme.

Ces exemples pourraient se multiplier à l'infini. Les lecteurs désireux d'approfondir la question devront se plonger dans des ouvrages spécialisés comme *Le livre des biorythmes* de Philippe Henry Pred'homme ou, pour une étude plus exhaustive, à l'importante synthèse de ce domaine, dans celui de l'Américain George S. Thommen, *Biorythmes, guide des bons et mauvais jours de la vie,* dont voici extrait un court passage, point final de ces pages consacrées aux biorythmes : « A l'heure actuelle, les scientifiques emploient le terme "horloges biologiques" pour désigner une variété de changements cycliques ou rythmiques dans le corps humain. C'est un fait scientifique maintenant reconnu, que toute la vie, jusqu'à la simple cellule, est régie par une pulsation rythmique. »

L'astrologie
et la graphologie

Dans la lignée des *biorythmes* existent d'autres rythmes, plus complexes : les *rythmes cosmiques.*

Ces rythmes cadrent souvent avec ceux de l'horloge d'une vie humaine. Celle-là est calquée avec tant de naturel sur l'alternance du jour et de la nuit qu'il a fallu très longtemps aux scientifiques pour se décider à étudier ce phénomène ! Les résultats de leurs expériences remettent en cause ce qui paraissait une évidence et démontrent que le besoin de sommeil, loin d'obéir au cycle nocturne-diurne, s'avère souvent régi par un système interne à l'organisme.

L'expérience consiste à isoler un groupe d'individus et à les couper de la lumière et des repères marquant le temps. Malgré leur retrait temporaire, les sujets consacrent avec régularité un tiers de leur temps au sommeil. En revanche la durée de leur journée passe de vingt-quatre à vingt-cinq heures : ce rythme circadien — dérivé du latin, ce mot signifie *environ un jour* — dépasse d'une heure le cycle nocturne-diurne auquel le corps peut s'adapter sans dommages, apparemment...

Des trois biorythmes : vingt-trois, vingt-huit et trente-trois jours, le second mérite un rappel car, émotionnel, il correspond à celui de la révolution de la lune autour de la terre. Les services de police et les hôpitaux constatent que les nuits de pleine lune augmentent le nombre des suicides, des meurtres, des folies.

Le rythme des saisons, chacune d'environ quatre-vingt-onze jours, possède une durée supérieure de trois jours à celle du cycle de révolution de Mercure autour du Soleil.

Quand un enfant atteint l'âge de 7 ans, il entre dans l'âge de raison, passe lors de ses questions aux adultes du *pourquoi* au *comment*. La planète Saturne, attachée en astrologie à la raison et à la recherche, accomplit environ un quart de sa trajectoire de révolution autour du Soleil. Jupiter parcourt, elle, la moitié de sa trajectoire.

A partir de 12-14 ans, l'enfant entre dans une nouvelle phase : « l'âge bête ». Dans le cosmos, Jupiter accomplit un tour et Saturne un demi-tour de leurs révolutions respectives.

L'âge de 21 ans correspond à la fois à environ trois quarts du cycle de Saturne et à un quart du cycle d'Uranus (84 ans). Uranus symbolise la révolution, les changements brusques..., aussi 21 ans représentait-il assez bien auparavant en France l'âge de la majorité.

Nous pourrions pousser davantage les analogies des âges de la vie avec les cycles du cosmos, mais cet ouvrage n'est pas un traité d'astrologie.

Pour illustrer notre discours, voici maintenant une histoire vraie :

Un jour, emmenée par une amie, Mlle L., mannequin, consulte un astrologue ; il lui déclare :

« Mademoiselle, d'ici un an tel jour à telle heure vous avez rendez-vous avec la Mort. »

Peu fataliste, Mlle L. acquiesce en souriant. Cette prédiction glisse sur elle, rien ne saurait l'empêcher de vivre avec joie, insouciante du lendemain... aussi oublie-t-elle vite ce nuage sombre sur son bel horizon !

Le jour et l'instant fatidiques arrivent. Mlle L. voyage en voiture avec une de ses amies. Cette dernière conduit. En conséquence, Mlle L. ne peut se rendre responsable d'une fausse manœuvre en vue de « coller à son destin » ! A l'heure prévue un camion fou harponne la voiture des deux jeunes femmes. La conductrice est indemne mais Mlle L., gravement blessée, au moment de perdre connaissance, se souvient, lettres de feu en son cerveau en souffrance, des propos de l'astrologue. Animée d'un féroce appétit de vivre, elle lutte contre l'engourdissement proche, s'autosuggestionne afin de ne pas s'évanouir et parvient ainsi à rester consciente. Les secours arrivent. Transportée à l'hôpital, Mlle L. poursuit son combat acharné avec la mort. Elle perd beaucoup de sang et les chirurgiens ne peuvent l'opérer, son groupe de sang très rare A2B ne se trouvant pas sur place. La lutte de Mlle L. continue nonobstant. Une ambulance sillonne la ville clamant par haut-parleur l'urgent besoin de sang A2B. Une personne se présente. L'opération a lieu. Elle réussit.

La convalescence de la têtue et courageuse Mlle L. dure trois longues années au cours desquelles elle se met à apprendre... l'*astrologie* !...

Morale de cette histoire *vraie* ? Le destin existe... le libre arbitre aussi !

Cet accident constitua un événement majeur dans la vie de Mlle L. Insouciante jusqu'à l'égoïsme, elle menait une existence sans profondeur. En partie défigurée, elle dut cesser son métier de modèle pour devenir astrologue (destin ou libre arbitre ?) et se consacrer à l'aide des autres. L'*astrologie,* elle le comprit, permet de cerner le degré de prédestination d'une personne et de situer dans le temps ses rendez-vous.

Sur quoi l'étude astrologique repose-t-elle ? Sur l'interprétation de l'horoscope (du grec *hôra* : heure, et *skipein* : examiner).

« L'horoscope, ou thème natal, dit Germaine Holley, n'est autre que la reproduction sur une feuille de papier de la situation astronomique au moment précis où le nouveau-né pousse son premier cri, c'est-à-dire entre en contact avec l'influx cosmique. En fait, chaque être humain est au sens propre comme au sens symbolique un cliché instantané de la vibration cosmique œuvrant à l'instant même de la naissance. »

Par cette vibration, l'horloge intérieure de l'être humain est en synchronicité avec l'horloge cosmique, l'infiniment petit à l'image de l'infiniment grand et inversement.

A l'échelle de l'atome, l'électron tourne autour du noyau, à l'échelle du cosmos, la Lune tourne autour de la Terre, la Terre et les planètes du système solaire autour du Soleil, le système solaire se meut dans la galaxie...

Le « Grand Horloger » n'a rien laissé au hasard, a pensé et conçu ce système pour transmettre un message en langage codé à travers l'organisation des planètes ; y ont accès ceux qui font l'effort de chercher à le connaître et à le décrypter. Son message traite du sens de la vie, révèle les conflits intérieurs et extérieurs, les expériences et les échéances jalonnant une existence, sans dévoiler pour autant son dénouement. En effet, même s'il sort grandi ou amoindri de chaque bataille de la vie annoncée par les transits planétaires (passage d'une planète à un point crucial du thème astral), le comportement de l'être humain ne change en rien le cours des astres, n'a aucun effet sur lui, et vice versa ! La concordance d'un événement d'une vie humaine avec un transit planétaire trouve une justification dans une loi de *synchronicité* !

Quatre conjonctions essentielles résument le sens de la vie : Pourquoi ? Quand ? Comment ? Jusqu'où ?

Les deux premières appartiennent au domaine de l'*astrologie*, la troisième concerne les sciences biopsychologiques *(chirologie, morphopsychologie, hématopsychologie...)* et la dernière la *graphologie*.

En imaginant que chaque être humain joue un rôle dans la *symphonie universelle* — un rôle plus élevé sur le plan de la philosophie que la simple (mais nécessaire ?...) participation à la pérennité de l'espèce —, le thème astral s'assimile à une partition à jouer par l'individu concerné. Cette partition personnelle représente le contact que son incarnation lui fait contracter précisément avec la *vie*, le *pourquoi* et le *quand* délimitant son rôle dans la *symphonie universelle (voir figure 95).*

Ensuite vient le *comment* : avec quel instrument et quelles responsabilités le musicien s'insérera-t-il dans l'orchestre. La *chirologie* entre alors dans la fosse... d'orchestre ! Elle définit l'instrument que le déterminisme génétique alloue à un individu. Le cas des jumeaux astrologiques est exemplaire : deux êtres nés le même jour, à la même heure, au même endroit, possèdent des thèmes astrologiques identiques..., même partition musicale donc ! Cependant ils diffèrent par leurs gènes, aussi ne disposent-ils pas du même instrument pour jouer la même partition !

Le cas des jumeaux à la fois génétiques et astrologiques fait intervenir, pour expliquer leurs différences de comportement et

Figure 95

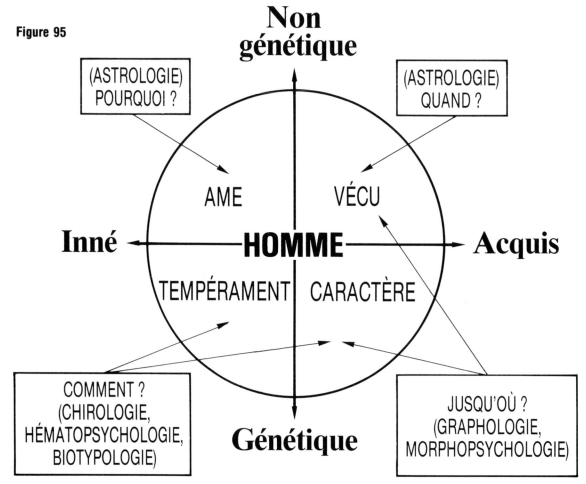

de trajectoire, une donnée supplémentaire : l'*âme ;* non génétique, elle ne s'avère en aucune façon identique chez deux jumeaux. Pourtant ils possèdent un contrat semblable (partition), les mêmes moyens (instrument). L'expérience montre qu'ils se partagent les tâches... et les planètes.

Une fois définis la partition et l'instrument, reste à écouter le résultat, à apprécier si l'interprétation se révèle en harmonie avec la partition, si l'instrumentiste tire avantage des possibilités de son instrument. Il s'agit alors d'analyser le comportement final *(jusqu'où)* pour étudier son adéquation avec les données précédentes *(pourquoi, quand, comment)*. A ce stade intervient la *graphologie,* elle permet de considérer l'évolution de l'être ; en effet l'analyse d'écriture à un instant donné aide à formuler un bilan du degré d'évolution du scripteur, sorte de photographie. Parfois l'écriture est en inharmonie avec le reste :

— soit l'instrumentiste improvise, refusant de vivre son thème ou, pire, déchiffre une autre partition, s'illusionnant à essayer de vivre le thème astral d'un autre comme la

grenouille du cher La Fontaine cherchant à devenir aussi grosse que le bœuf !

— soit l'instrumentiste ne sait pas bien jouer de son instrument ou, pire, s'en sert comme s'il s'agissait d'un autre instrument. Si un flûtiste souffle dans sa flûte traversière avec la force et l'énergie d'un trompettiste, pas un son ne sortira !

Si un *nerveux* s'efforce d'agir comme un *bilieux,* l'écriture, reflet du comportement, accuse des signes d'autoritarisme. L'écriture évolue à la fois involontairement, comme les lignes des mains, mais aussi, importante différence, volontairement. Ainsi le scripteur peut décider d'acquérir telle ou telle manière d'écrire, de former certaine lettre en fonction de l'image qu'il désire donner de lui-même. Aussi les graphologues devraient-ils s'initier à la *chirologie.* Ils compléteraient par là leur approche comportementaliste par une science du déterminisme :

La main et l'écriture s'avèrent aussi interdépendantes et pourtant distinctes que le génotype et le phénotype, de même en est-il pour la chirologie et la graphologie.

Le visage et la main

Lorsqu'un individu présente ses mains, pour étude, au chirologue, il lui offre un élément aussitôt appréciable, indissociable (en principe...) du reste du corps, permettant, si l'on sait en décrypter le langage, un complément d'information important : sa tête et surtout son visage.

En effet le visage et la main, uniques et caractéristiques de la personne, découvrent sa psychologie. L'examen d'un visage

s'opère selon deux points de vue différents et complémentaires : celui de l'*inné* et celui de l'*acquis.*

● Celui de l'*inné* considère dans le visage les facteurs constitutifs programmés par la génétique : forme générale du visage, du nez, des sourcils, de la bouche, teint de la peau, couleur des yeux, des cheveux...

● Celui de l'*acquis* considère dans le visage les facteurs évolutifs conditionnés par les rapports de l'individu avec son environnement : modelé et volume du revêtement tissulaire du visage, structures de ses différents étages...

Le premier point de vue donne lieu à une approche *biotypologique,* appréhende l'individu sur un plan *caractérologique.* Le second donne lieu à une approche *morphopsychologique,* appréhende l'individu sur un plan *psychologique.*

Biotypologie et *chirologie,* proches et complémentaires, font appel à la classification hippocratique (exception faite de la *biotypologie astrologique* fondée sur la classification en huit types planétaires : Terre, Lune, Vénus, Jupiter, Mars, Soleil, Mercure, Saturne (voir *La main, principe de chirométrie,* de Clément Blin, et *Dictionnaire des visages,* de Mayer Barouh, éditions Robert Laffont) et sont des sciences de l'*inné.*

Certaines immuables, d'autres, potentiellement évolutives, les caractéristiques des mains et du visage, programmées à la

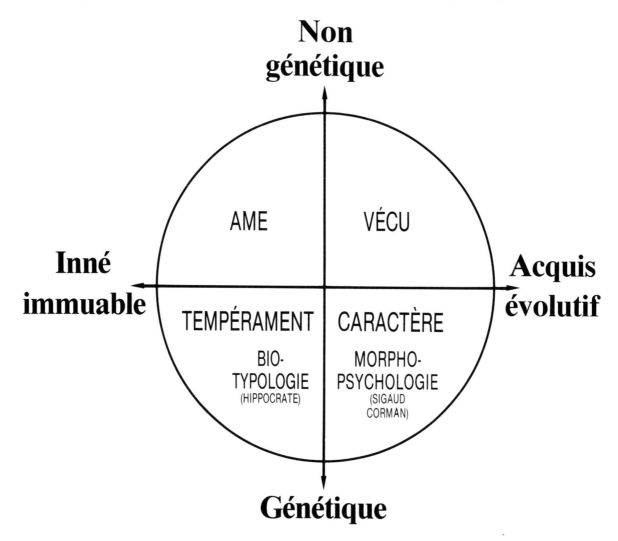

fécondation, sont toutes révélatrices du tempérament de leur détenteur.

Il faut retenir deux règles simples :
• **les visages anguleux** montrent une prédominance cérébrale : *bilieux* : visage carré ou rectangulaire ; *nerveux* : visage triangulaire, pointe en bas ;
• **les visages arrondis** montrent une prédominance physique : *sanguin* : visage rond ; *lymphatique* : visage ovale, en général évasé à la base.

La *morphopsychologie* (diagnostic psychologique formulé d'après le modelé du visage), science humaine assez récente, repose sur une approche dualiste de l'individu érigée en un système fiable et irréfutable par le docteur Louis Corman. Il explique avec clarté dans son excellent *Nouveau manuel de morphopsychologie* (édition Stock Plus) sa théorie : « On a longtemps considéré l'instinct de conservation comme l'instinct caractéristique de la vie. Mais il convient de dire qu'il est surtout développé chez les malades et les vieillards, c'est-à-dire chez tous ceux en qui la vie décline, est mise en danger, et qui doivent réserver leurs faibles forces pour sa défense. Le véritable instinct de vie, c'est en effet l'instinct d'expansion, cet instinct qui nous fait nous élancer à la conquête du monde qui nous entoure, car c'est l'instinct des natures généreuses, qui se dépensent sans compter. » Ces instincts d'expansion et de conservation se manifestent par le phénomène de dilatation ou de rétraction, modelant le visage selon sa sensation de la favorabilité ou non de l'environnement vis-à-vis de lui. Ainsi le visage dans son aspect résulte de l'interaction milieu-individu et se déclare à chaque instant le témoin muable d'une évolution.

Le docteur Corman poursuit : « C'est parce que la fonction biologique d'une part s'objective dans la *morphologie* (comme l'a montré Sigaud), d'autre part constitue le fondement de l'individualité psychique (comme je le soutiens) qu'il y a entre les traits de la forme et les traits du caractère une constante et bien significative relation. »

Aussi apparaît-il intéressant, voire nécessaire, de comparer les évolutions des lignes des mains et des formes du visage. Les changements observés traduisent l'impact du vécu sur l'évolution du caractère.

Par son important apport de clarification et sa maîtrise de la *morphopsychologie,* Louis Corman se dresse en chef de file incontestable, en pape même (il est nonagénaire) de cette science humaine d'observation. Il possède en outre le mérite (à l'inverse de Mangin en *chirologie*) d'avoir formé beaucoup de disciples, trop peut-être : une âpre guerre de succession risque de venir troubler la quiétude de son éternel sommeil dès son ultime soupir. Il faut espérer que la *Société française de morphopsychologie* (association loi 1901 née en 1980) n'en pâtira point et conservera par-delà les individualités son unité !

▌L'hématopsychologie

Parmi les disciplines enterrées avec leur fondateur figure l'une des sciences humaines issue de la biotypologie et la plus méconnue : l'*hématopsychologie,* psychologie des groupes sanguins, système ABO.

Le fondateur, il faut lui rendre doublement hommage, est une fondatrice et une Française : Léone Bourdel. Elle a le mérite de démontrer d'une part qu'une cervelle féminine peut s'avérer une excellente tête chercheuse — ce dont certains esprits masculins sans esprit, machistes, doutent encore —, d'autre part que l'Europe en général et la France en particulier possèdent des précurseurs.

Léone Bourdel voua sa vie entière à l'établissement d'un système fiable de classement caractérologique simple partant des quatre groupes sanguins : A, B, O, AB. Mai 1968 et son vent de folie balaiera sans vergogne et sans pitié le fruit de tant d'années de recherches et jettera aux oubliettes pour des années les intéressantes possibilités d'application générées par cette approche typologique. Sans doute pour lui épargner cette attristante issue, le destin bienveillant aidera Léone Bourdel à quitter le monde tangible en 1966.

La classification hématologique étant simple et tranchée (chacun appartient exclusivement à un groupe sanguin donné), la méthode expérimentale lui ressemble.

Léone Bourdel forma quatre groupes d'individus avec pour départ et critère de similitude l'appartenance à un même groupe sanguin (les « A », les « B », les « O » et les « AB ») sans se soucier du rhésus. Puis elle chercha à déceler les convergences de pensées, d'attitudes et de comportement des personnes d'un même groupe. Les premiers tests portèrent sur les réactions à la musique et lui permirent de caractériser chaque groupe vis-à-vis de celle-là. Les « A » se montrèrent sensibles à l'harmonie, les « B » au rythme, les « O » à la mélodie et les « AB » n'émirent pas un avis cohérent. Aussi les baptisa-t-elle *harmoniques, rythmiques, mélodiques* et *complexes*.

Des diverses expériences et observations accomplies par Léone Bourdel découlent les portraits suivants :

- *L'harmonique* (groupe A)
Contemplatif, subjectif, idéaliste, individualiste, doué d'un esprit curieux peu porté au pragmatisme.
- *Le rythmique* (groupe B)
Réaliste, pragmatique, intégrateur, autoritaire, il aime les actions réglées comme du papier à musique, précisément !
- *Le mélodique* (groupe O)
Improvisateur, « risque-tout », pourvu d'un excellent sens de l'adaptation, il cherche plutôt l'imprévu, l'évasion et le mouvement. Nommé à juste titre « donneur universel » sur le plan médical, il l'est aussi dans le domaine psychologique ; se plaisant davantage à donner qu'à recevoir, il ressent en effet le besoin de se voir utile.
- *Le complexe* (groupe AB)
Pétri de contradictions, le « AB » s'avère complexe tant avec lui-même qu'avec son entourage. Son côté « A » rêveur et idéaliste oblige son côté « B » exigeant et organisé à sévir, et le rend le plus souvent maniaque de l'ordre et de la régularité. « Receveur universel », il se plaît à recevoir et à accumuler.

Cette classification simple peut sembler à juste titre trop simpliste et éloignée de la vérité à cause d'une systématisation inadaptée, piège point évité par les Japonais depuis la publication d'un ouvrage devenu un best-seller où Toskukata Nomi détermine pour chaque groupe les caractéristiques morales, artistiques ou professionnelles des individus.

La psychologie nippone poussant à l'excès, les Japonais appliquent le système à tous les domaines de la vie : « management » d'entreprise, apprentissage d'une langue, affaires de cœur, choix politique, problèmes d'embauche. Ainsi certaines offres d'emploi précisent-elles comme ultime exigence : « groupes O et AB s'abstenir ». Des radios choisissent leurs invités en fonction de leur groupe sanguin. Des écoliers collent le leur avec des étiquettes sur leurs cartables ou le brodent sur leurs uniformes. Des boutiques vendent des vêtements, et même des sous-vêtements (!), imprimés avec les lettres A, O, B ou AB.

Tenant compte des rhésus — positif : secondarité ; négatif : primarité —, Toskukata Nomi attribue à chacun des huit groupes un type de profession :

A + donne les meilleurs ingénieurs
A − donne les meilleurs artisans

B + donne les meilleurs commerçants
B − donne les meilleurs hommes de loi

AB + donne les meilleurs enseignants
AB − donne les meilleurs artistes

O + donne les meilleurs policiers
O − donne les meilleurs politiciens

Il va sans dire — et bien mieux en le disant et même l'écrivant ! — que nous n'adhérons pas à cette classification... Ce simplisme catégorique s'apparente à la systématisation erronée des horoscopes (astrologie de bas étage), des journaux et magazines réduisant l'individu à un seul signe solaire et considérant uniquement douze « possibilités d'être » : les douze signes du Zodiaque.

Quatre (ou huit avec le rhésus) possibilités d'être, fonction du groupe sanguin paraissent caricaturales et limitées, en revanche il sied de les concevoir comme un moyen de nuancer, de modérer, voire d'affiner une autre approche typologique. Ainsi le « A » correspond-il au *nerveux,* le « B » au *bilieux,* le « O » au *sanguin* et le « AB » au *lymphatique.*

La prise en considération du groupe sanguin apporte une caractéristique supplémentaire confirmant ou infirmant le diagnostic tempéramental. Ainsi si vous, lecteur, êtes « AB » (3 % en France !), ne vous croyez pas aussitôt *lymphatique.* Mais si vous l'êtes, la complexité du « AB » confirme votre lymphatisme et votre esprit « fonctionnaire » (régularité et sécurité).

De même un *nerveux mélodique* est moins *nerveux* qu'un *nerveux harmonique* : le premier possédant des facilités d'adaptation et d'improvisation, moins évidentes chez le second. A l'inverse, des *mélodiques* peuvent se montrer de tempérament très différent et n'avoir en commun, par hasard, que le métier. Par exemple, Brigitte Bardot et Charlotte Rampling, deux univers intérieurs sans commune mesure appartiennent à la même famille sanguine « O ». Famille à laquelle appartiennent aussi, sans la liaison du métier : Marcel Pagnol, Roberto Benzi, Louison Bobet, Le Corbusier, Paul Guth, Françoise Hardy...

Désolés, monsieur Toskukata Nomi, dans cette liste aucun policier et un seul politicien à ajouter maintenant, et qui s'est d'ailleurs illustré d'abord comme habile pilote de chasse : Pierre Clostermann !

Un tandem intéressant se partageant le même groupe sanguin O avec, cependant, des rhésus opposés et des personnalités fort dissemblables : Paco Rabanne et Sonia Rykiel. A cette dernière le groupe sanguin O donne le goût du risque absent chez les *nerveux,* son tempérament dominant. Pour Paco Rabanne, au contraire, le groupe O confirme sinon exacerbe son côté *sanguin* : sens des affaires, amour de l'improvisation, séduction..

Dans le camp des A cohabitent en liberté : Paul-Emile Victor, Jean Borotra, Jean-Louis Scherrer, Léon Zitrone, Olivier Dassault, Maurice Herzog, Alejo Vidal Quadras, Marcel Marceau, Pascal Morabito, Maurice Druon, Bernard Pivot, le baron Empain...

Dans le camp des B s'illustrent le général Weygand, Norbert Casteret, le professeur Paul Milliez, Yves Mourousi, Paul-Loup Sulitzer.

Quant à cet écrivain fameux, M. Nomi n'aurait pas tort si le « Spielberg de la littérature » n'était de rhésus négatif !... Aussi n'endossa-t-il pas l'habit d'un homme de loi mais préféra-t-il dicter la sienne dans ses romans ! Nous ne connaissons pas de gens célèbres appartenant à la famille AB, ils peuvent se faire connaître...

Cette classification du comportement humain d'après le sang confirme et justifie les divers symboles évoqués par le mythe du sang, ni les religions ni l'ésotérisme n'y échappent. Même aujourd'hui, les réactions à l'égard du sang restent, pour la plupart, instinctives. Chacun lie sang et vie. Rabelais le signale déjà dans son *Tiers Livre* : « La vie consiste en sang. » Perdre son sang implique perdre la vie.

Le sang, symbole de pureté, exprime la force, le courage. A preuve la cérémonie de l'échange de sang des preux chevaliers. Mais il symbolise aussi, ô paradoxe, l'impureté, ainsi l'expression « souillé de sang ». Témoin et véhicule de l'hérédité, il inspire des dictons : « Bon sang ne saurait mentir. »

La découverte des différents groupes sanguins confirme une vieille croyance impliquant, avec logique, l'inégalité des sangs.

Voici les pensées du professeur Jean Bernard distillées dans son remarquable ouvrage, *Le sang et l'histoire* : « Tant que le sang restait un mythe, ce thème pouvait nourrir les rêveries des mystiques ou des tyrans : la science du sang, l'hématologie, l'a définitivement ruiné. Depuis 1915. Tout a commencé aux Dardanelles et à Salonique. Pendant les campagnes d'Orient de la Première Guerre mondiale sont faites les premières transfusions aux blessés des champs de bataille. Blessés et donneurs sont très divers : Français, Anglais, Turcs, Cipayes, Annamites, Sénégalais. A chaque race son groupe sanguin, pensent les tenants du mythe, et bien entendu aux races supé-

rieures les bons groupes. En fait, dans les régiments d'Afrique, d'Asie, d'Europe, tous les groupes sanguins alors connus sont trouvés. »

De nombreux mammifères possèdent des groupes communs à l'homme — les gènes O et A chez le chimpanzé ; les gènes A et B chez l'orang-outang, le gibbon et le gorille. Cependant aucun animal, pas même les singes, n'a à la fois tous les groupes caractérisant le genre humain. Cela souligne encore les différences entre la race humaine et les autres races. Différence et non inégalité : débat éternel...

De toute façon, sans établir de hiérarchie ou de jugement de valeur, un fait demeure : les différences de sang distinguent les hommes et leur comportement. Aussi la volonté des témoins de Jéhovah de refuser la transfusion sanguine n'apparaît-elle pas totalement dénuée de sens car dans le sang, milieu intérieur baignant les tissus et régulant les organes, se résume l'individualité biologique et psychologique de l'être humain. Cette règle de vie (et de mort...) des témoins de Jéhovah peut s'admettre, au départ, comme une règle de bon sens et d'hygiène mentale assimilable à l'interdiction pour les musulmans d'ingérer de la viande de porc, règle, cette fois, vitale des pays chauds. Pour en revenir à la philosophie des témoins de Jéhovah, il est en effet possible d'imaginer que la psychologie du donneur de sang risque d'interférer avec celle du receveur. Rien n'est prouvé cependant car c'est, d'une part, difficilement mesurable, et, d'autre part, le don est anonyme !

Le sang témoin

L'*hématopsychologie* dérive de l'*hématologie* : « L'étude du sang ne concerne pas seulement, écrit Jean Bernard, la physiologie, la médecine, l'anthropologie, la génétique. » Certes ! Elle met en lumière les comportements humains, éclaire d'un jour nouveau l'*histoire*. Le sang s'avère un extraordinaire (et pourtant bien naturel !) témoin et un pilote de l'histoire.

Le professeur Bernard explique : « L'hémoglobine transporte l'oxygène et donne aux globules rouges leur couleur. L'unité de l'hémoglobine fut longtemps admise. Sa diversité est aujourd'hui démontrée. Une hémoglobine, appelée hémoglobine E est particulière au peuple khmer. Mais l'hémoglobine E, est retrouvée bien au-delà des limites étroites du petit Etat cambodgien actuel, au Viêt-nam, au Laos, en Thaïlande, en Malaisie, dans une aire étendue de l'Asie orientale et méridionale. Le glorieux empire khmer du XIe siècle occupait ces territoires. L'étude de l'hémoglobine permet, après neuf cents ans, d'en fixer les frontières. Fait remarquable, les archéologues, découvrant dans la même région les ruines des temples du temps d'Angkor, et les hématologues, avec l'hémoglobine, s'accordent à fixer les mêmes limites au grand empire disparu. »

La fréquence des rhésus dans différentes populations les caractérise et les distingue : ainsi le rhésus positif présent à 99 % en Asie orientale, à 83 % en Europe... sauf au Pays basque où le taux atteint seulement 60 %. Intéressant ce cas de la population basque : outre la fréquence du rhésus négatif (le plus élevé dans le monde), elle se distingue en Europe par un taux élevé du groupe O : 73 % ; France : 43,20 % ; monde : 43,40 %.

Des relations précises s'établissent entre la localisation de cette caractéristique sanguine et la géographie du droit coutumier. Ainsi le retrait lignager et le droit d'aînesse intégral (sans distinction de sexe) s'observent dans les populations avec fréquence du groupe O supérieure à 73 %. Les études linguistiques confirment l'identité culturelle basque, montrent une remar-

quable corrélation entre fréquence des groupes sanguins et persistance de traits linguistiques archaïques (phonétique, lexique, syntaxe...). Quant à l'identité particulière des Basques, elle pourrait trouver son origine dans le peuple de la Cité disparue d'Atlantide !

En effet, compte tenu de la capacité de migration des *mélodiques* (groupe O), le continent américain se vit colonisé presque exclusivement par eux, migrants venus d'abord d'Asie il y a 50 000 ans, puis d'Europe durant les trois derniers siècles —, une hypothèse s'érige : de l'Atlantide agonisante les O, plus improvisateurs et moins conservateurs que les A et les B, partent à l'aventure vers le sud par voie maritime, certains viennent alors s'échouer au sud de la côte aquitaine : au Pays basque...

Le pas se franchit vite de l'identité culturelle à l'identité religieuse : une enquête rigoureuse et probante menée au Liban par les professeurs Jacques Ruffié et Negib Taleb sur cinq populations chrétiennes (Maronites, Grecs orthodoxes, Grecs catholiques, Arméniens orthodoxes et Arméniens catholiques) et trois populations musulmanes (Sunnites, Chiites et Druzes) amène certaines conclusions. Chacune de ces populations, distinguée par sa religion, possède un « profil sanguin », selon l'heureuse expression du professeur Jean Bernard, bien à elle. « Ainsi, rapporte-t-il, pour les groupes sanguins et pour les Grecs orthodoxes on note la prédominance du groupe O et du chromosome R. Pour les Arméniens orthodoxes on note la prédominance du groupe A et du chromosome R. Pour les Maronites des valeurs se situant entre ces deux extrêmes. La fréquence du groupe O est assez élevée pour les Chiites, alors qu'on constate pour les Sunnites une fréquence élevée de B et de R.

« Diversité aussi du côté des hémoglobines. L'hémoglobine S est surtout fréquente chez les Chiites, très rare dans les autres groupes. Le taux de thalassanémie est assez élevé chez les Sunnites, les Grecs orthodoxes, les Grecs catholiques. Il est très élevé chez les Druzes. Il est très faible chez les Maronites.

« Même diversité pour les enzymes du sang, particulièrement pour le déficit en G-6-PD, inconnu chez les Druzes, rare dans les groupes chrétiens, fréquent dans les groupes musulmans, Sunnites et Chiites. »

Ainsi des méthodes simples définissent le profil sanguin de ces divers groupes religieux avec la précision d'une carte d'identité.

Comment expliquer une telle cohérence entre les frontières du sang et celles du mysticisme ? Le professeur Bernard poursuit : « Il n'est guère possible d'admettre que l'appartenance d'un homme à tel système de groupe sanguin ou d'hémoglobine rende cet homme plus apte à embrasser telle religion, maronite ou sunnite ! »

Notre avis diffère car l'on peut imaginer, compte tenu de l'hématopsychologie, que la non-cohérence de la formule sanguine d'un individu avec celle de sa famille religieuse le pousse à agir et penser différemment du groupe et à chercher l'adhésion d'une religion plus proche de sa psychologie.

En adhésion avec le professeur cette fois, il ne sied pas d'oublier l'importance de la religion dans l'unité de la formule sanguine de chacun de ces groupes. L'endogamie pratiquée par eux en obéissance aux dogmes respectifs érigea des barrières culturelles et religieuses depuis plus d'un millénaire et empêcha l'échange des caractéristiques sanguines d'une population à l'autre.

Jean Bernard poursuit : « Cette originalité sanguine de chaque groupe religieux est d'autant plus remarquable qu'elle est observée dans un pays de petites dimensions (à peine supérieur à un département fran-

çais), qu'elle concerne des populations vivant dans les mêmes villages, parfois dans les mêmes maisons. De grands anthropologues, de grands précurseurs, Albert Vandel, Claude Lévi-Strauss, avaient déjà envisagé le rôle que jouent dans l'évolution les facteurs culturels. » Le déterminisme génétique confirme et accentue donc le déterminisme culturel et inversement.

Le sang pilote

L'histoire d'un peuple dévie parfois de sa trajectoire logique par l'apparition d'une nouvelle donnée concernant le sang de cette population ou même concernant le sang d'un seul individu !

Jean Bernard (encore et toujours lui !) relate un exemple des plus intéressants : « Les stratèges d'Amérique du Sud ont, depuis le début de ce siècle, été parfois désappointés, surpris par l'évolution inattendue des guerres civiles ou étrangères. Le conflit a lieu dans la plaine.

« Le gouvernement, attaqué par une nation voisine ou par des rebelles, fait appel à des troupes fidèles et sûres, celles que forment les habitants des hauts plateaux. Ces soldats loyaux, fortement armés, descendent dans la plaine. Ils vont vaincre. Mais, avant même d'avoir affronté l'ennemi, les voici fiévreux, accablés par des infections variées, bientôt en danger de mort et succombant souvent, victimes de ces infections graves. Les armées étrangères, ou guérilleros ont été épargnés.

« Les médecins du sang, les hématologues, ont apporté l'explication de cette histoire. Le sang contient les globules et le plasma. Dans le plasma se trouvent, à côté du sucre, de l'urée, de l'acide urique, les substances appelées immunoglobulines. Les immunoglobulines, comme leur nom l'indique, nous protègent, nous défendent contre les infections.

« En Bolivie, au Pérou, sur les hauts plateaux andins, à 3 500, 4 000 mètres d'altitude, il n'y a pas d'infections. Point ou très peu de bactéries, de virus, de parasites. Depuis plusieurs millénaires, ces populations de hauts plateaux ne connaissent pas les infections. Les immunoglobulines devenues inutiles ont disparu. Mais que survienne la guerre civile ou étrangère, et la mobilisation des montagnards, les Indiens des hauts plateaux, descendus dans la plaine, affrontent sans défense, sans immunoglobulines, les bactéries, les virus, les parasites de la forêt amazonienne ou du littoral du Pacifique. Ils meurent. »

A considérer (tel Montesquieu...) la chute des empires, une réalité apparaît : l'état de santé (et l'état du sang en particulier) des familles régnantes prend une place non négligeable dans le déroulement de l'histoire.

L'hémophilie par exemple, grave maladie hémorragique, tragique épée de Damoclès, mit en péril de nombreuses têtes couronnées de la fin du XIXᵉ et du début du XXᵉ siècle, et par là même la pérennité de leur lignée et de leur politique.

Ainsi les soucis occasionnés par ses deux fils hémophiles prennent-ils part à l'abdication d'Alphonse XIII, roi d'Espagne.

L'hémophilie du tsarévitch Alexis, seul prétendant au trône, est liée à la fin de l'empire russe. Le tsar et la tsarine, démobilisés de leurs fonctions par leur calvaire de parents, obéirent sans discernement à Raspoutine. L'hémophilie et Raspoutine ne sont certes pas responsables de l'entrée en guerre de la Russie en 1914 et de la révolution de 1917, mais ils favorisèrent cependant le succès du marxisme.

Ainsi si l'hématologie éclaire d'un jour nouveau le rôle du sang, témoin et pilote de l'histoire, combien mieux encore l'*hématopsychologie* est à même d'expliciter les comportements des faiseurs de l'histoire. Si nous possédions le groupe sanguin d'un Hitler, d'un Staline, d'un Pétain, d'un de Gaulle..., la face du monde changerait peut-être !

« L'histoire ne peut commencer que dans un rapport étroit avec la biologie » (R. Queneau).

5

AVENIR
DE LA CHIROLOGIE

La chirologie comme outil de recherche de l'hérédité

Parmi les instincts inhérents à la nature humaine figure en premier dans l'esprit de la plupart des gens celui nommé, à tort, instinct de reproduction. En effet, Albert Jacquard le remarque avec justesse dans son *Eloge de la différence,* l'individu ne se *reproduit* pas au sens littéral du terme, il ne fournit pas une copie de lui-même comme la photocopieuse un double du document original. Cette erreur de terminologie provient sans doute d'une analogie avec le mode de vie des premiers êtres vivants observable encore aujourd'hui chez certains êtres unicellulaires comme les bactéries : « Pour eux la lutte contre le temps et contre la dégradation qu'il entraîne, précise Albert Jacquard, consiste à se couper en deux, à remplacer un individu par deux individus identiques. Le mécanisme de transmission de la vie pourrait donc se représenter, il y a environ trois milliards d'années, par la formule : "un produit deux".

« Le renversement de ce système apparaît un ou deux milliards d'années plus tard lorsque l'intervention de deux vivants s'avère nécessaire à la production d'un troisième. A ce moment-là "deux produit un" !

« Ce renversement du procédé est sans doute, commente Albert Jacquard, la révolution la plus décisive intervenue au cours de l'évolution de la vie sur la Terre. »

Comment un être unique et indivisible peut-il provenir de deux sources ?

Pour les philosophes grecs, la mère est un réceptacle indispensable mais passif, à l'image d'un four où le boulanger introduit le pain pour parachever sa fabrication. L'enfant fourni par le père est déjà prêt, seuls manquent les neuf mois de la gestation maternelle. L'une des étranges justifications des mentalités misogynes gît-elle là ?

Cette vision des choses déboucha, il y a quelques siècles, sur l'étonnante et singulière « théorie de l'emboîtement » : le microscopique enfant présent dans la tête du spermatozoïde, si c'est un garçon, possède déjà dans ses testicules la génération suivante dont les mâles recèlent dans leurs testicules la génération d'après dont..., un système de poupées russes existant dès la conception du premier homme avec mise à jour et au jour à chaque génération ! Certains esprits chrétiens voulurent accorder leur foi avec l'idée d'un péché originel d'Adam transmis à travers ses testicules à ses descendants, d'autres allèrent jusqu'à calculer la date de la fin du monde en essayant d'évaluer le nombre de générations emboîtées dans les testicules d'un homme ordinaire...

Puis vint la théorie adverse avec la découverte de l'ovule. D'un excès à un autre ! Les « ovistes » s'opposent aux « spermatistes » jusqu'au début du XIXᵉ siècle, lorsque la nécessité d'une double hérédité s'impose enfin aux esprits. Des lacunes demeurent cependant. Admis le fait que les parents sont responsables à égalité, coproducteurs des diverses caractéristiques de l'enfant, reste à découvrir qu'il ne représente en aucun cas la moyenne arithmétique de ses parents, sinon l'espèce humaine aurait abouti à une homogénéisation de ses composants au point qu'il serait alors exact de parler aujourd'hui de « reproduction » !

Prévoyant, le « Grand Horloger » a

ordonné la transmission des gènes au fur et à mesure de l'évolution pour maintenir la diversité ! Cette découverte émane d'un moine tchécoslovaque, Gregor Mendel (1885), mais la génétique, alors science nouvelle pleine d'avenir, ne l'expliquera que vers 1900.

Le respect de la diversité naît de l'existence d'une « double commande génétique » (appellation d'Albert Jacquard). Les caractéristiques exprimées, apparentes ou phénotypiques, de chaque individu proviennent de son bagage bipotentiel génétique caché : le génotype.

Entre l'existence du génotype et la manifestation du phénotype interviennent des facteurs dont les mécanismes semblent encore à ce jour si complexes qu'il apparaît commode d'en attribuer la décision au « hasard » dont Albert Jacquard donne une définition savoureuse : « Le hasard est le sujet du verbe choisir lorsque ce sujet est méconnu, ou inconnaissable, ou même, peut-être, inexistant. »

Selon lui, toujours : « L'intervention du hasard est l'apport essentiel de la procréation sexuée » ; à cause d'elle les caractéristiques, et par là même le caractère initial, d'un enfant même issu d'un couple au bagage génotypique connu ne peut être choisi ou prévu. Heureusement d'ailleurs, car si à la difficulté de compréhension et d'entente avec leur progéniture les parents devaient ajouter la culpabilité de les avoir mal choisis ou prévus (sans compter les mésententes préalables entre père et mère sur l'élection des critères...), les psychothérapeutes ne sauraient plus où donner de la tête et de leurs conseils !

Ni choisi ni prévu donc, le résultat peut, en revanche, se justifier et cela permet d'intéressantes études de filiations héréditaires, voire d'ajouter un aspect scientifique, psychologique et qualitatif à la généalogie.

En effet, certaines personnes établissent leur arbre généalogique à l'aide de portraits, photographies ou gravures et étudient à loisir la transmission des traits caractéristiques des visages de leurs ancêtres. Dans le domaine chirologique, chacun pourrait dès maintenant prendre et conserver les empreintes des mains des divers membres de sa famille afin d'observer la permanence d'un tempérament dans une lignée familiale ou, au contraire, l'évolution sociale, en plus ou en moins, de cette même lignée par l'apport d'un élément tempéramental différent.

« Le legs héréditaire explique pour une grande part, suggère Clément Blin, les familles de scientifiques, de musiciens [...] où certaines formes de sensibilité exceptionnelles, d'originalité d'esprit peuvent se transmettre en tout ou en partie. » Quatorze générations successives de chirurgiens singularisent ainsi la famille d'Eugène Sue...

UNE HISTOIRE VRAIE

(Cf. « Les Dossiers extraordinaires » de Pierre Bellemarre.)

New York : le couple stérile X. fait appel à une mère porteuse, mademoiselle Y. La grossesse se passe bien, l'accouchement aussi..., mais l'être procréé rend furieux M. X., le géniteur : son enfant se révèle anormal ! M. X., se rebiffe ! Il a payé Mlle Y. pour mettre au monde un enfant normal, pas un monstre ! Pourtant la jeune femme a satisfait aux examens préalables, d'où provient donc ce « vice de forme » ? M. X. refuse de reconnaître l'enfant, son enfant, en principe... En principe en effet car, consternée, choquée, Mlle Y. finit par avouer sa faute : quelques heures après l'insémination artificielle, elle entretint des rapports avec son amant M. Z. (et la conscience professionnelle ?...), il pourrait alors être le père de l'enfant ! Le pauvre enfant, lui, en attendant, n'appartient à personne, cependant il devrait recevoir deux fois plus d'amour sinon davantage ! Or, il s'est mué en un désolant sujet de dispute, de procès, jeté puis rejeté tel un paquet de linge plus malodorant que nature, à la figure de la partie adverse. Les médecins proposent des analyses de sang. Hélas ! pour le

rejeton, M. X. et M. Z. présentent des caractéristiques sanguines semblables... Alors, l'affaire s'en tint là. Le bébé se vit confié à un organisme compétent. Les deux présupposés pères chassèrent de leur esprit les souvenirs relatifs à cet incident fâcheux. Chacun s'en alla de son côté, laissant à jamais cet enfant sans père.

La *chirologie*, elle, aurait mis le véritable père devant ses responsabilités. La simple confrontation des empreintes des mains de l'enfant et des deux hommes aurait permis d'élucider ce mystère de la conception. En regard de la normalisation en France, et ailleurs, du phénomène des mères porteuses, tôt ou tard les mêmes problèmes (ou à peu près) se poseront : la *chirologie* devrait pouvoir les résoudre.

PREMIER EXEMPLE

étude de la famille V., cas ordinaire

Mme T., grand-mère maternelle, est une *bilieuse* d'expression *sanguine*.

Sa fille, Mme V., est une *bilieuse* d'expression *sanguine*.

M. V. est un *sanguin* d'expression *bilieux-lymphatique*.

N. (premier enfant, garçon) est un *bilieux-sanguin* d'expression *bilieuse*.

A. (deuxième enfant, garçon) est un *nerveux-sanguin* d'expression *sanguine*.

E. (troisième enfant, fille) est une *bilieuse-nerveuse* d'expression *bilieuse*.

L. (quatrième enfant, fille, adoptée) est une *nerveuse* d'expression *sanguine-lymphatique*.

L'hérédité *sanguine* est paternelle, la *bilieuse* provient de la branche maternelle (mère et grand-mère).

L., l'enfant adoptée, présente des mains avec des caractéristiques très différentes de celles du reste de la famille à laquelle elle s'est très bien adaptée (présence de quatre digitaloglyphes en boucle).

L'étude spécifique des digitaloglyphes montre que les boucles proviennent sans doute exclusivement de la branche maternelle. Les doubles boucles, les tourbillons, les ellipses semblent plutôt provenir de la branche paternelle. Le manque de recul génétique ne permet pas, en effet, d'affirmer.

Famille V.   MAINS GAUCHES

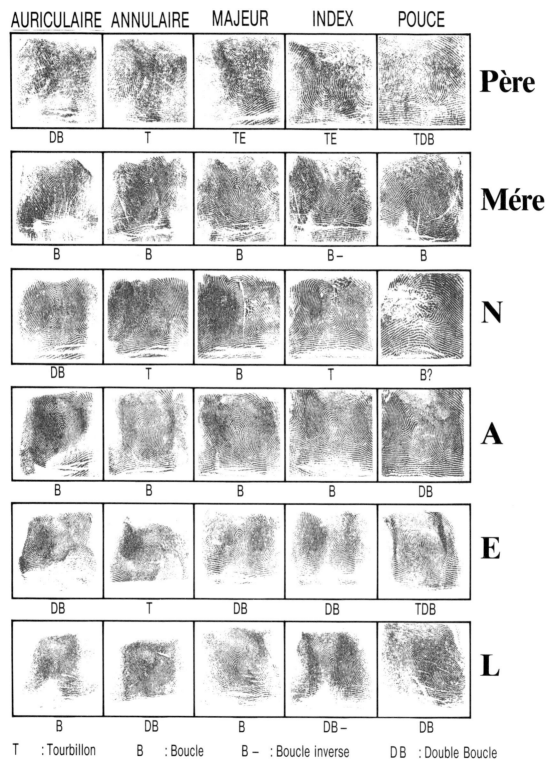

AURICULAIRE	ANNULAIRE	MAJEUR	INDEX	POUCE	
DB	T	TE	TE	TDB	**Père**
B	B	B	B –	B	**Mére**
DB	T	B	T	B?	**N**
B	B	B	B	DB	**A**
DB	T	DB	DB	TDB	**E**
B	DB	B	DB –	DB	**L**

T : Tourbillon   B : Boucle   B – : Boucle inverse   D B : Double Boucle

Famille V.   MAINS DROITES

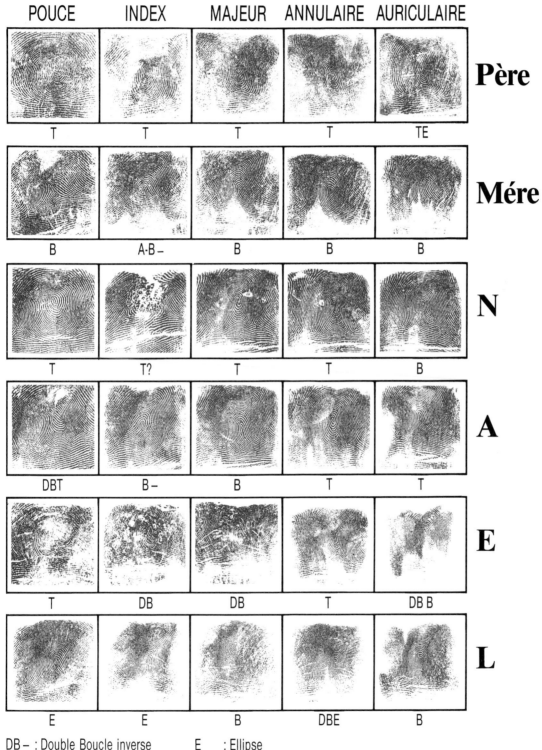

	POUCE	INDEX	MAJEUR	ANNULAIRE	AURICULAIRE	
Père	T	T	T	T	TE	
Mére	B	A·B –	B	B	B	
N	T	T?	T	T	B	
A	DBT	B –	B	T	T	
E	T	DB	DB	T	DB B	
L	E	E	B	DBE	B	

DB – : Double Boucle inverse   E   : Ellipse

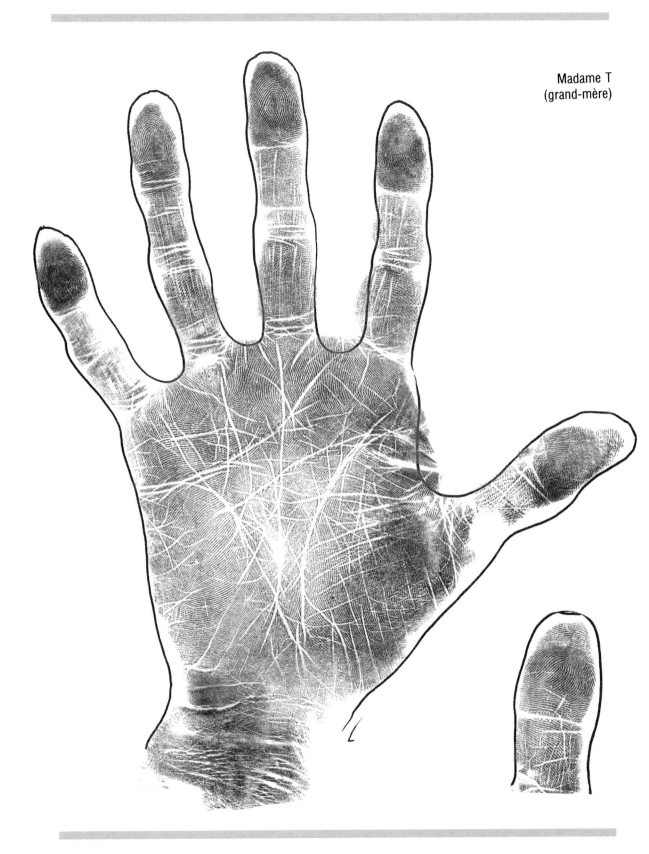

Madame T
(grand-mère)

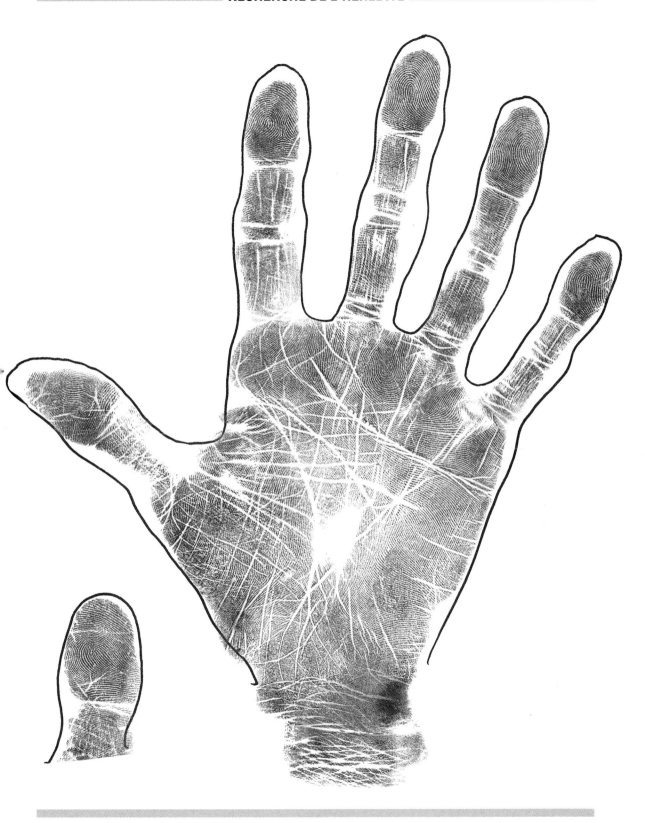

Madame V

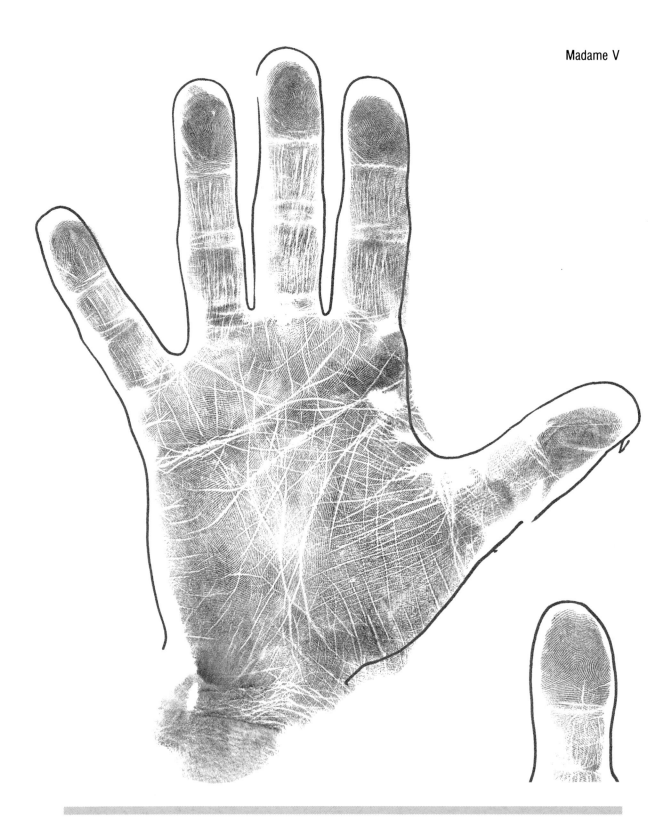

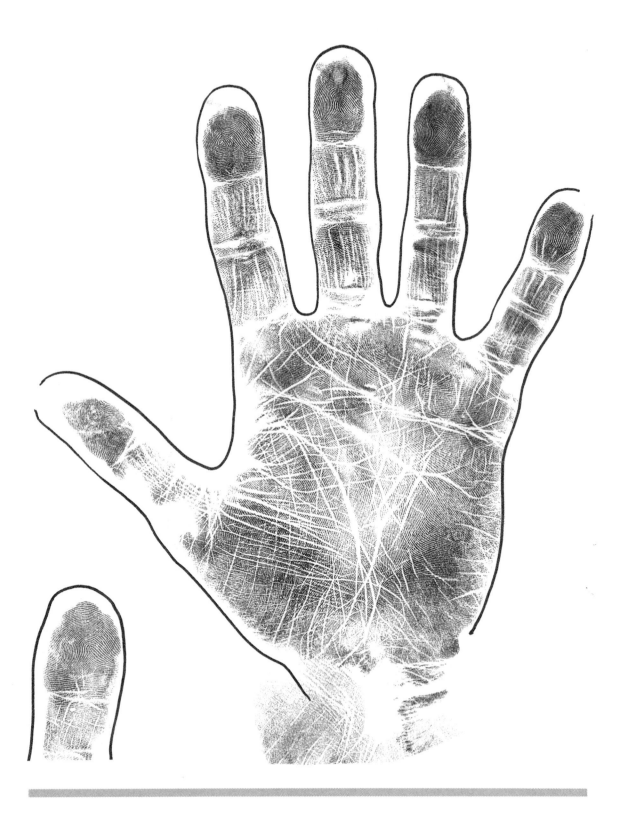

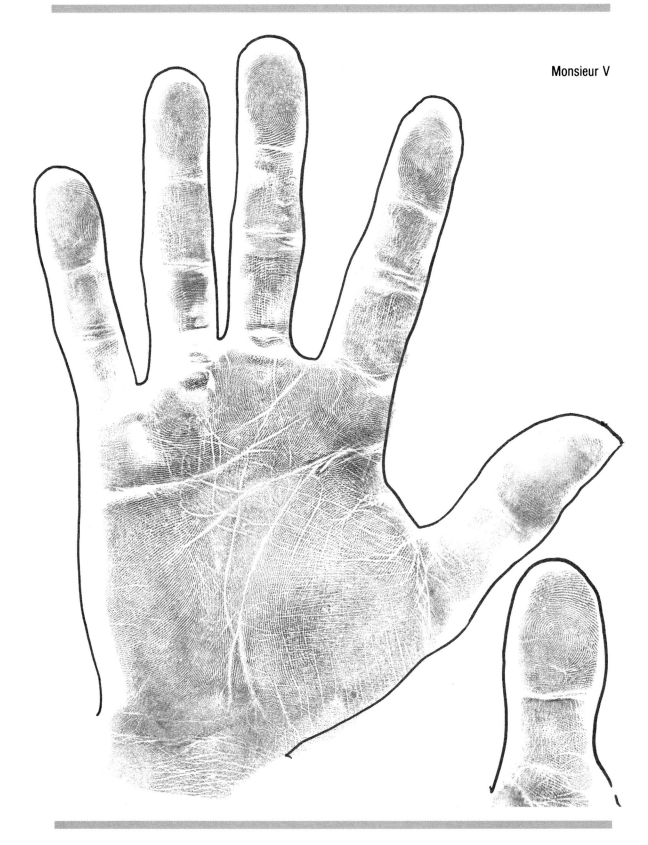

CINQUIÈME PARTIE : AVENIR DE LA CHIROLOGIE

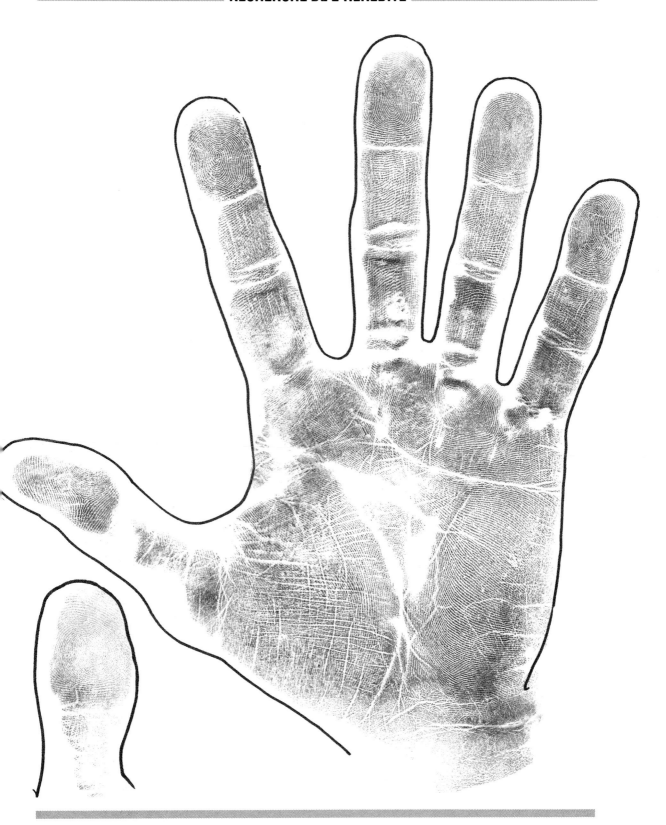

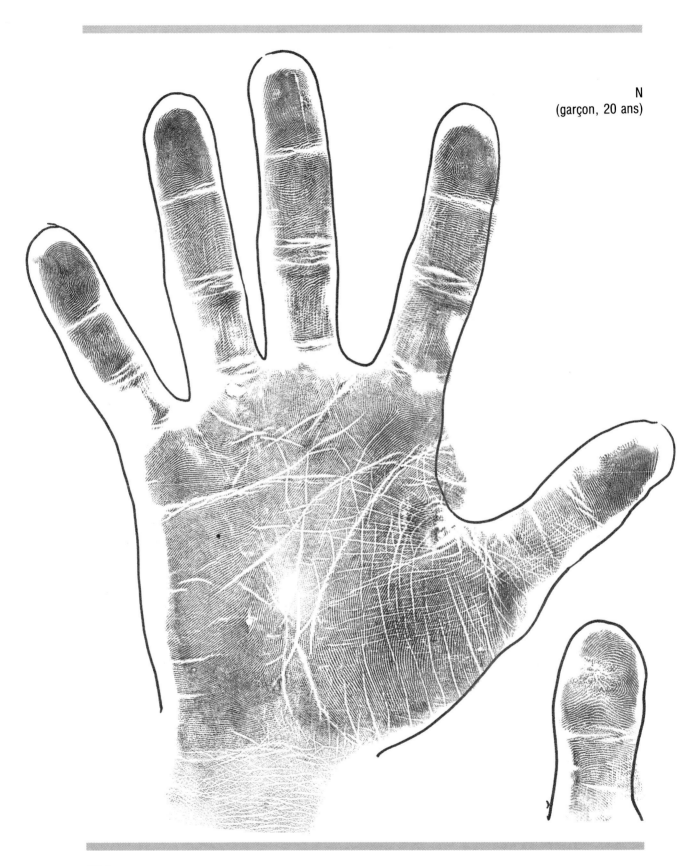

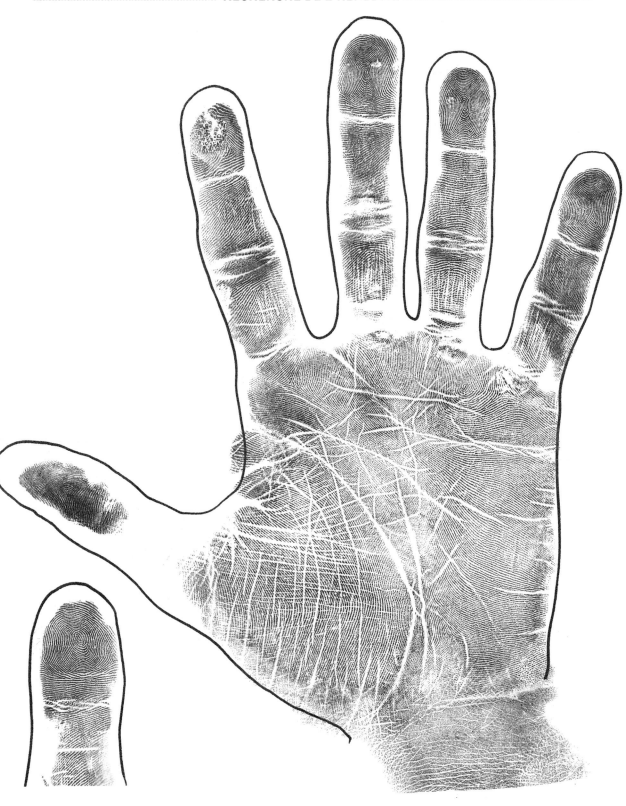

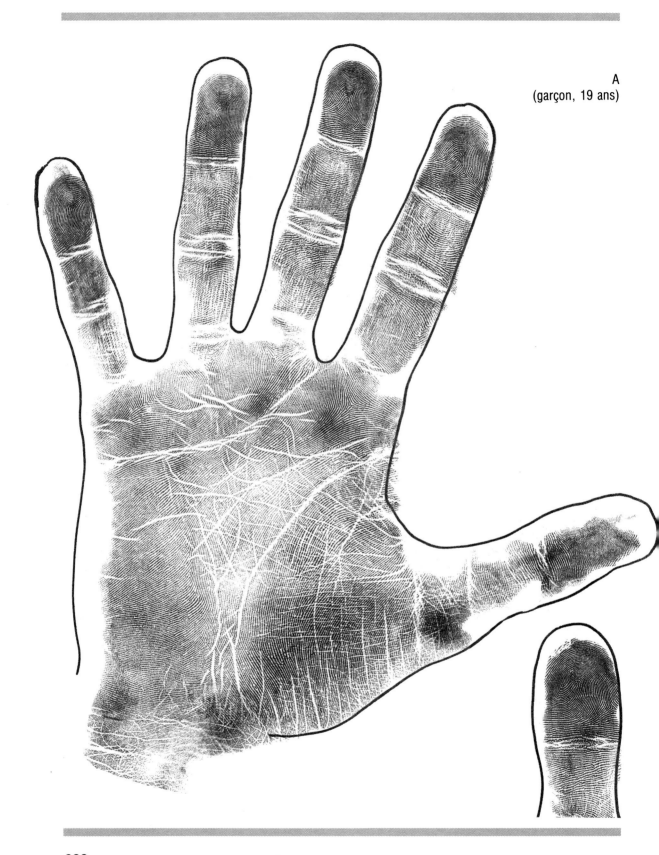

A
(garçon, 19 ans)

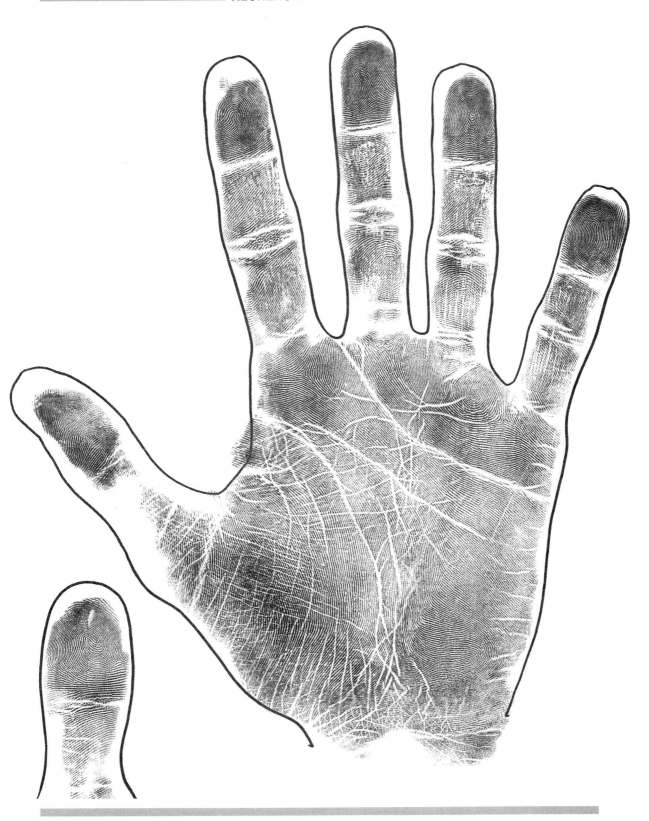

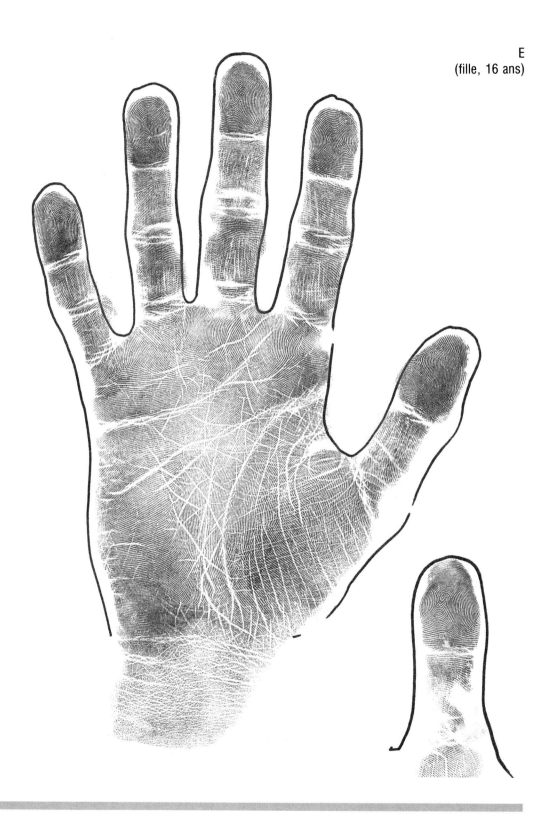

E
(fille, 16 ans)

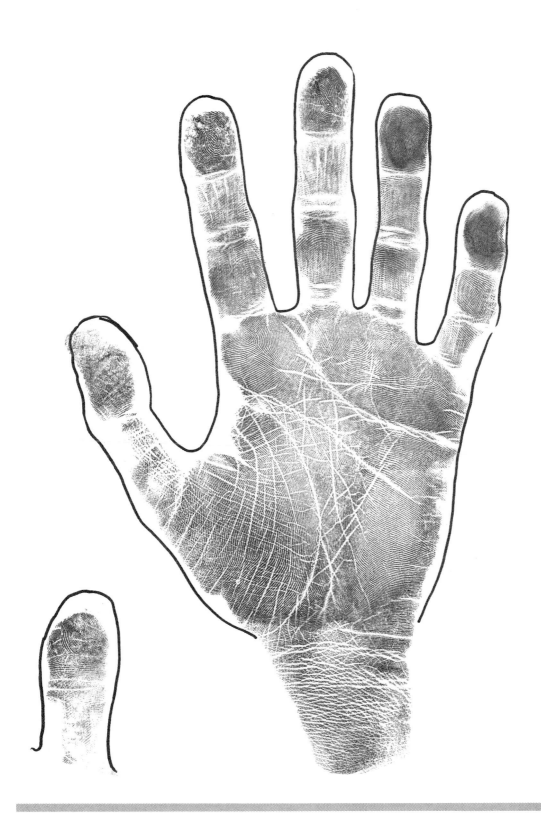

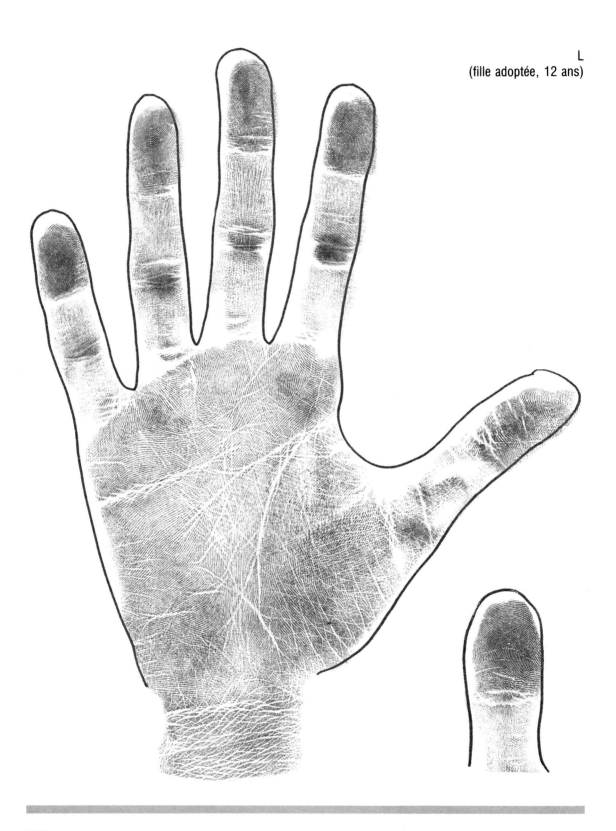

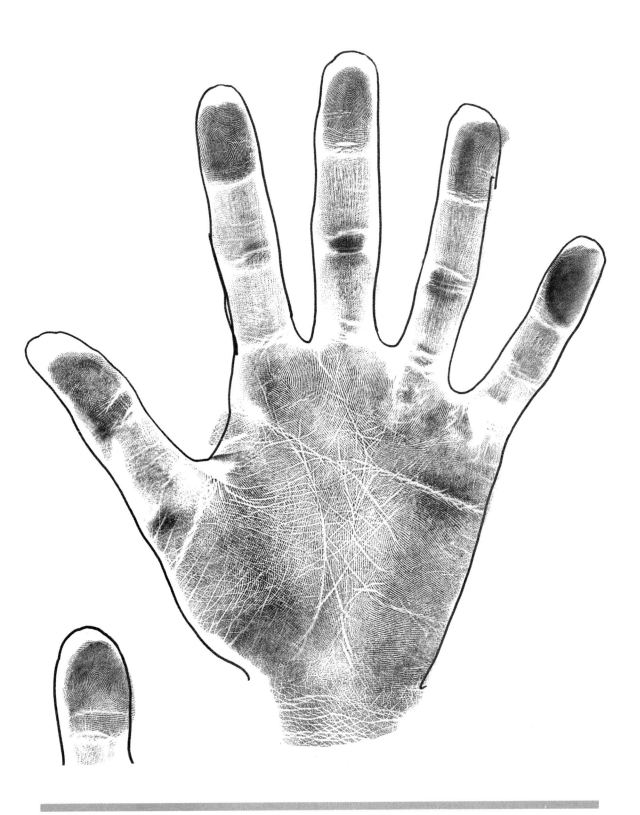

étude de la famille D., cas typique de la transmission d'une anomalie génétique

Répartition des tempéraments :

Le père : *bilieux-sanguin.*
La mère : *bilieux-nerveux.*
Premier enfant, fils, J.M. : *sanguin-nerveux, bilieux.*
Second enfant, fille, A.M. : *nerveuse.*
Troisième enfant, fille, M. : *nerveuse.*
(voir figure 96 page ci-contre).

Les mains de M. D. révèlent une caractéristique particulière : huit des dix doigts sont anormalement courts car ils présentent une absence d'une des deux premières phalanges. Seuls les auriculaires possèdent trois phalanges et une dimension normale. M. D. a transmis en partie cette malformation congénitale héréditaire à ses trois enfants.

• Son fils la présente aux index et, père de famille, l'a transmise (aux index) à son premier enfant, une fille, et non à son deuxième enfant, un garçon. Ces derniers, trop petits à l'époque de notre contact avec leurs parents, n'ont pu participer à la prise d'empreintes !

• La fille aînée présente cette même malformation aux majeurs.

• La cadette aux pouces.

A noter : Cette malformation, cause de tant de sarcasmes de la part de ses camarades de classe lors de sa jeunesse, décupla la forte combativité, déjà potentielle chez un *bilieux,* de M. D., le père. Ainsi, issu d'un milieu modeste savoyard, M. D. a créé pour lui et les siens, par la force de son tempérament réalisateur, les conditions d'une vie heureuse répondant à son désir d'autonomie : illustration parfaite de notre théorie du mouvement des individus dans les couches sociales en fonction de leur tempérament (voir page 349, La chirologie et la biosociologie).

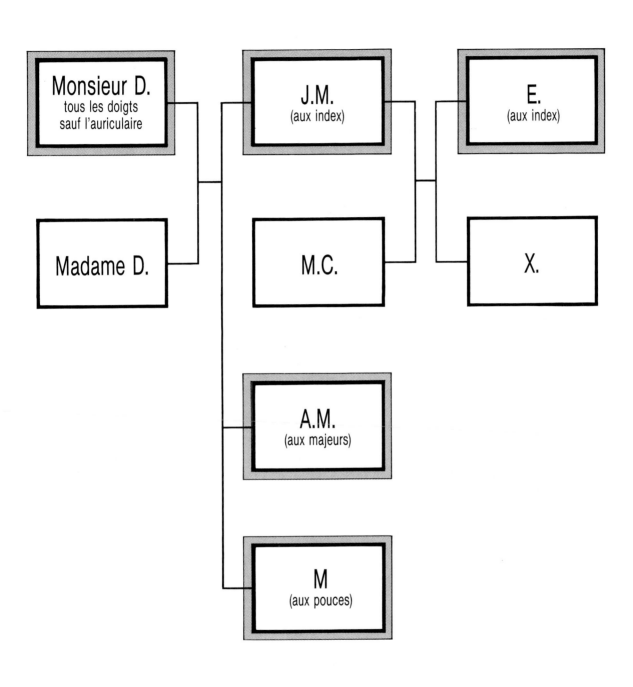

anomalie génétique

Figure 96

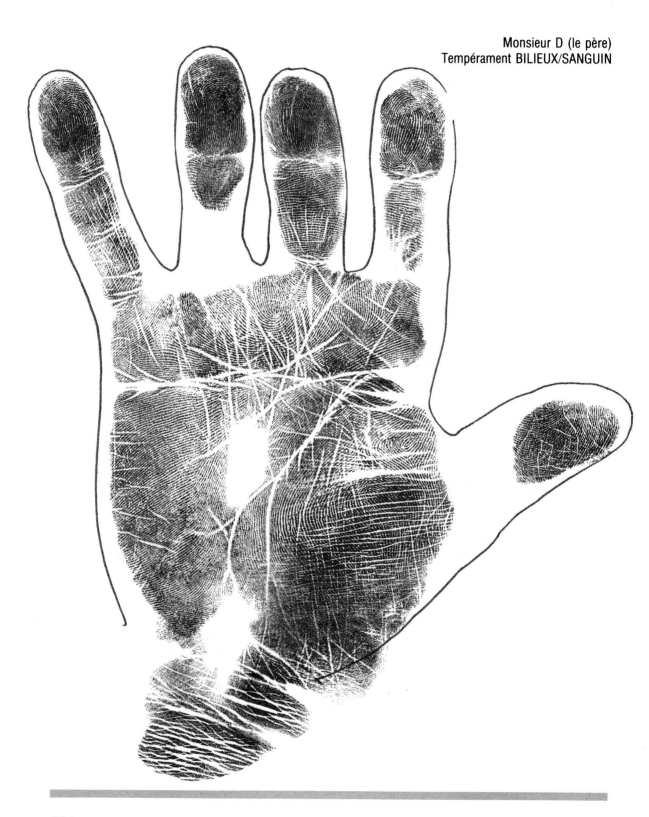

Monsieur D (le père)
Tempérament BILIEUX/SANGUIN

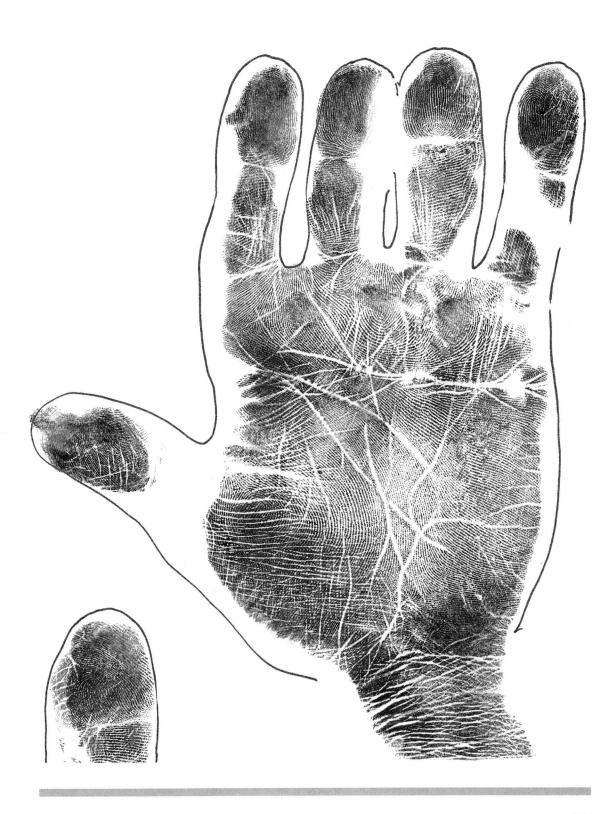

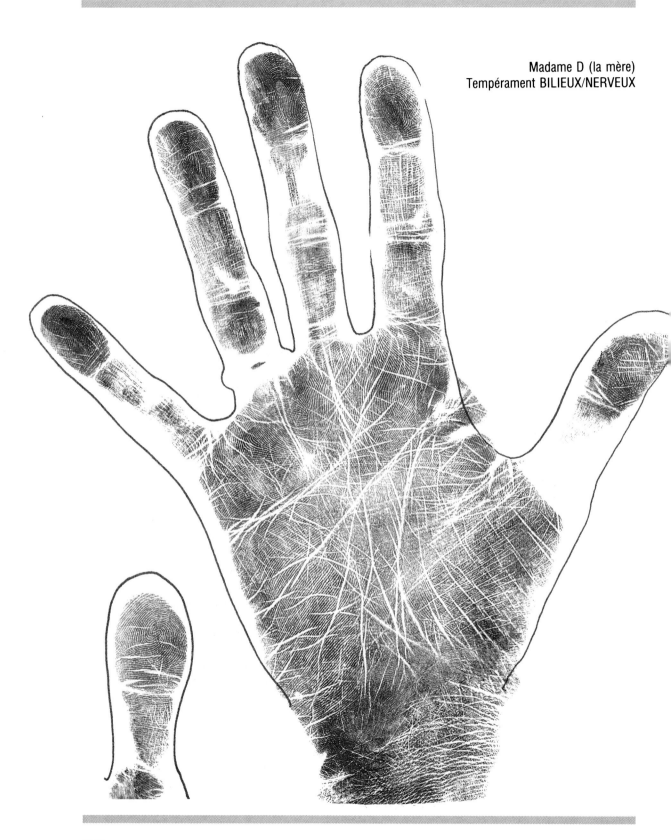

Madame D (la mère)
Tempérament BILIEUX/NERVEUX

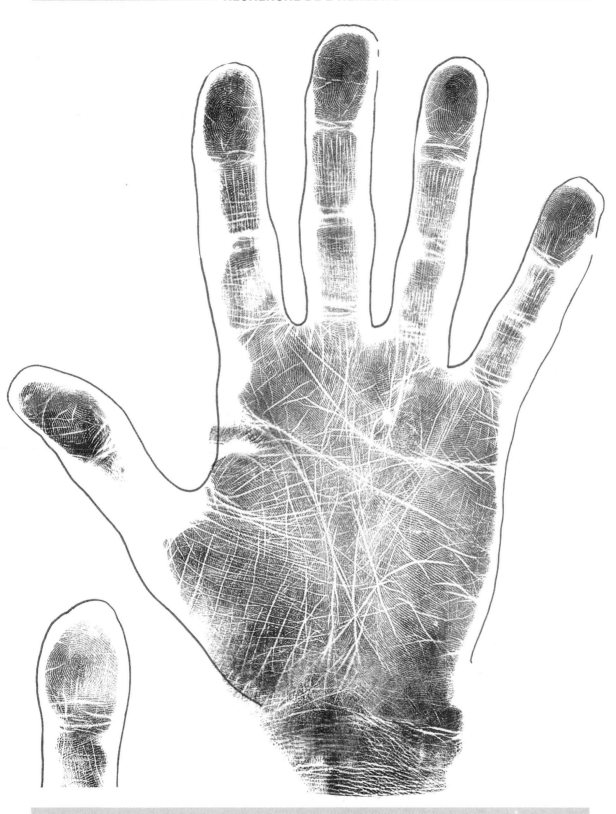

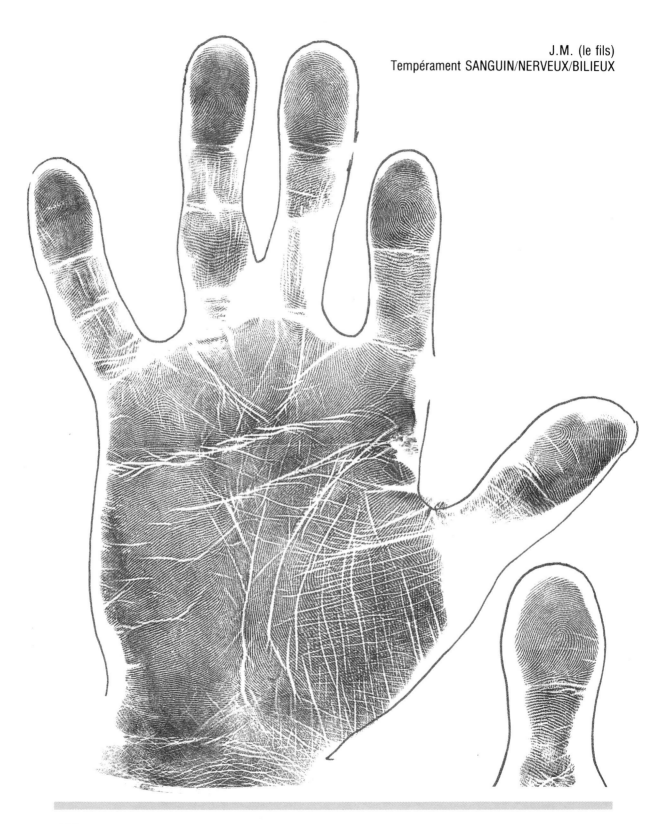

J.M. (le fils)
Tempérament SANGUIN/NERVEUX/BILIEUX

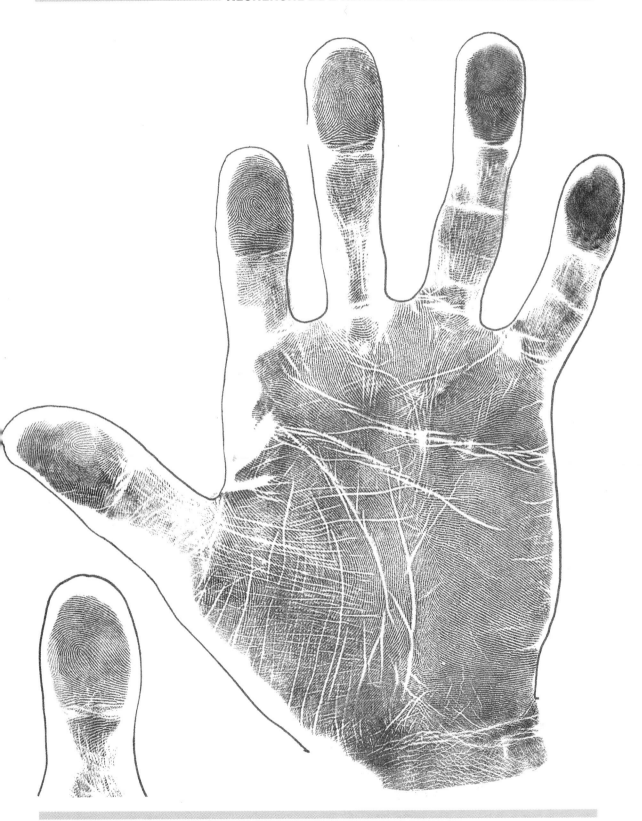

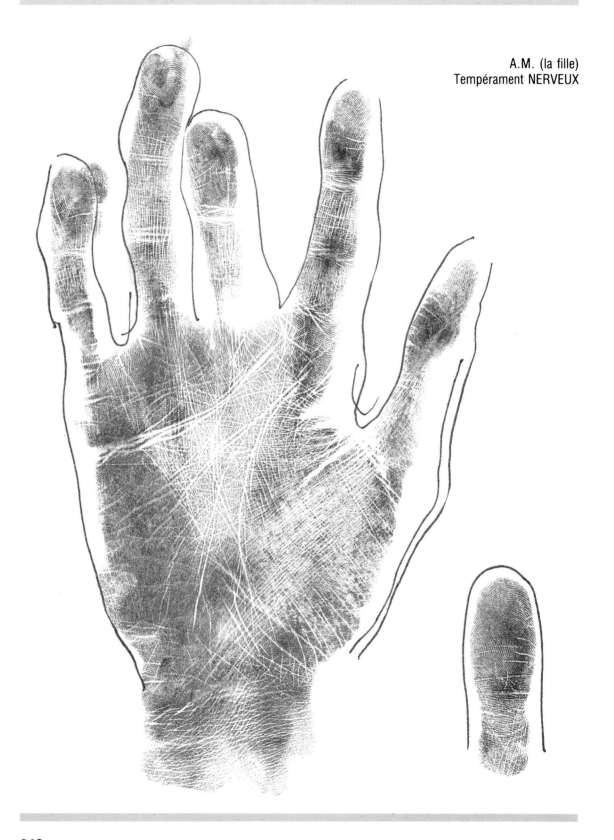

A.M. (la fille)
Tempérament NERVEUX

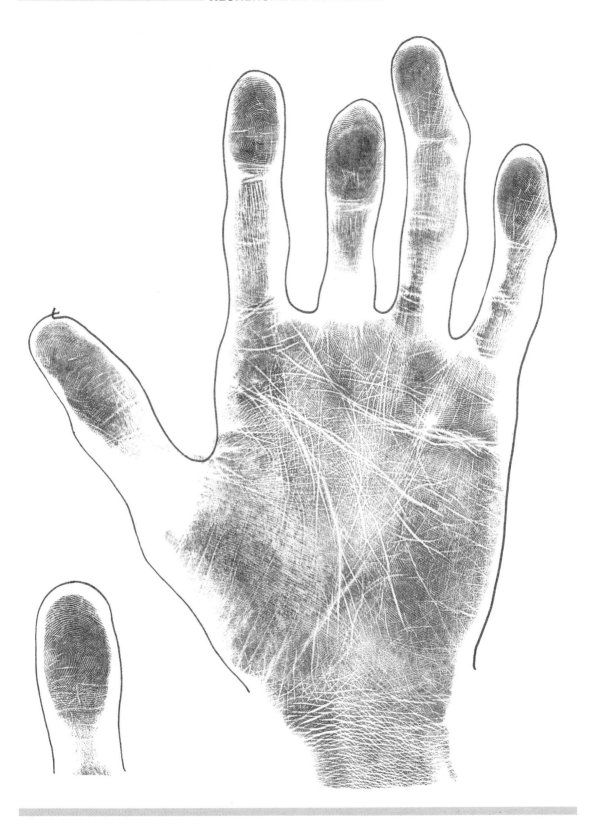

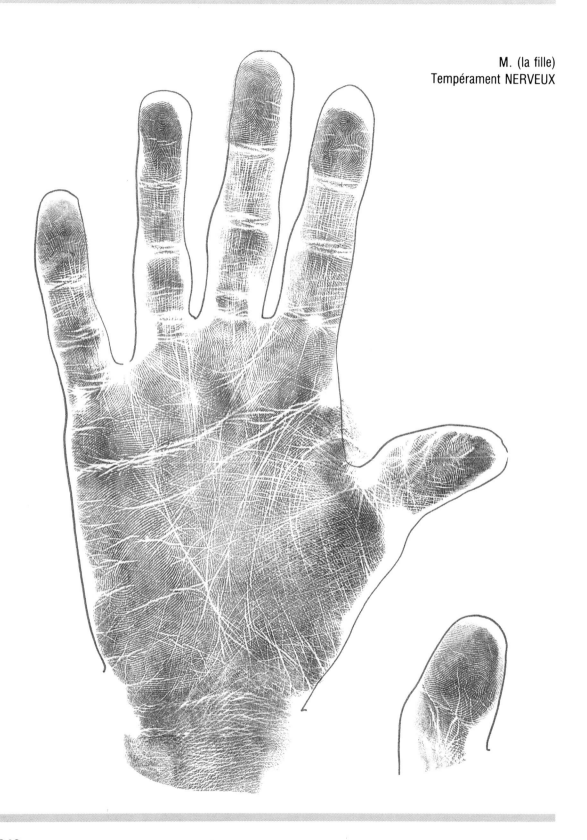

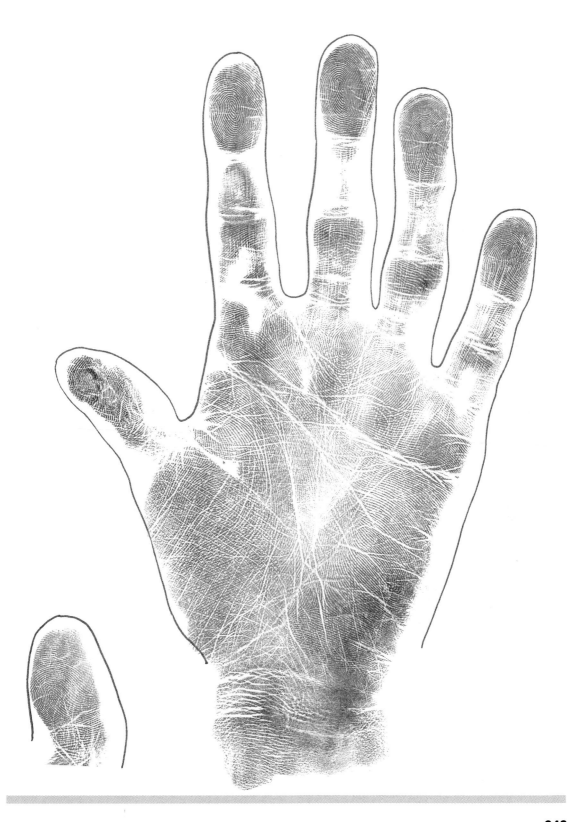

La chirologie et l'école

Sensibiliser les enseignants à la chirologie permettrait deux applications intéressantes vis-à-vis des élèves :
— les comprendre ;
— les orienter.

LES COMPRENDRE

Punir un chahuteur sans chercher à décrypter le message non verbal existant en filigrane derrière un acte d'a-sociabilité représente une simple répression de l'effet sans annulation de la cause. Il en va de même de l'allopathie par rapport à l'homéopathie : l'allopathie s'attaque au mal, à la douleur, l'homéopathie recherche les causes du mal et prend le problème à la racine. Il devrait en être ainsi de l'attitude du maître vis-à-vis du comportement de l'élève. Le chahut d'un enfant de tempérament *bilieux* cache un message opposé à celui du chahut d'un enfant *lymphatique* :

• *dans le premier cas,* l'élève désire affronter le maître pour, par son acte de « bravoure », attirer la sympathie de ses petits camarades, mériter leur admiration et mieux assurer son rôle de leader ;

• *dans le second cas,* la motivation revêt une allure fort différente, signifie en substance : « Malgré mon collectivisme et mon manque d'envie de me mettre en avant je me vois, à mon grand regret, obligé de perturber l'ordre afin de signaler un fait : ce n'est pas parce que je suis sage que je ne mérite pas autant d'attention et de considération que ceux se distinguant d'une manière plus ostentatoire ! »

Il s'agit là non de s'attirer l'adhésion des congénères mais de rappeler le professeur à son devoir. Cas d'ailleurs rare chez le *lymphatique.*

Le chahut de l'élève *nerveux* se place entre ces deux attitudes, son message s'adresse à la fois au maître et aux élèves.

Individualiste, le petit *nerveux* existe en se démarquant du groupe dont pourtant il ressent le besoin, aussi son chahut-message s'adresse-t-il à la fois au professeur et aux élèves et tient-il davantage du chahut verbal que du chahut physique.

A l'inverse, le comportement chahuteur du petit *sanguin* s'extériorise physiquement non pas tant pour se faire remarquer que par besoin de décharger son trop-plein d'énergie ; aussi chahute-t-il plus lors d'activités cérébrales que lors d'activités de mouvement comme la gymnastique.

LES ORIENTER

En période de crise économique, de chômage, les jeunes pensent compenser la difficulté d'embauche par une accumulation de diplômes, allant jusqu'à chercher des plus-values (MBA) outre-Atlantique. Ils oublient un fait souvent démontré : dans la plupart des cas, obtenir un diplôme prouve plus la capacité du candidat à passer des examens qu'à exercer la profession envisagée : *savoir n'implique pas pouvoir*, ils semblent, hélas ! l'oublier.

N'apparaîtrait-il pas absurde d'apprendre le tir à l'arc à un aveugle ou le violon à un sourd ? Pourtant trop de parents et de professeurs poussent les enfants à acquérir les diplômes de leur incompétence en se fondant sur un unique et seul critère : l'enfant possède une intelligence suffisante pour passer avec succès l'examen…

De nos jours les écoles de commerce répondant à un engouement pour un style d'études rapides, souvent chères mais susceptibles de « rapporter gros », fleurissent. Or, le sens des affaires est une compétence innée que la connaissance de l'économie, de la gestion, du marketing livrée par l'école

vont certes compléter mais non remplacer ou compenser.

Un exemple : un père accepte que son fils entreprenne des études médicales à condition de choisir pharmacie, selon lui plus rémunératrice. Le fils, lui, voulait faire médecine pour le plaisir de la recherche. Optiques opposées et pour cause : le père, *sanguin*, raisonne en commercial ; le fils, *nerveux*, raisonnne en intellectuel. Aussi, s'ils ne prennent pas conscience des différences en eux engendrant cette divergence de vues, leurs relations et leurs discussions risquent-elles de se muer en dialogues de sourds. Une discipline caractérologique telle que la chirologie permet de comprendre l'autre en respectant sa différence.

La chirologie et l'armée

De tout temps les hommes, pour quelque morceau de terre de plus ou de moins, sont convenus entre eux de se dépouiller, se brûler, se tuer, s'égorger les uns les autres ; et pour le faire plus ingénieusement et avec plus de sûreté, ils ont inventé de belles règles qu'on appelle l'art militaire.

Jean de la Bruyère

Ainsi si la guerre est, hélas ! toujours d'actualité, l'existence d'une armée nationale doit, en théorie du moins nous en garantir… : « *Qui desirat pacem, preparet bellum.* »

Vegece

En France se présente une armée à double appartenance : l'armée de métier et l'armée des appelés.

Il s'agit ici de remettre en cause non ce système mais plutôt son mode de fonction-

nement, très éloigné de l'idéal d'une armée à visage humain respectant la valeur propre de l'individu en le mettant à contribution pour le bien de la collectivité selon ses talents et ses qualités naturelles. Or, l'armée ignore ou évite d'évaluer les talents et les qualités naturelles inhérentes au tempérament de l'individu et recourt, en revanche, à d'autres critères plus discutables pour envoyer les hommes vers différents types et niveaux de responsabilité ou d'irresponsabilité !

Il apparaît en effet aberrant et inadmissible de confier un poste de commandement à un appelé sous prétexte qu'il obtint, oui ou non, son baccalauréat, sa licence d'anglais ou sa maîtrise de gestion ! Pourtant les charmants théoriciens de l'armée ne semblent toujours pas comprendre une réalité : le sens du commandement et des responsabilités ne découle pas de l'intelligence ou de la capacité à accumuler des diplômes. Cependant cerner l'intelligence d'un quidam permet de situer le niveau et le champ d'activité où pourra s'exercer une habileté à commander affiliée à un tempérament précis : le *bilieux* (et ses composants : *bilieux-sanguin*, *bilieux*-nerveux, *bilieux-lymphatique*).

En tenant compte de la caractérologie hippocratique, le « dispatching » des compétences devrait s'opérer de la façon suivante :

— *bilieux* : poste de commandement, d'organisation active ;

— *nerveux* : bureau d'études, théoricien doué pour l'analyse de situation ;

— *sanguin* : homme de terrain pour opérations offensives et ponctuelles ;

— *lymphatique* : homme de terrain à des postes routiniers de défense ou d'observation. Homme de bureau pour les tâches administratives dépourvues d'initiative.

Une anecdote à titre d'exemple : Luc, de tempérament *bilieux-sanguin* et pâtissier de son état, se voit affecté (pas de surprise !) aux cuisines de la caserne. Mais, homme d'action, fonceur, il s'ennuie à ce poste de routine et d'exécution. Dans les opérations on ne lui octroie pas non plus de responsabilités. Ainsi, passionné et entier, à défaut de pouvoir exercer ses talents de meneur, il devient le chef d'une rébellion et achève son temps sous les drapeaux avec une belle brochette de jours d'arrêt comme plat de résistance (!)...

Par ignorance l'armée se fait ainsi détester d'un certain nombre d'appelés ; pour eux le service militaire se mue en une période amère sinon maudite. Il sied d'y remédier !

La chirologie et la justice

On reproche souvent à la justice, paradoxe significatif, d'engendrer la criminalité, de fabriquer, en condamnant avec trop de dureté les auteurs de petits délits, d'irréductibles malfaiteurs, endurcis par de longues années de détention.

Or, sans pour autant jouer les visionnaires, la caractérologie permet non pas de prédire mais de prévoir le comportement d'un individu donné et de l'expliciter en tenant compte de sa personnalité.

L'idée de traits de caractère liés aux gènes s'avère peu habituelle en notre siècle où les recherches en matière de sciences humaines portent beaucoup plus sur les éléments acquis que sur les éléments innés

de la personnalité. Ainsi, pour la « justification » d'un méfait, seuls interviennent le vécu et le contexte de vie du sujet : « Le père buvait, la mère se prostituait... », et cela est, à notre avis, incomplet. En effet, sans négliger le contexte poussant une personne à bien ou mal « tourner », il faut considérer ce processus d'interaction comme plus ou moins important et irrémédiable selon la nature propre, intrinsèque de l'individu.

Les gens, égaux devant la loi, ne le sont pas devant la nature, et il s'agit de s'en souvenir pour rendre la loi non pas égalitaire mais plus humaine, d'étudier non pas l'être social mais aussi et d'abord l'être humain. Car, l'Etre, libre et responsable, se voit par ailleurs conditionné par sa nature, son tempérament.

Sanguin et *lymphatique* d'une part, *bilieux* et *nerveux* d'autre part marquent respectivement une prédilection logique et naturelle pour les deux sortes de délits inverses : délits d'hyperadaptation, délits d'inadaptation. Dans chacune de ces deux catégories se distinguent deux comportements : actif ou passif.

DÉLITS D'HYPERADAPTATION

hyperadaptation active

Tempérament sanguin

Par son goût pour le risque et le rapport de force, le *sanguin,* s'il manque de moralité ou d'équilibre, commencera par le simple vol pour finir par l'attaque à main armée.

Son sens des affaires, son attrait pour l'argent et le pouvoir en découlant, le mèneront à se spécialiser dans l'escroquerie : abus de confiance, usurpation de fonction, détournement de fonds...

Collectiviste, le *sanguin* se plaît à agir en groupe et forme ainsi le plus souvent des bandes.

Le déséquilibre mental poussant le *sanguin* aux délits est souvent la mythomanie ou la psychose maniaco-dépressive.

DÉLITS D'HYPERADAPTATION

hyperadaptation passive

Tempérament lymphatique

Peu doué pour les affaires, au sens actif du terme, le *lymphatique* sort des rails de la légalité pour des délits cependant semblables à ceux du *sanguin*. Son avidité et sa sédentarité prédisposent le *lymphatique* au métier de commerçant. Aussi, soit il accomplit seul de petits délits : recel, escroqueries diverses..., soit, sous l'égide d'un *sanguin* ou d'un *bilieux,* se laisse-t-il entraîner sur la pente des grands délits car il ne se sent plus alors responsable. Mais si la justice le met devant ses responsabilités, l'anxiété le gagne et le pousse alors au suicide.

DÉLITS D'INADAPTATION

inadaptation passive

Tempérament nerveux

Dénué du sens des affaires, le *nerveux* ressent un profond mépris pour le matériel, l'argent. Il ne possède ni le goût du risque ni celui de l'improvisation.

Prudent et prévoyant, le *nerveux,* secondaire par nature, mûrit ses intentions longtemps et agit en différé, souvent par réaction : vengeance, crime passionnel, délits contre les biens sans profit personnel. Plus souvent criminel en intention qu'en action à cause de ses inhibitions d'une part et de sa vocation de théoricien et non de concrétisateur d'autre part, voilà le *nerveux* !

A-sociable et inadaptable par individualisme, il exprime son déséquilibre mental par la paranoïa — reprochant à son entourage les frustrations résultant de sa propre inadaptation — et par la schizophrénie.

DÉLITS D'INADAPTATION

inadaptation active

Tempérament bilieux

Le *bilieux* se réalise en organisant, responsable et autonome. Si ni la société, ni son pays, ni son entreprise ne reconnaissent sa valeur et ses mérites il s'impose, s'il le faut, par la violence.

Il ne s'adapte pas mais, actif et réalisateur, décide alors d'adapter, par la force, le contexte en vue de le dominer par l'asservissement ou l'anéantissement. Ses réactions antisociales prennent des aspects fort violents : meurtres, voies de faits... car sa sensibilité ne le freine pas et il ne cherche pas non plus à utiliser sa raison.

Le *bilieux,* les statistiques le prouvent, constitue le plus criminel des quatre tempéraments.

Quels avantages la justice peut-elle tirer de la *chirologie,* discipline psychobiologique ?

• Dans le cadre d'une enquête policière, la *chirologie* détermine dans un groupe de suspects le ou les individus dont le tempérament l'(ou les) inclinerait à accomplir le méfait motivant l'enquête.
• Dans le cadre d'un jugement, deux cas de figure s'envisagent :

— *Lors du procès d'une bande,* la sentence devrait se moduler en fonction du tempérament de chaque individu : le *bilieux,* meneur, est plus responsable que le *lymphatique,* mené.

— *Lors du procès d'un individu seul,* si le délit présente une conformité avec le tempérament de l'individu, la peine devrait être appliquée de façon plus intraitable car il est en toute logique susceptible de récidiver. A l'inverse, il faudrait appliquer une peine plus douce en cas de délit « illogique », peu probable de se voir réitéré par le coupable.

• *Au cours d'une réinsertion* après la purge d'une condamnation, la connaissance de la compétence d'un détenu aide à lui conseiller d'acquérir le savoir, la technique de sa compétence afin de les faciliter. Savoir n'égale pas pouvoir, mais pouvoir sans savoir se montre dommageable à l'efficacité finale.

Dans un pays ornant les frontispices de ses monuments d'une devise où cohabitent Egalité et Fraternité, une justice plus humaine se doit de s'affirmer sinon égalitaire, du moins fraternelle et de considérer les individus selon leur personnalité... car, comme l'écrit si bien Gilbert Cesbron : « Nous ne sommes pas tous égaux : nous sommes tous frères — ce qui est presque le contraire ! »

La chirologie et la biosociologie

On pourrait étudier l'évolution sociologique d'une population en tenant compte du pourcentage de chacun des tempéraments y participant. Ainsi, en ce qui concerne l'échelle sociale et les clivages existants, il est inexact et limité de considérer seuls comme facteurs primordiaux de situation sociale et professionnelle les points de départ familiaux, éducatifs, culturels et scolaires car à regarder l'histoire initiale et la trajectoire de ceux partis de rien, on observe que leur réussite tient d'abord à leur personnalité et à leurs potentialités innées. Il ne sied pas de demeurer benoîtement admiratif devant la réussite incontestable d'un Marcel Dassault, d'un Marcel Bleustein-Blanchet, d'un Armand Hammer ou d'un Franck Sinatra car la compétence et l'intelligence associées ont fait leur œuvre. L'intelligence sans la compétence se montre aussi inefficace que la compétence sans l'intelligence, ainsi s'explique que de brillants énarques puissent échouer lamentablement quand leurs diplômes les placent, sans autre forme de procès, directement — sans passer par la case départ mais en touchant un confortable salaire — à leur niveau d'incompétence.

Partir de rien s'avère parfois une condition supplémentaire de possibilité de réussite car « la facilité engendre la médiocrité », opinion partagée par Paul-Loup Sulitzer ; lui-même affirme : « On ne part pas de rien quand on part de soi-même », et il sait ce dont il parle...

Ainsi s'associe au truisme amusant : « Il vaut mieux être riche et en bonne santé que pauvre et malade », un adage moins évident : « Pour réussir dans la vie il vaut mieux être *bilieux* et fils (ou fille) de pauvre que *lymphatique* et fils (ou fille) de riche ! »

Un parallèle s'établit entre les mouvements sociologiques et la météorologie : l'air chaud et sec monte tandis que l'air froid et humide descend (voir schéma page 350), de même les individus aux mains chaudes et sèches *(bilieux)* montent sur l'échelle sociale tandis que les détenteurs de mains froides et humides *(lymphatiques)* doivent lutter pour ne pas descendre.

LES FACTEURS DE LA RÉUSSITE

Le lecteur pourrait, à juste titre, s'insurger contre une vision aussi déterministe de la réussite et même... nous dénicher parmi ses amis et connaissances des contre-exemples.

En effet, il y a un pas entre être capable de réussir et le vouloir, de même détenir la compétence n'implique pas posséder l'intelligence.

Si compétence et intelligence se trouvent présentes, le déclic, l'étincelle, la mise à feu de la volonté d'entreprendre demeurent souvent entre les mains du destin.

Il présente en effet à l'individu conditions et arguments d'une saine revanche sur la vie : appartenance au « club des orphelins » (cf. IIe partie), origine modeste, revers de position, handicaps physiques (innés ou acquis), brimades familiales ou scolaires, etc.

Les clés de la réussite sont : compétence, intelligence et esprit de revanche.

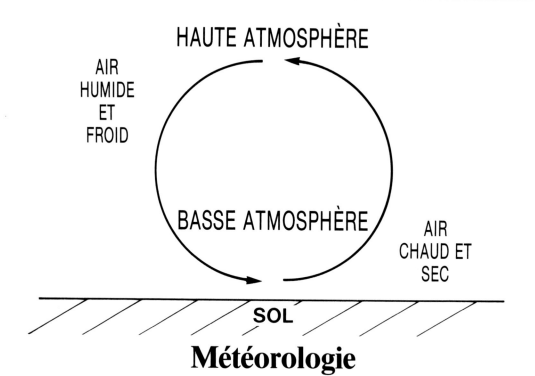

HAUTE ATMOSPHÈRE

AIR
HUMIDE
ET
FROID

BASSE ATMOSPHÈRE

AIR
CHAUD ET
SEC

SOL

Météorologie

HAUTES COUCHES SOCIALES

MAINS
CHAUDES
ET
SÈCHES
(BILIEUX)

MAINS
HUMIDES
ET
FROIDES
(LYMPHATIQUES)

BASSES COUCHES SOCIALES

Chiro sociologie

CONCLUSION

La société humaine souffre d'une tension désorganisatrice inhérente à une disharmonie observable aujourd'hui dans les rapports humains. Disharmonie dont les individus pourraient venir à bout si certaines prises de conscience s'opéraient dans les mentalités.

La sociabilité, qualité nécessaire au bon fonctionnement de la vie en société, nécessite de la part de chacun maîtrise et contrôle des instincts.

Une fois maîtrisés, ces instincts, partie intégrante du tempérament, servent de façon constructive, ils prédisposent à un rôle précis aux différents niveaux concentriques, centrifuges de l'existence : vie personnelle, familiale, professionnelle, sociale, voire solaire et galactique !

La compréhension et l'acceptation de son mode de fonctionnement doivent amener l'homme à une attitude identique envers ses semblables pour, alors, accepter sans envie ou mépris son rôle différent et complémentaire au sein de la société humaine.

Ainsi l'âme n'aurait aucun mérite à vivre dans la plénitude divine si elle n'avait, auparavant, à « gagner son paradis » par l'épreuve, apprentissage sanctificateur du choix entre deux attitudes inverses :
- soumission de l'être aux caprices de ses instincts ;
- maîtrise de ses instincts.

La première attitude se révèle, hélas ! toujours d'actualité (voir et considérer les rapports des divers médias) dans un monde où, en revanche, le progrès scientifique semble suivre une courbe d'ascension exponentielle infinie contrastant avec la lenteur d'harmonisation fraternelle des rapports humains.

Ce décalage accentue, jour après jour, une tension dont la rupture risque — les prémices éclosent ici et là de par le monde (Iran, Liban, Afghanistan, Afrique du Sud...) — d'être fatale pour la civilisation.

Albert Camus le voyait et même le prévoyait en déclarant : « Chaque génération, sans doute, se croit vouée à refaire le monde. La mienne sait pourtant qu'elle ne le refera pas. Sa tâche est plus grande. Elle consiste à empêcher que le monde se défasse. »

Cette tension paraît inévitable, voire souhaitable, si l'on considère son existence comme le signe rassurant d'un monde encore loin d'une ennuyeuse uniformisation à l'origine d'un modèle humain unique et insipide.

La famille composée d'enfants différents, avec des personnalités diverses, permet entre eux une interaction fort éducative et constitue pour l'enfant la meilleure base (en principe !) de compréhension, de tolérance et de diplomatie car fondée sur une fraternité naturelle, réelle, originelle. Cet apprentissage de la cohabitation acquis au cours de l'enfance et de l'adolescence doit aider à devenir adulte, à apprendre à connaître mais surtout à comprendre l'entourage : compréhension et tolérance de l'autre (homme ou femme), compréhension et tolérance des autres (peuples, nations, races).

Dans le monde chaque peuple, chaque être a une place à prendre en complément et dans le respect de celle des autres, de l'autre.

Ainsi les peuples à prédominance *bilieuse* (Germains) doivent-ils apporter à l'œuvre universelle leur tribut : leur rigueur et leur esprit de discipline permettant les grandes réalisations techniques, les travaux de longue haleine...

Les peuples à prédominance *sanguine* (Américains) favorisent la communication, les échanges économiques.

Les peuples à prédominance *nerveuse* (Latins) se dédient à la recherche (même gratuite et sans lendemain), la création (mode, peinture, sculpture, musique...), l'harmonie, le respect de l'individualisme et la critique de l'ordre établi (voir la Révolution de 1789).

Les peuples à prédominance *lymphatique* (souvent fondus dans les autres) apportent leur capacité de collaboration, d'exécution, d'adaptation, de régularité.

Ainsi est-il vain de croire en une utopique capacité de la France de rattraper et de concurrencer des peuples intrinsèquement commerçants comme les Américains ou les Japonais ! En revanche, elle peut et doit prendre pour fer de lance les domaines où elle excelle : la créativité, l'art de vivre.

Ainsi existera et se construira l'Europe avec la complémentarité et la sensibilité latine et la rigueur germanique, comme se complètent intuition féminine et pragmatisme masculin, la conceptualisation et l'expérimentation par la main.

La main, ou du moins l'étude de son message, peut devenir le vecteur, à travers la *chirologie,* d'une compréhension de cette complémentarité. L'harmonisation des rapports humains ne portera plus le triste habit d'utopie si chacun prend conscience qu'il ne faut pas reprocher aux autres d'être eux-mêmes, à un papillon *(nerveux)* de batifoler en butinant des fleurs, à un bulldozer *(bilieux)* de ne pas savoir évoluer avec délicatesse !

Cet ouvrage, lecteur, poursuit un unique but : vous livrer un outil de compréhension des compétences et des comportements humains. Servez-vous-en en vous souvenant toutefois de ceci : en observant les mains d'autrui vous ne pouvez le connaître mieux qu'il ne se connaît, mais vous saurez le comprendre mieux qu'il ne se comprend, et là réside l'essentiel !

BIBLIOGRAPHIE

Le lecteur voudra bien pardonner la maigreur de nos indications bibliographiques, à cela deux raisons :

— la majeure partie des ouvrages disponibles en librairie traitent plutôt de la chiromancie et ne reçoivent en conséquence pas notre approbation ;

— les rares livres sérieux relevant de la chirologie sont anciens et un peu dépassés, leur intérêt réside surtout dans leur rôle précurseur.

Seul échappe à ces restrictions, car récent et sérieux (mais conçu pour comprendre non pour apprendre) celui de Clément Blin « Votre Main, principes de Chirométrie » aux Editions du Rocher, 1980, il complète fort bien « Voyage au Creux de la Main ».

Ce discours peu charitable (!) ne concerne certes pas l'ouvrage du professeur Bernard, *Le sang et l'histoire,* éditons Buchet-Chastel, dont nous conseillons la lecture pour percevoir dans leur environnement discursif les longs passages cités dans notre livre.

PLAN DÉTAILLÉ

TROISIÈME PARTIE : EXEMPLES CÉLÈBRES

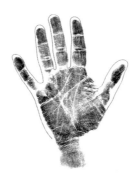

Achevé d'imprimer en mars 1986
pour le compte des Éditions Robert Laffont
sur les presses de Mame (Tours)

Composé et mis en pages
par la Société Empreintes
Paris

Dépôt légal : avril 1986 - N° d'édition : L 865 - N° d'impression : 12212
Imprimé en France